吉川英治歴史時代文庫 36

三国志（四）

講談社

目次

三国志
（四）

孔明《こうめい》の巻《まき》

関羽《かんう》千里《せんり》行《こう》

一

時刻ごとに見廻りにくる巡邏《じゅんら》の一隊であろう。

明け方、まだ白い残月がある頃、いつものように府城、官衙《かんが》の辻々をめぐって、やがて大きな溝渠《こうきょ》に沿い、内院の前までかかってくると、ふいに巡邏のひとりが大声でいった。

「ひどく早いなあ。もう内院の門が開いとるが」

すると、ほかの一名がまた、

「はて。今朝はまた、いやにくまなく箒目《ほうきめ》立てて、きれいに掃ききよめてあるじゃないか」

「いぶかしいぞ」

「なにが」

「奥の中門も開いている。番小屋には誰もいない。どこにもまるで人気《ひとけ》がない」

つかつか門内へ入っていったのが、手を振って呶鳴った。

「これやあ変だ！　まるで空家だよ！」

それから騒ぎだして、巡邏たちは奥まった苑内まで立ち入ってみた。

するとそこに、十人の美人が唖《おし》のように立っていた。

「どうしたのだ？　ここの二夫人や召使いたちは」

巡邏がたずねると、美姫のひとりが、黙って北のほうを指さした。

この十美人は、いつか曹操《そうそう》から関羽へ贈り、関羽はそれをすぐ二夫人の側仕《そばづか》えに献上してしまい、以来、そのまま内院に召使われていた者たちであった。

関羽は曹操から贈られた珍貴財宝は、一物も手に触れなかったが、この十美人もまたほかの金銀緞疋《だんひつ》と同視して、置き残して去ったものである。

――その朝、曹操は、虫が知らせたか、常より早目に起きて、諸将を閣へ招き、何事か凝議していた。

そこへ、巡邏からの注進が聞えたのである。

「――寿亭侯の印をはじめ、金銀緞匹の類、すべてを庫内に封じて留めおき、内室には十美人をのこし、その余の召使い二十余人、すべて関羽と共に、二夫人を車へのせて、夜明け前に、北門より立退いた由でございます」

こう聞いて、満座、早朝から興をさました。猿臂将軍蔡陽《えんぴしょうぐんさいよう》はいった。

「追手の役、それがしが承らん。関羽とて、何ほどのことやあろう。兵三千を賜らば、即刻、召捕えて参りまする」

曹操は、侍臣のさし出した関羽の遺書をひらいて、黙然と読んでいたが、

「いや待て。――われにこそ無情《つれな》いが、やはり関羽は真の大丈夫である。来ること明白、去ることも明白。まことに天下の義士らしい進退だ。――其方ども、良い手本にせよ」

蔡陽《さいよう》は、赤面して、列後に沈黙した。

すると程昱《ていいく》は、彼に代って、

「関羽には三つの罪があります。丞相《じょうしょう》のご寛大は、却って味方の諸将に不平をいだかせましょう」

と、面を冒《おか》して云った。

「程昱。なぜ、関羽の罪とは何をさすか」

「一、忘恩《ぼうおん》の罪。二、無断退去の罪。三、河北の使いとひそかに密書を交わせる罪――」

「いやいや、関羽は初めから予に、三ヵ条の約束を求めておる。それを約しながら強《し》いて履行を避けたのは、かくいう曹操であって、彼ではない」

「でも今――みすみす彼が河北へ走るのを見のがしては、後日の大患、虎を野へ放つも

同様ではありませぬか」

「さりとて、追討ちかけて、彼を殺せば、天下の人みな曹操の不信を鳴らすであろう。——如《し》かず！　如かず！　人おのおのその主ありだ。このうえは彼の心のおもむくまま故主のもとへ帰らせてやろう……。追うな、追うな。追討ちかけてはならんぞ」

最後のことばは、曹操が曹操自身へ戒《いまし》めているように聞えた。彼のひとみは、そういうあいだも、北面したままじっと北の空を見つめていた。

二

ついに関羽は去った！

自分をすてて玄徳のもとへ帰った！

辛いかな大丈夫の恋。——恋ならぬ男と男との義恋。

「……ああ、生涯もう二度と、ああいう真の義士と語れないかもしれない」

憎悪。そんなものは今、曹操の胸には、みじんもなかった。

来るも明白、去ることも明白な関羽のきれいな行動にたいして、そんな小人《しょうじん》の怒りは抱こうとしても抱けなかったのである。

「…………」

けれど彼の淋しげな眸は、北の空を見まもったまま、如何《いかん》ともなし難かった。涙々、頬に白いすじを描いた。睫毛《まつげ》は、胸中の苦悶をしばだたいた。

諸臣みな、彼の面を仰ぎ得なかった。しかし程昱《ていいく》、蔡陽《さいよう》の輩は、

「いま関羽を無事に国外へ出しては、後日、かならず悔い悩むことが起るに相違ない。殺すのは今のうちだ。今の一刻を逸しては……」

と、ひそかに腕を扼《やく》し、足ずりして、曹操の寛大をもどかしがっていた。

曹操はやがて立ち上がった。

そして、あたりの諸大将に云った。

「関羽の出奔《しゅっぽん》は、あくまで義にそむいてはいない。彼は七度《ななたび》も暇を乞いに府門を訪れているが、予が避《ひ》客牌《かくはい》をかけて門を閉じていたため、ついに書をのこして立ち去ったのだ。大方の非礼はかえって曹操にある。生涯、彼の心底に、曹操は気心の小さいものよと嗤《わら》われているのは心苦しい。……まだ、途も遠くへはへだたるまい。追いついて、彼にも我にも、後々までの思い出のよい信義の別れを告げよう。——張遼《ちょうりょう》供をせい！」

やにわに彼は閣を降り、駒をよび寄せて、府門から馳けだした。

張遼は、曹操から早口にいいつけられて路用の金銀と、一襲《ひとかさね》の袍衣《ひたたれ》とを、あわただしく持って、すぐ後から鞭を打った。

「……わからん。……実にあのお方の心理はわからん」

閣上にとり残された諸臣はみな呆っ気にとられていたが、程昱、蔡陽の輩はわけても茫然、つぶやいていた。

×　　×　　×

山はところどころ紅葉して、郊外の水や道には、翻々《へんぺん》、枯葉が舞っていた。赤兎馬《せきとば》はよく肥えていた。秋はまさに更《ふ》けている。

「……はて。呼ぶものは誰か？」

関羽は、駒をとめた。

「……おおういっ」

という声——。秋風のあいだに。

「さては！　追手の勢」

関羽は、かねて期したることと、あわてもせず、すぐ二夫人の車のそばへ行った。

「扈従《こじゅう》の人々。おのおのは御車をおして先へ落ちよ。関羽一人はここにあって路傍の妨げを取り除いたうえ、悠々と、後から参れば——」

と、二夫人を愕《おどろ》かさぬように、わざとことば柔らかにいって駒を返した。

遠くから彼を呼びながら馳けてきたのは、張遼であった。張遼はひっ返してくる関羽の姿を見ると、

「雲長。待ちたまえ」と、さらに駒を寄せた。

関羽はにこと笑って、

「わが字《あざな》を呼ぶ人は、其許《そこもと》のほかにないと思っていたが、やはり其許であった。待つことかくの如く神妙であるが、いかにご辺を向けられても、関羽はまだご辺の手にかかって生捕られるわけには参らん。さてさてつらき御命をうけて来られたもの哉《かな》——」

と、はや小脇の偃月刀《えんげつとう》を持ち直して身がまえた。

「否、否、疑うをやめ給え」と、張遼はあわてて弁明した。

「身に甲《よろい》を着ず、手に武具をたずさえず——拙者のこれへ参ったのは、決して、あなたを召捕らんがためではない。やがて後より丞相がご自身でこれに来られるゆえ、その前触れにきたのでござる。曹丞相《そうじょうしょう》の見えられるまで、しばしこれにてお待ちねがいたい」

三

「なに。曹丞相みずからこれへ参るといわれるか」

「いかにも、追ッつけこれへお見えになろう」

「はて、大仰《おおぎょう》な」

関羽は、何思ったか、駒をひっ返して覇陵橋《はりょうきょう》の中ほどに突っ立った。

張遼は、それを見て、関羽が自分のことばを信じないのを知った。

彼が、狭い橋上のまン中に立ちふさがったのは、大勢を防ごうとする構えである。

——道路では四面から囲まれるおそれがあるからだ。

「いや。やがて分ろう」

張遼は、あえて、彼の誤解に弁明をつとめなかった。まもなく、すぐあとから曹操はわずか六、七騎の腹心のみを従えて馳けてきた。

それは、許褚《きょちょ》、徐晃《じょこう》、于禁《うきん》、李典《りてん》なんどの錚々《そうそう》たる将星ばかりだったが、すべて甲冑をつけず、佩剣《はいけん》のほかは、もののしい武器をたずさえず、きわめて、平和な装いを揃えていた。

関羽は、覇陵橋のうえからそれをながめて、

「——さては、われを召捕らんためではなかったか。張遼の言は、真実だったか」

と、やや面の色をやわらげたが、それにしても、曹操自身が、何故にこれへ来たのか、なお怪しみは解けない容子《ようす》であった。

——と、曹操は。

はやくも駒を橋畔まで馳け寄せてきて、しずかに声をかけた。

「オオ羽将軍。——あわただしい、ご出立ではないか。さりとは余りに名残り惜しい。何とてそう路を急ぎ給うのか」

関羽は、聞くと、馬上のまま慇懃《いんぎん》に一礼して、

「その以前、それがしと丞相との間には三つのご誓約を交わしてある。いま、故主玄徳こと、河北にありと伝え聞く。——幸いに許容し給わらんことを」

「惜しいかな。君と予との交わりの日の余りにも短かりしことよ。——予も、天下の宰相たり、決して昔日《せきじつ》の約束を違《たが》えんなどとは考えていない。……しかし、しかし、余りにもご滞留が短かかったような心地がする」

「鴻恩《こうおん》、いつの日か忘れましょう。さりながら今、故主の所在を知りつつ、安閑と無為の日を過して、丞相の温情にあまえているのも心ぐるしく……ついに去らんの意を決し

て、七度まで府門をお訪ねしましたが、つねに門は各〻とざされていて、むなしく立ち帰るしかありませんでした。お暇も乞わずに、早々旅へ急いだ罪はどうかご寛容ねがいたい」

「いやいや、あらかじめ君の訪れを知って、牌《はい》をかけおいたのは予の科《とが》である。――否、自分の小心のなせる業《わざ》と明らかに告白する。いま自身でこれへ追ってきたのは、その小心をみずから恥じたからである」

「なんの、なんの、丞相の寛濶《かんかつ》な度量は、何ものにも、較《くら》べるものはありません。誰よりも、それがしが深く知っておるつもりです」

「本望である。将軍がそう感じてくれれば、それで本望というもの。別れたあとの心地も潔《いさぎよ》い。……おお、張遼、あれを」

と、彼はうしろを顧みて、かねて用意させてきた路用の金銀を、餞別《せんべつ》として、関羽に贈った。が関羽は、容易にうけとらなかった。

「滞府中には、あなたから充分な、お賄《まかな》いをいただいておるし、この後といえども、流《りゅう》寓落魄《ぐうらくはく》貧しきには馴れています。どうかそれは諸軍の兵にわけてやってください」

しかし曹操も、また、

「それでは、折角の予の志もすべて空しい気がされる。今さら、わずかな路銀などが、君の節操を傷つけもしまい。君自身はどんな困窮にも耐えられようが、君の仕える二夫人に衣食の困苦をかけるのはいたましい。曹操の情として忍びがたいところである。君が受けるのを潔しとしないならば、二夫人へ路用の餞別として、献じてもらいたい」と強《た》って云った。

四

関羽は、ふと、眼をしばだたいた。二夫人の境遇に考え及ぶと、すぐ断腸《だんちょう》の思いがわくらしいのである。

「ご芳志のもの、二夫人へと仰せあるなら、ありがたく収《おさ》めて、お取次ぎいたそう。

——長々お世話にあずかった上、些少の功労をのこして、いま流別の日に会う。……他日、萍水《ひょうすい》ふたたび巡りあう日くれば、べつにかならず、余恩をお報い申すでござろう」

彼のことばに、曹操も満足を面にあらわして、

「いや、いや、君のような純忠の士を、幾月か都へ留めておいただけでも、都の士風はたしかに良化された。また曹操も、どれほど君から学ぶところが多かったか知れぬ。――ただ君と予との因縁薄《いんねんうす》うして、いま人生の中道に袂《たもと》をわかつ。――これは淋しいことにちがいないが、考え方によっては、人生のおもしろさもまたこの不如意《ふにょい》のうちにある」

と、まず張遼の手から路銀を贈らせ、なお後の一将を顧みて、持たせてきた一領の錦の袍衣《ひたたれ》を取寄せ、それを関羽に餞別《はなむけ》せん――とこういった。

「秋も深いし、これからの山道や渡河の旅も、いと寒く相成ろう。……これは曹操

が、君の芳魂*をつつんでもらいたいため、わざわざ携えてきた粗衣に過ぎんが、どうか旅衣として、雨露のしのぎに着てもらいたい。これくらいのことは君がうけても誰も君の節操を疑いもいたすまい」

錦の袍を持った大将は、直ちに馬を下りて、つかつかと覇陵橋《はりようきよう》の中ほどへすすみ、関羽の駒のまえにひざまずいて、うやうやしく錦袍を捧げた。

「かたじけない」

関羽はそこから目礼を送ったが、その眼《まな》ざしには、もし何かの謀略でもありはしまいかとなお充分警戒しているふうが見えた。

「――せっかくのご餞別《せんべつ》、さらば賜袍《しほう》の恩をこうむるでござろう」

そういうと、関羽は、小脇にしていた偃月《えんげつ》の青龍刀をさしのべてその薙刀形《なぎなたなり》の刃さきに、錦の袍を引っかけ、ひらりと肩に打ちかけると、

「おさらば」と、ただ一声のこして、たちまち北の方へ駿足赤兎馬《せきとば》を早めて立ち去ってしまった。

「見よ。あの武者ぶりの良さを――」

と、曹操は、ほれぼれと見送っていたが、つき従う李典《りてん》、于禁《うきん》、許褚《きよちよ》などは、口を極めて、怒りながら、

「なんたる傲慢《ごうまん》」

「恩賜《おんし》の袍《ほう》を刀のさきで受けるとは」

「丞相のご恩につけあがって、すきな真似をしちらしておる」

「今だっ。——あれあれ、まだ彼方に姿は見える。追いかけて！　……」

と、あわや駒首をそろえて、馳けだそうとした。

曹操は、一同をなだめて、

「むりもない事だ。関羽の身になってみれば、——いかに武装はしていなくとも、こちらはわが麾下の錚々《そうそう》たる者のみ二十人もいるのに、彼は単騎、ただひとりではないか。あれくらいな要心はゆるしてやるべきである」

そしてすぐ許都《きょと》へ帰って行ったが、その途々も左右の諸大将にむかって、

「敵たると味方たるとをとわず、武人の薫《かん》しい心操《しんそう》に接するほど、予は、楽しいことはない。その一瞬《とき》は、天地も人間も、すべてこの世が美しいものに満ちているような心地がするのだ。——そういう一箇の人格が他を薫化《くんか》することは、後世千年、二千年にも及ぶであろう。其方たちも、この世でよき人物に会ったことを徳として、彼の心根に見ならい、おのおの末代にいたるまで芳き名をのこせよ《よ》」と、訓戒したということである。

このことばから深くうかがうと、曹操はよく武将の本分を知っていたし、また自己の性格のうちにある善性と悪性をもわきまえていたということができる。そして努めて、善将にならんと心がけていたこともたしかだと云いえよう。

五

思いのほか手間どったので、関羽は二夫人の車を慕って、二十里余り急いで来たが、どこでどう迷ったか、先に行った車の影は見えなかった。

「……はて。いかが遊ばしたか」と、とある沢のほとりに駒をとめて、四方の山を見まわしていると、一水の渓流を隔てた彼方の山から、

「羽将軍、しばらくそこにお停りあれ」と、呼ばわる声がした。

何者かと眸をこらしていると、やがて百人ばかり歩卒をしたがえ、まっ先に立ってくる一名の大将があった。

打ち眺めれば、その人、まだ年歯《ねんし》二十歳がらみの弱冠で、頭は黄巾《こうきん》で結び、身に青錦《せいきん》の袍《ほう》を着て、たちまち山を馳けおり、渓河をこえて、関羽の前に迫った。

関羽は青龍刀をとり直して、

「何者ぞ、何者ぞ。はやく名字を申さぬと、一颯《さつ》のもとに、素首《すこうべ》を払い落すぞ」

と、まず一圧を加えてみた。

すると、壮士はひらりと馬の背をおりて、

「それがしはもと襄陽《じょうよう》の生れ、廖化《りょうか》と称し、字《あざな》は元倹《げんけん》という者です。決して将軍に害意をふくむ者ではありませんから、ご安心ください」

「して、何のために、卒をひきいて、わが行く道をはばめるか」

「まず、私の素志を聞いていただきたい。実は私は、少年の客気、早くも天下の乱に郷《きょう》を離れて、江湖のあいだを流浪し、五百余人のあぶれ者を語らい、この地方を中心とし

て山賊を業としている者です。ところが、同類の者に、杜遠《とえん》という男がいます。これがつい今しがた、街道へ働きにでて、二夫人の車を見かけ、よい獲物を得たりと、劫掠《ごうりゃく》して山中へ引き連れてきたわけです」

「なに。――では二夫人の御車は汝らの山寨《さんさい》へ持ち運ばれて行ったのか」

すぐにも、そこへと、関羽が気色ばむのを止めて、

「が、お身には、何のお障《さわ》りもありません。まず、私の申すことを、少しお聞き下さい。……私は簾中《れんちゅう》の御方を見て、これは仔細ありげなと感じましたので、ひそかに、車について従者の一名に、いかなるわけのお人かとたずねたところ、なんぞ知らん、漢の劉皇叔《りゅうこうしゅく》の夫人なりと伺って、愕然《がくぜん》といたしました。……で早速、仲間の杜遠《とえん》に迫り、かかるお人を拉《らっ》し来って何とするぞ、すぐもとの街道へ送って放し還そうではないかと、切にすすめましたが杜遠は、頑としてきき入れません。のみならず、怪しからぬ野心すらほのめかしましたから、不意に、剣を払って、杜遠を刺し殺し、その首を取って、将軍に献ぜんために、これにてお待ちしていた次第でございます」

と、一級の生首を、そこへ置いて再拝した。

関羽は、なお疑って、

「山賊の将たる汝が、何故、仲間の首を斬って縁もない自分に、さまでの好意を寄せるか、何とも解《げ》し難いことである」と容易に信じなかった。

「ごもっともです――」と、廖化《りょうか》は、山賊という名に卑下《ひげ》して、

「二夫人の従者から将軍が今日にいたるまでのご忠節をつぶさに聞いて、まったく心服したためであります。*緑林《りょくりん》の徒《と》とても、心まで獣心ではありません」

といったが、たちまち、馬に乗ったかと思うと、ふたたび以前の山中へ馳けもどった。

しばらくすると、廖化《りょうか》はまた姿を見せた。

こんどは百余人の手下に、二夫人の車をおさせて、大事そうに山道を降りてきたのである。

関羽は初めて、廖化の人物を信じた。何よりも先に、車の側へ行って、かかるご難儀をおかけしたのは臣の罪であると、甘《かん》夫人に深く謝した。

夫人は簾《れん》の裡からいった。

「もし、廖化がいなかったら、どんな憂き目をみたかしれぬ。その者に将軍からよく礼をいうてたもれ」

六

車を護っている従者たちも、口々に廖化の善心を賞めて関羽に告げた。

「仲間の杜遠《とえん》が、二夫人を分けてお互いの妻にしようじゃないかというのを、廖化は断然こばんで、杜遠を刺し殺したのでした。どうしてあんな正義心の強い男が、山賊などしているのでしょうか」

関羽は、あらためて廖化《りようか》の前にすすみ、

「二夫人のご無事はまったく貴公の仁助《じんじよ》である」と深く謝した。

廖化は、謙遜《けんそん》して、

「当り前なことをしたのに、あまりなご過賞は、不当にあたります。ただ願うらくは、私もいつまで緑林の徒と呼ばれていたくありません。これを機《しお》に、御車の供をお命じくだされば、幸いここに百十余の歩卒もおりますから、守護のお役にも立つかと思われますが」と、あわせて希望をのべた。

しかし、関羽は、その好意だけをうけて、扈従《こじゆう》の願いは許さなかった。かりそめにも山賊を供に加えて歩いたと聞えては、故主玄徳の名にもかかわるという潔癖からである。

廖化はまた、せめて路用のたしにもと、金帛《きんぱく》を献じたが、それも強《た》って断ったけれど、その志には深く感じて、関羽は別るるに際して、この緑林の義人へこう約した。

「今日のご仁情は、かならず長く記憶しておく。いつか再会の日もあろう。関羽なり、わが主君なりの落着きを聞かれたら、ぜひ訪ねて参られよ」

車は、ふたたび旅路へ上った。

道は遠く、秋の日は短い。

三日目の夕方、車につき添うた一行は、疎林《そりん》の中をすすんでいた。

片々と落葉の舞う彼方に、一すじの炊煙がたちのぼっている。隠士の住居でもあるらしい。

訪うて宿をからんためであった。関羽が訪うと、ひとりの老翁が、草堂の門へ出てきてたずねた。

「あんたは、何処の誰じゃ」

「劉玄徳《りゅうげんとく》の義弟《おとうと》、関羽というものですが」

「えっ……関羽どのじゃと。あの顔良《がんりょう》や文醜《ぶんしゅう》を討ったるお人か」

「そうです」

老翁は、かぎりなく驚いている。そして重ねて、

「あのお車は」と、たずねた。

関羽はありのまま正直に告げた。老翁はますます驚き、そして敬い請《しょう》じて門のうちに迎えた。

二夫人は車を降りた。翁《おう》は、娘や孫娘をよんで、夫人の世話をさせた。

「たいへんな貴賓《きひん》じゃ」

翁は清服に着かえて、改めて二夫人のいる一室へあいさつに出た。

関羽は、二夫人のかたわらに、叉手《さしゅ》したまま侍立していた。

老翁は、いぶかって、

「将軍と、玄徳様とは、義兄弟のあいだがら、二夫人は嫂《あによめ》にあたるわけでしょう。

……旅のお疲れもあろうに、くつろぎもせず、なぜそのような礼儀を守っておいでか

の？」

関羽は、微笑をたたえて、

「玄徳、張飛、それがしの三名は、兄弟の約をむすんでおるが、義と礼においては君臣のあいだにあらんと、固く、乱れざることを誓っていました。故に、ふたりの嫂の君とともに、かかる流寓艱苦《りゅうぐうかんく》の中にはあっても、かつて君臣の礼を欠いたことがありません。家翁のお目には、それがおかしく見えますか」

「いや、いや、滅相《めっそう》もない。いぶかったわしこそ浅慮《あさはか》でおざった。さても今どきにめずらしいご忠節」

それから老翁はことごとく関羽に心服して自分の小斎《こべや》に招き、身の上などうちあけた。この老翁は胡華《こか》といって、桓帝《かんてい》のころ議郎《ぎろう》まで勤めたことのある隠士だった。

「わしの愚息は、胡班《こはん》といって、いま滎陽《けいよう》の太守王植《おうしょく》の従事官をしています。やがてその道もお通りになるでしょうから、ぜひ訪ねてやってください」と、自分の息子へ、紹介状をしたためて、あくる朝、二夫人の車が立つ折、関羽の手にそれを渡していた。

五関《かん》突破《とっぱ》

一

胡華《こか》の家を立ってから、破蓋《はがい》の簾車《れんしゃ》は、日々、秋風の旅をつづけていた。

やがて洛陽《らくよう》へかかる途中に、一つの関所がある。

曹操の与党、孔秀《こうしゅう》というものが、部下五百余騎をもって、関門をかためていた。

「ここは三州第一の要害。まず、事なく通りたいものだが」

関羽は、車をとどめて、ただ一騎、先に馳けだして呶鳴った。

「これは河北へ下る旅人でござる。ねがわくは、関門の通過をゆるされい」

すると、孔秀自身、剣を扼《やく》して立ちあらわれ、

「将軍は雲長関羽にあらざるか」

「しかり。それがしは、関羽でござる」

「二夫人の車を擁して、いずれへ行かれるか」

「申すまでもなく、河北におわすと聞く故主玄徳のもとへ立ち帰る途中であるが」

「さらば、曹丞相の告文をお持ちか」

「事火急に出で、告文はつい持ち忘れてござるが」

「ただの旅人ならば、関所の割符《わりふ》を要し、公《おおやけ》の通行には告文なくば関門を通さぬこと
ぐらいは、将軍もご承知であろう」

「帰る日がくればかならず帰るべしとは、かねて丞相とそれがしとのあいだに交わして

ある約束です。なんぞ、掟《おきて》によろうや」

「いやいや、河北の袁紹《えんしょう》は、曹丞相の大敵である。敵地へゆく者を、無断、通すわけにはまいらぬ。……しばらく門外に逗留《とうりゅう》したまえ。その間に、都へ使いを立て、相府の命を伺ってみるから」

「一日も心のいそぐ旅。いたずらに使いの往還を待ってはおられん」

「たとい、なんと仰せあろうと、丞相の御命に接せぬうちは、ここを通すこと相ならん。しかも今、辺境すべて、戦乱の時、なんで国法をゆるがせにできようか」

「曹操の国法は、曹操の領民と、敵人に掟されたもの。それがしは、丞相の客にして、領下の臣でもない。敵人でもない。――強《た》って、通さぬとあれば、身をもって、踏みやぶるしかないが、それは却って足下の災いとなろう。快く通したまえ」

「ならんというに、しつこいやつだ。もっとも、其方の連れている車のものや、扈従《こじゅう》のものすべてを、人質としてここに留めておくならば、汝一人だけ、通ることをゆるしてやろう」

「左様なことは、此方としてゆるされん」

「しからば、立ち帰れ」

「何としても？」

「くどい！」

言い放して、孔秀は、関門を閉じろと、左右の兵に下知した。

関羽は、憤然と眉をあげて、

「盲夫《もうふ》っ、これが見えぬか」

と、青龍刀をのばして、彼の胸板へ擬《ぎ》した。

孔秀は、その柄を握った。あまりにも相手を知らず、おのれを知らないものだった。

「猪口才《ちょこざい》な」と、罵りながら、部下の関兵へ大呼して、狼藉者を召捕れとわめいた。

「これまで」と、関羽は青龍刀を引いた。

うかと、柄を握っていた孔秀は、あっと、鞍から身を浮かして、佩剣《はいけん》へ片手をかけたが、とたんに、関羽が一叱《く》すると、彼の体軀は真二つになって、血しぶきとともに斬り落されていた。

あとの番卒などは、ものの数ではない。

関羽は、縦横になぎちらして、そのまま二夫人の車を通し、さて、大音にいって去った。

「覇陵橋《はりょうきょう》上《じょう》、曹丞《そうじょう》相《しょう》と、暇《いとま》をつげて、白日ここを通るものである。なんで汝らの科《とが》となろう。あとにて、関羽今日、東嶺関《とうれいかん》をこえたり、と都へ沙汰をいたせばよい」

その日、車の蓋《おおい》には、ばらばらと白い霰《あられ》が降った。――次の日、また次の日と、車のわだちは一路、官道を急ぎぬいて行く。

洛陽《らくよう》――洛陽の城門ははや遠く見えてきた。

そこも勿論、曹操の勢力圏内であり、彼の諸侯のひとり韓福《かんぷく》が守備していた。

二

市外の函門《かんもん》は、ゆうべから物々しく固められていた。

常備の番兵に、屈強な兵が、千騎も増されて付近の高地や低地にも、伏勢がひそんでいた。

関羽が、東嶺関《とうれいかん》を破って、孔秀を斬り、これへかかってくるという飛報が、はやくも伝えられていたからである。

——とも知らず、やがて関羽は尋常に、その前に立って呼ばわった。

「それがしは漢の寿亭侯関羽《じゅていこうかんう》である。北地へ参るもの、門をひらいて通されい」

聞くやいなや、

「すわ、来たぞ」と、鉄扉《てっぴ》と鉄甲はひしめいた。

洛陽の太守韓福《かんふく》は、見るからにものものしい扮装《いでた》ちで諸卒のあいだからさっと馬をすすめ、

「告文を見せよ」とのっけから挑戦的にいった。

関羽が、持たないというと、告文がなければ、私《ひそか》に都を逃げてきたものにちがいない。立ち去らねば搦《から》め捕るのみと——豪語した。

彼の態度は、関羽を怒らせるに充分だった。関羽は、さきに孔秀を斬ってきたことを公言した。

「汝も首を惜しまざる人間か」と、いった。

そのことばも終らぬまに、四面に銅鑼《どら》が鳴った。山地低地には金鼓《きんこ》がとどろいた。

「さてはすでに、計をもうけて、われを陥さんと待っていたか」

関羽はいったん駒を退いた。

逃げると見たか、

「生擒《いけど》れ。やるなっ」

とばかり、諸兵はやにわに追いかけた。

関羽はふり向いた。

碧血紅漿《へっけつこうしょう》、かれの一颯一刃《じん》に、あたりはたちまち彩られた。

孟坦《もうたん》という韓福《かんふく》の一部将はすこぶる猛気の高い勇者だったが、これも関羽のまえに立っては、斧にむかう蟷螂《かまきり》のようなものにしか見えなかった。

「孟坦が討たれた！」

ひるみ立った兵は、口々にいいながら、函門のなかへ逃げこんだ。

太守韓福《かんふく》は門のわきに馬を立てて、唇を噛んでいたが、群雀《ぐんじゃく》を追う鷲のように馳けてくる関羽を目がけて、ひょうっと弓につがえていた一矢を放った。

矢は関羽の左の臂《ひじ》にあたった。

「おのれ」と、関羽の眼は矢のきた途をたどって、韓福のすがたを見つけた。

赤兎馬《せきとば》は、口をあいて馳け向ってきた。韓福は怖れをなして、にわかに門のうちへ駒をひるがえそうとしたがその鞍尻《くらじり》へ、赤兎馬が嚙みつくように重なった。

どすっ——と、磚《かわら》のうえに、首がころげ落ちた。韓福の顔だった。あたりの部下は胆をひやして、われがちに赤兎馬の蹄《ひづめ》から逃げ散った。

「いでや、このひまに!」

関羽は、血ぶるいしながら、遠くにいる車を呼んだ。くるまは、血のなかを、ぐわらぐわらと顫《おのの》きめぐって、洛陽へはいってしまった。

どこからともなく、車をめがけて、矢の飛んでくることは、一時は頻りだったが、太守韓福の死と、勇将孟坦《もうたん》の落命が伝わると、全市恐怖にみち、行く手をさえぎる兵もなかった。

市城を突破して、ふたたび山野へ出るまでは、夜もやすまずに車を護って急いだ。簾《れん》中《ちゅう》の二夫人も、この一昼夜は繭《まゆ》の中の蛾のように、抱きあったまま、恐怖の目をふさぎ通していた。

それから数日、昼は深林や、沢のかげに眠って、夜となると、車をいそがせた。

沂水関《ぎすいかん》へかかったのも、宵の頃であった。

ここには、もと黄巾の賊将で、のちに曹操へ降参した弁喜《べんき》というものが固めていた。

山には、漢の明帝が建立した鎮国寺という古刹《こさつ》がある。弁喜は、部下の大勢をここに集めて、

「——関羽、来らば」と、何事か謀議した。

三

夜あらしの声は、一山の松に更けて、星は青く冴えていた。

折ふし、いんいんたる鐘の音が、鎮国寺の内から鳴りだした。

「来たっ」

「来ましたぞっ」

山門のほうから飛んできた二人の山兵が廻廊の下から大声で告げた。

謀議の堂からどやどやと人影があふれ出てきた。大将弁喜以下十人ばかりの猛者や策士が赤い燈火《ともしび》の光をうしろに、

「静かにしろ」と、たしなめながら欄《らん》に立ちならんで山門の空を見つめた。

「来たとは、関羽と二夫人の車の一行だろう」

「そうです」

「山麓の関門では、何もとがめずに通したのだな」

「そうしろという大将のご命令でしたから、その通りにいたしました」

「関羽に充分油断を与えるためだ。洛陽でも東嶺関《とうれいかん》でも、彼を函門で拒《こば》もうとしたゆえ、かえって多くの殺傷をこうむっておる。ここでは計をもって、かならず彼奴を生捕ってくれねばならん。……そうだ、迎えに出よう。坊主どもにも、一同出迎えに出ろといえ」

「いま、鐘がなりましたから、もうみな出揃っているはずです」

「じゃあ、各〻」

弁喜は左右の者に眼くばせをして、階を降りた。

この夜、関羽は、麓の関所も難なく通されたのみか、この鎮国寺の山門に着いて、宿を借ろうと訪れたところ、たちまち一山の鐘がなり渡るとともに、僧衆こぞって出迎えに立つという歓待ぶりなので、意外な思いに打たれていた。

長老の普浄和尚《ふじようおしよう》は車の下にぬかずいて、

「長途の御旅、さだめし、おつかれにおわそう。山寺のことゆえ、雨露のおしのぎをつかまつるのみですが、お心やすくお憩《いこ》いを」と、さっそく、簾中の二夫人へ、茶を献じた。

その好意に、関羽はわがことのように歓んで、慇懃《いんぎん》、礼をのべると、長老の普浄《ふじよう》はなつかしげに、

「将軍。あなたは郷里の蒲東《ほとう》を出てから、幾歳《いくとせ》になりますか」と、たずねた。

「はや、二十年にちかい」

関羽が答えると、また、

「では、わたくしをお忘れでしょうな。わたくしも将軍と同郷の蒲東で、あなたの故郷の家と、わたくしの生家とは、河ひとつ隔てているきりですが……」

「ほ。長老も蒲東のお生れか」

　そこへ、ずかずかと、弁喜が佩剣《はいけん》を鳴らして歩いてきた。そして普浄《ふじょう》和尚へ、

「まだ堂中へ、お迎えもせぬうちから、何を親しげに話しておるか。賓客にたいして失礼であろう」

と、疑わしげに、眼をひからしながら、関羽を導いて、講堂へ招じた。

その折、長老の普浄が、意味ありげに、関羽へ何か眼をもって告げるらしい容子をしたので、関羽は、さてはと、はやくも胸のうちでうなずいていた。

　果たして。

　弁喜の巧言《こうげん》は、いかにも関羽の人格に服し、酒宴の燭は歓待をつくしているかのようであったが、廻廊の外や祭壇の陰などには、身に迫る殺気が感じられた。

「ああ。こんな愉快な夜はない。将軍の忠節と風貌をお慕いすることや実に久しいものでしたよ。どうか、お杯《さかずき》をください」

　弁喜の眼の底にも、爛々《らんらん》たる兇悪の気がみちている。この佞獣《ねいじゅう》め、と関羽は心中すこしの油断もせずにいたが、

「一杯の酒では飲み足るまい。汝にはこれを与えよう」

と、壁に立てておいた青龍刀をとるよりはやく、どすっと、弁喜を真二つに斬ってしまった。

　満座の燭は、血けむりに暗くなった。関羽は、扉を蹴って、廻廊へおどり立ち、

「死を急ぐ人々は、即座に名乗り出でよ。雲長関羽が引導《いんどう》せん」

と、大鐘の唸るが如き声でどなった。

震いおそれた敵は十方へ逃げ散ってしまったらしい。ふたたび静かな松籟《まつかぜ》が返ってきた。

四

関羽は、二夫人の車を護って、夜の明けぬうち鎮国寺を立った。

別れるにのぞんで慇懃《いんぎん》に、長老の普浄に礼をのべて、ご無事を祈るというと、普浄は、

「わしも、もはやこの寺に、衣鉢《いはつ》をとどめていることはできません。近く他国へ雲遊*しましょう」

と、いった。

関羽は、気の毒そうに、

「此方のために、長老もついに寺を捨て去るような仕儀になった。他日、ふたたび会う日には、かならず恩におこたえ申すであろう」

つぶやくと、呵々《かか》と笑って、普浄はいった。

「*岫《しゅう》に停《とど》まるも雲《くも》、岫を出ずるも雲、会《かい》するも雲、別るるも雲、何をか一定《じょう》を期せん。

——おさらば、おさらば」

彼に従って、一山の僧衆もみな騎と車を見送っていた。かくて、夜の明けはなれる頃

には、関羽はすでに、沂水関《ぎすいかん》（河南省・洛陽郊外）をこえていた。

滎陽《けいよう》の太守王植《おうしょく》は、すでに早打ちをうけとっていたが、門をひらいて、自身一行を出迎え、すこぶる鄭重に客舎へ案内した。

夕刻、使いがあって、

「いささか、小宴を設けて、将軍の旅愁をおなぐさめいたしたいと、主人王植が申されますが」

と、迎えがきたが、関羽は、二夫人のお側を一刻も離れるわけにはゆかないと、断って、士卒とともに、馬に秣糧《まぐさ》を飼っていた。

王植は、むしろよろこんで、従事胡班《こはん》をよんで、ひそかに、謀計をさずけた。

「心得て候」とばかり、胡班はただちに、千余騎をうながして、夜も二更の頃おい、関羽の客舎をひそやかに遠巻きにした。

そして寝しずまる頃を待ち、客舎のまわりに投げ炬火《たいまつ》をたくさんに用意し、乾いた柴に焔硝《えんしょう》を抱きあわせて、柵門の内外へはこびあつめた。

「――時分は良し」と、あとは合図をあげるばかりに備えていたが、まだ客舎の一房に燈火《ともしび》の影が見えるので、何となく気にかかっていた。

「いつまでも寝ない奴だな。何をしておるのか？」

と、胡班は、忍びやかに近づいて房中をうかがった。

すると、紅蠟燭《べにろうそく》の如く赤い面《おもて》に漆黒《しっこく》の髯をふさふさとたくわえている一高士が、*机案《きあん》に肱《ひじ》をついて書を読んでいた。

「あっ？……この人が関羽であろう。さてさてうわさに違《たが》わず、これは世のつねの将軍ではない。天上の武神でも見るような」

思わず、それへ膝を落すと、関羽はふと面《おもて》を向けて、

「何者だ」と、しずかに咎めた。

逃げる気にも隠す気にもなれなかった。彼は敬礼して、

「王太守の従事、胡班《こはん》と申すものです」と、云ってしまった。

「なに、従事胡班とな？」

関羽は、書物のあいだから一通の書簡をとり出して、これを知っているかと、胡班へ示した。

「ああこれは、父の胡華《こか》よりわたくしへの書状」

驚いて、読み入っていたが、やがて大きく嘆息して、

「もしこよい、父の書面を見なかったら、わたくしは天下の忠臣を殺したかもしれません」

と王植の謀計を打ち明けて、一刻もはやくここを落ち給えとうながした。

関羽も一驚して、取るものも取りあえず、二夫人を車に乗せて、客舎の裏門から脱出した。

あわただしい轍《わだち》の音を聞き伝え、果たして八方から炬火《たいまつ》が飛んできた。客舎をつつん

でいた枯れ柴や焔硝はいちどに爆発し、炎々、道を赤く照《てら》した。

その夜。王植は城門を擁してきびしく備えていたが、却って関羽のため、忿怒《ふんど》の一刃を浴びて非業《ひごう》な死を求めてしまった。

五

胡班は、彼を追うと見せて、城外十数里まで、追撃してきたが、東の空が白みかけると、遠く、弓を振って、それとなく関羽へ別れを告げた。

日をかさねて、関羽たちは、滑州《かっしゅう》（河南省・黄河の河港）の市城へはいった。

太守劉延《たいしゅりゅうえん》は、弓槍の隊伍をつらねて、彼を街上に迎えて、試問した。

「この先に大河がある。将軍は、何によって渡るおつもりか」

「もちろん船で」

「黄河の渡口《とこう》には夏侯惇《かこうじゅん》の部下秦琪《しんき》が、要害を守っておる。かならず、将軍の渡るをゆるすまい」

「願わくは、足下《そっか》の船をからん。それがしらのために、便船を発せられい」

「船は多くあるが、将軍に貸す船はない。何となれば、曹丞相からさようなお沙汰はとどいていないからである」

「無用の人かな」

と、関羽は、一笑のもとにつぶやいて、そのまま車を押させ、直接、秦琪《しんき》の陣へおもむいた。

河港の入口に、猛兵を左右にしたがえ、駒を立てていた豹眉犬牙《ひょうびけんが》の荒武者がある。

「止れっ。——来れるものは何奴であるか」

「秦琪《しんき》は、足下か」

「そうだ」

「われは漢の寿亭侯関羽」

「どこへ参る」

「河北へ」

「告文を見せろ」

「なし」

「丞相の告文がなくば、通過はゆるさん」

「曹丞相も、漢の朝臣、それがしも漢の一臣たり、なんで曹操の下知を待とうぞ」

「翼があるなら飛んで渡れ。さような大言を吐くからには、なおもって、一歩もここを通すことはまかりならぬ」

「知らずや、秦琪！」

「なんだと」

「途々《みちみち》、此方をさえぎったものは、ことごとく首と胴とを異《こと》にしておる事実を。名もなき下将《げしょう》の分際をもって、顔良、文醜《ぶんしゅう》にも立ち勝れりと思いあがっておるこそ不愍《ふびん》なれ。

むだな死は避けよ。そこを退《ど》け」

「だまれ。おのれ手なみを見てから吐《ほ》ざけ」

秦琪は、そう吠えると、やにわに刀を舞わして躍りかかり、彼の従兵も、関羽の前後から喚きかかった。

「ああ、小人、救うべからず！」

偃月《えんげつ》の青龍刀は、またしても風を呼び、血を降らせた。

秦琪の首は、地に落ちている。そしてその首は、赤兎馬のひづめにかけられたり、逃げまどう部下の足に踏まれたりして、血と砂で真っ黒にまぶされていた。

埠頭《ふとう》の柵《さく》を破壊して、関羽は、繋船門《けいせんもん》を占領してしまった。刃向かう雑兵群を追いちらし追いちらして一艘の美船を奪い、二夫人の車をそれへ移すやいなや、纜《ともづな》をとき、帆を張って、満々たる水へただよい出した。

ついに、河南の岸は離れた。

北の岸は、すでに河北。

関羽は、ほっと、大河と大空に息をついた。

顧みれば――都を出てから、五ヵ所の関門を突破し、六人の守将を斬っている。

許都《きょと》を発してからは、踏破してきたその地は。

襄陽《じょうよう》（漢口より漢水上流へ二百八十粁）

覇陵橋《はりょうきょう》（河南省・許州）

東嶺関《とうれいかん》（河南省許州より洛陽への途中）
沂水関《ぎすいかん》（洛陽郊外）
滑州《かっしゅう》（黄河渡口）

「よくも、ここまで」

しかもまだ行くての千山万水がいかなる艱苦《かんく》を待つか、歓びの日を設けているか？

われながら関羽はそう思った。

――それはなお未知数といわなければならない。

けれど、共に立った二夫人は、もうここまで来ればと――はやくも劉玄徳との対面を心に描いて、遠心的な眸をうっとりと水に放っていた。

のら息子

一

船が北の岸につくと、また車を陸地に揚げ、簾《れん》を垂れて二夫人をかくし、ふたたび蕭々《しょうしょう》の風と渺々《びょうびょう》の草原をぬう旅はつづいてゆく。

そうした幾日目かである。

彼方からひとりの騎馬の旅客が近づいてきた。見れば何と、汝南で別れたきりの孫乾《そんけん》ではないか。

互いに奇遇を祝して、まず関羽からたずねた。

「かねての約束、どこかでお迎えがあろうと、ここへ参るまでも案じていたが、さてかく手間どったのはどうしたわけです」

「実は、袁紹《えんしょう》の帷幕《いばく》にいろいろ内紛が起って、そのために、汝南の劉辟《りゅうへき》、龔都《きょうと》のむねをおびて河北へ使いしたてまえの計画が、みな喰いちがってしまったのです。——さもなければ、袁紹を説き伏せて劉皇叔《りゅうこうしゅく》を汝南に派遣するように仕向け、てまえは途中にご一行を待って、ご対面のことを計るつもりでしたが」

「では、劉皇叔には、ともあれご無事に、いまも袁紹の許においで遊ばすか」

「いや、いや。つい二、三日ほど前、てまえが行って、ひそかに諜《しめ》しあわせ、河北を脱出あそばして汝南へさして落ちて行かれた」

「して、その後のご安否は」

「まだ知れぬが、——一方、貴殿とのお約束もあり、二夫人のお身の上も心がかりなので、とりあえず、てまえはこの道をいそいできた次第です。——将軍もお車も、このまま何も知らずに河北へ行かれたら、みずから檻の中へはいってゆくようなもの。危険は目前にあります。すぐ道をかえて、汝南へ向けておいそぎ下さい」

「よくぞ知らせてくれた。しからば劉皇叔だにおつつがなくのがれ遊ばせば、汝南においで、ご対面がかなうわけだな」

「そうです。玄徳様にも、どれほどお待ちかわかりません。何しろ、河北の陣中におられるうちには、たえず周囲の白眼視をうけ、袁紹《えんしょう》には、二度まで斬られようとしたことさえおありだった由ですから」と、なお玄徳のきょうまでの隠忍艱苦《いんにんかんく》のかずかずを物語ると、簾《れん》の裡で聞いていた二夫人もすすり泣き、関羽も思わず落涙した。

「そうだ。心せねばならん。汝南はもう近いが、何事も、もう一歩という手まえで、心もゆるみ、思わぬ邪《さま》げも起るものだ。――孫乾《そんけん》、道の案内に先へ立ち給え」

関羽は、自分を戒めるとともに、扈従《こじゅう》の人々へも、おしえたのである。

「心得申した」

急に、道をかえて、汝南の空をのぞんで急ぐ。

すると、行くこともまだ遠くもないうちであった。うしろのほうから馬煙《うまけむり》あげて追っかけてくる三百騎ほどな軍隊があった。たちまち追いつかれたので、関羽は、孫乾に車を守らせ、一騎引っ返して待ちかまえた。

まっ先に躍ってくる馬上の大将を見ると、片眼がつぶれている。さてこそ、曹操の第一の大将夏侯惇《かこうじゅん》よなと、関羽も満身を総毛だてて青龍刀を構え直していた。

「やあ、いるは関羽か」

夏侯惇から呼ばわると、

「見るが如し」

と、関羽はうそぶいた。

虎をみれば龍は怒り、龍を見れば虎はただちに吠える。双方とも間髪《かんはつ》をいれない殺気と殺気であった。

「汝みだりに、五関を破り、六将を殺し、しかもわが部下の秦琪《しんき》まで斬ったと聞く。つつしんで首《こうべ》をわたすか、しからずんば、おれの与える縛《ばく》をうけよ」

聞くと、関羽は大笑して、それに答えた。

「その以前、座談のなかではあったが、われ帰らんとする日、もしさえぎるものあれば、一々殺戮《さつりく》して、屍山血河を渉《わた》っても帰るであろうと――曹丞相と語ってゆるされたことがある――いまそを履行してあるくのみ。貴公もまた、関羽のために、血の餞別《はなむけ》にやってきたか」

二

「あな、面憎《つらにく》や。天下、人もなげなる大言を、吐《ほ》ざきおる奴」

夏侯惇《かこうじゅん》は、片眼をむいて、すばらしく怒った。

はやくも彼のくりのばした魚骨鎗《ぎょこつそう》は、ひらりと関羽の長髯《ちょうぜん》をかすめた。

戛然《かつぜん》――。関羽の偃月《えんげつ》の柄と交叉して、いずれかが折れたかと思われた。逸駿赤兎馬は、主人とともに戦うように、わっと、口をあいて悍気《かんき》をふるい立てる。

十合、二十合、彼の鎗と、彼の薙刀とは閃々烈々、火のにおいがするばかり戦った。

ところへ、彼方から、

「待たれよ！　双方戦いは止めたまえ」

と、声をからして叫びながらかけてくる一騎の人があった。曹操の急使だったのである。

来るやいな、馬上のまま、丞相直筆の告文を出して、

「羽将軍の忠義をあわれみ、関所渡口《とこう》すべてつつがなく通してやれとのおことばでござる。御直書《おじきしょ》かくの如し」と、早口にいって制したが、夏侯惇はそれを見ようともせず、

「丞相は、関羽が六将を殺し、五関を破った狼藉《ろうぜき》を知ってのことか」

と、かえって詰問《きつもん》した。

告文はそれより前に、相府から下げられたものであると、使者が答えると、

「それ見ろ。ご存じならば、告文など発せられるわけはない。いでこの上は、彼奴を生《いけ》擒《ど》って都へさし立て、そのうえで丞相のお沙汰をうけよう」

豪気無双《むそう》な大将だけに、あくまで関羽をこのまま見のがそうとはしなかった。

なお、人まぜもせず、両雄は闘っていた。すると二度目の早馬が馳けてきて、

「両将軍、武器をおひきなされ。丞相のお旨でござるぞ」

と、さけんだ。

夏侯惇は、すこしも鎗の手を休めずに、

「待てとは、生擒《いけど》れという仰せだろう。分ってる分ってる」と、どなった。

近づき難いので、早馬の使者は遠くをめぐりながら、

「さにあらず、道中の関々にて、割符《わりふ》を持たねば、通さぬは必定《ひつじょう》、かならず所々にて、難儀やしつらんと、後にて思い出され、次々と三度までの告文を発せられました」

大声でいったが、夏侯惇は耳もかさない。関羽も強いて彼の諒解を乞おうとはしない。

馬もつかれ、さすがに、人もつかれかけた頃である。また一騎、ここへ来るやいな、

「夏侯惇！　強情もいいかげんにしろ、丞相のご命令にそむく気か」

と、叱咤した人がある。

それも許都からいそぎ下ってきた早馬の一名、張遼《ちょうりょう》であった。

夏侯惇は、初めて、駒を退き、満面に大汗を、ぽとぽとこぼしながら、

「やあ、君まで来たのか」

「丞相には一方ならぬご心配だ……貴公のごとき強情者もおるから」

「なにが心配？」

「東嶺関《とうれいかん》の孔秀《こうしゅう》が関羽を阻《はば》めて斬られた由を聞かれ、さて、わが失念の罪、もし行く行く同様な事件が起きたら、諸所の太守をあだに死なすであろうと――にわかに告文を発しられ、二度まで早打ちを立てられたが、なおご心配のあまり、それがしを派遣された次第である」

「どうしてさようにご愍情《びんじょう》をかけられるのやら」

「君も、関羽のごとく、忠節を励みたまえ」

「やわか、彼ごときに、劣るものか」

と、負けず嫌いに、唾《つば》をはきちらして、なお憤々《ふんぷん》と云いやまなかった。

「関羽に殺された秦琪《しんき》は、猿臂将軍蔡陽《えんぴしょうぐんさいよう》の甥で、特に蔡陽が、おれを見込んで、頼むといってあずけられた部下だ。その部下を討たれて、なんでおれが……」

「まあ待て。その蔡陽へは、それがしから充分にはなしておく。ともあれ、丞相の命を奉じたまえ」

なだめられて、夏侯惇もついに渋々、軍兵を収めて帰った。

三

張遼はあとに残って、関羽へ、

「にわかに道をかえられ、いったいどこへ行くおつもりか」と、解《げ》せぬ顔できいた。

関羽は、あからさまに、

「玄徳の君には、袁紹のもとを脱し、もうそこには居給わぬと途中で聞いたもので」

「おう、そうですか。もしかの君の所在が、どうしても知れなかったら、ふたたび都へかえって、丞相の恩遇をうけられたがいい」

「武人一歩を踏む。なんでまた一歩をかえしましょうや。舌をうごかすのさえ、一言金鉄の如しというではありませんか。――もしご所在の知れぬときは、天下をあまねく巡ってもお会いするつもりでござる」

張遼は黙々と都へ帰った。別れる折、関羽は言伝《ことづ》てに、曹操の信義を謝し、また大切な部下を殺《あや》めたことを詫びた。

孫乾に守られて、車はもう先へ行っていた。しかし赤兎馬の脚で追いつくことは容易であった。

さきの車も、あとの彼も、冷たい通り雨にあって濡れた。――で、その晩、泊めてもらった民家の炉で、人々は衣類を火にかざし合った。

ここの主《あるじ》は、郭常《かくじょう》という人の良さそうな人物だった。羊を屠《ほふ》って焙《あぶ》り肉にしたり、酒を温めて、一同をなぐさめたりしてくれた。

田舎家ながら後堂もある。

二夫人はそこにやすんだ。

衣服も乾いたので、関羽、孫乾は、屋外へ出て、馬に秣《まぐさ》を飼ったり、扈従《こじゅう》の歩卒たちにも、酒をわけてやったりしていた。

――と。この家の塀の外から、狐のような疑い深い眼をした若者が、しきりに覗いていたが、やがて無遠慮に入ってきて、

「なんだい、今夜の厄介者は」と、大声で云い放っていた。

「しっ……。高貴なお客人にたいして、なんたる云いぐさだ。ばか」

主の郭常《かくじょう》はたしなめていたが、あとでその若者のいない折、炉辺を囲みながら、涙をながして、関羽と孫乾に愚痴をこぼした。

「さきほどのがさつ者は、実は、伜《せがれ》でございますが、あのとおり明け暮れ狩猟《かり》ばかりして、少しも農耕や学問はいたしません。どうも手におえない困り者で」

「なに、そう見限ったものでもないよ。狩猟も武のひとつ、儒学や家事の手伝いも、いまに励みだそうし」

ふたりが、慰めてやると、

「いえいえ狩猟《かり》だけなら、まだようございますが、村のあぶれ者とばくちはするし、酒、女、何でも止めどのない奴ですから。……時には、わが子ながら、あいそが尽きることも、一度や二度ではございません」

その晩、みな寝しずまってから、一つの事件が起った。

五、六人の悪党が忍びこんで、厩《うまや》の赤兎馬を盗みだそうとしたところ、悍気《かんき》のつよい馬なので、なかの一人が跳ねとばされたらしく、その物音に、みな眼をさまして大騒ぎとなったのだった。

しかも、孫乾や、車の扈従《こじゅう》たちが包囲して捕まえてみると、その中のひとりは宵にちらと見たこの家ののら息子だった。数珠《じゅず》つなぎに縛りあげて、

「斬ってしまえ」

と、孫乾が息まいているとき、主の郭常《かくじょう》は、関羽のところに慟哭《どうこく》しながら転げこんで

きた。

「お慈悲です。あんな出来損《できそこな》いではございますが、てまえの老妻には、あれがいなくては、生きがいもないくらい、可愛がっている奴でございます。どうぞお慈悲をもって、あれの一命だけは」

と、十ぺんも莚《むしろ》へ額《ひたい》をすりつけて詫びた。

関羽の一言で、泥棒たちは、放された。

郭常夫婦はわが子の恩人と、あくる朝も、首をならべて百拝した。

「こんな良い親をもちながら、勿体ないことを知らぬ息子だ。これへ呼んでくるがい い、置き土産にそれがしが訓戒を加えてやろう」

関羽のことばに、老夫婦はよろこんで連れに行ったが、のら息子は、家の中にいなかった。召使いのことばによると、早暁また悪友五、六人と組んで何処へともなく、出かけてしまったということであった。

四

翌日の道は、山岳にはいった。

ひとつの峠へきた時である。百人ばかりの手下をつれた山賊の大将が、馬上から、

「おれは黄巾の残党、大方裴元紹《だいほうはいげんしょう》というものだ。この山中を無事に越えたいと思うなら、その赤兎馬をくれてゆけ」

と、道のまん中をふさいで名乗った。おかしさに、関羽は自分の髯を左の手ににぎって見せ、

「これを知らぬか」と、ただ云った。

すると、裴元紹《はいげんしょう》は、はッとした容子で、

「髯《ひげ》長く、面《つら》赤く、眼の切れのびやかな大将こそ、関羽というなりとは、噂だけに聞いていたが……もしやその関羽は？」

「そちの眼のまえにいる者だ」

「あっ、さては」

驚いて馬から跳び下りたと思うと、裴元紹は、ふいに後ろの手下の中から、ひとりの若者を引きずりだして、その髻《もとどり》をつかむやいな、大地へねじ伏せた。

関羽には、何をするのか、彼の意志がわからなかった。

「羽将軍、この青二才にお見覚えありませんか、麓に住む郭常のせがれで……」

「おお、あののら息子か」

「実は、てまえの山寨《さんさい》へきて、きょう峠へかかる旅客は天下無双の名馬、赤兎馬というのにまたがっている。金も持っている。女もつれている。そう告げにきて、儲けの分け前を求めました。……こういっては、賊のくせに、口ぎれいなことをと、おわらいでしょうが、金銀や女などに、そう目をくれる自分ではありません。しかし天下の名駿と聞いては見のがせない気がしました。羽将軍とは思いもよらなかったために……」

「それで読めた。その息子は、昨夜から此方の馬を狙っていたのだ。だが、力が足らないので、そちの山寨へケシかけに行ったものと見える」

「太《ふて》え奴」と、裴元紹は、のど首を締めつけて、いきなり短剣でその首を掻き落そうとした。

「あ。待て、待て、その息子を、殺してはならん」

「なぜですか。せっかく、こいつの首を献じて、お詫びを申そうとするのに」

「放してやってくれい。そののら息子には、老いたる両親がある。またその両親には二夫人以下われわれどもが、一夜の恩をこうむっておれば……」

「ああ、あなた様は、やはり噂に聞いていた通りの羽将軍でした」

そういうと、裴元紹は、のら息子の襟がみをつかんで、道ばたへほうり出した、のら息子は、生命からがら、谷底へ逃げこんだ。

関羽は、山賊の将たる彼が、いちいち自分に推服の声をもらしているので、どうして自分を知っているかと問いただした。

裴元紹は、答えて、

「ここから二十里ほど先の臥牛山《がぎゅうざん》（河南省・開封附近）に、関西の周倉《しゅうそう》という人物が棲んでいます。板肋虬髯《はんろくきゅうぜん》、左右の手によく千斤をあぐ――という豪傑ですが、この者が、将軍をお慕いしていることは、ひと通りではありません」

「いかなる素姓の人か」

「もと黄巾の張宝《ちようほう》に従っていましたが、いまは山林にかくれて、ただ将軍の威名を慕い、いつかは拝姿の日もあろうにと、常々、その周倉からてまえもお噂を聞かされていたのです」

「山林のなかにも、そんな人物がおるか。そちも周倉に昵懇《じつこん》なれば、邪を抑え、正をふるい、明らかな人道を大歩して生きたらどうだ」

裴元紹は、つつしんで、改心をちかった。そして山中の道案内をつとめて、およそ十数里すすむと、かなたの地上、黒々と坐して拝跪《はいき》している一団の人間がある。

近づいてみると、中にも一人の大将は、路傍にうずくまって、関羽、孫乾、車のわだちへ、拝礼を施《ほど》こしていた。

裴元紹は、馬をとどめて、

「羽将軍、そこにお迎えしておるのが、関西の周倉です。どうかお声をかけてあげて下さい」

と、彼の注意を求めた。

古《こ》城《じよう》窟《くつ》

一

何思ったか、関羽は馬を下り、つかつかと周倉のそばへ寄った。

「ご辺が周倉といわれるか。何故にそう卑下《ひげ》めさるか。まず地を立ち給え」と、扶《たす》け起した。

周倉は立ったが、なお、自身をふかく恥じるもののように、

「諸州大乱の折、黄巾軍に属して、しばしば戦場でおすがたを見かけたことがありました。賊乱平定ののちも、前科のため、山林にかくれて、ついに盗賊の群れに生き、いまかくの如き境遇をもって、お目にかかることは、身を恨みとも思い、天にたいしては、天の賜《たまもの》と、有難く思います。将軍どうかこの馬骨を、お拾いください、お救い下さい」

「拾えとは？　救えとは？」

「将軍に仕えるなら、ご馬前の一走卒でも結構です。邪道を脱して、正道に生きかえりたいのでござる」

「ああ、ご辺は善性《ぜんしょう》の人だ」

「おねがいです。然るうえは、死すともいといません」

「が、大勢の手下は、どうするか」

「つねに皆、将軍の名を聞いて、てまえ同様お慕いしています。自分が従うてゆけば、

共々、お手についてゆきたい希望にござりまする」

「待ちたまえ、ご簾中《れんちゅう》に伺ってみるから」

関羽は静かに車のそばへ寄って、二夫人の意をたずねてみた。

「妾《わらわ》たちは、女子のこと、将軍の胸ひとつで……」と、甘夫人はいったが、しかしここへ来るまでの間、たとえば東嶺の廖化《りょうか》などでも、山賊を従えては故主のお名にかかわろう——と、かたく断った例もあるし、世上のきこえがどんなものであろうかと、そのあとで云いたした。

「ごもっともでござる」

と、関羽も同意だったので、周倉のまえに戻ってくると、気の毒そうに云い渡した。

「ご簾中には、云々《しかじか》のおことばでござる。——ここはひとまず、山寨へ帰って、またの時節を待ったがよかろう」

「至極な仰せ。——身は緑林《りょくりん》におき、才は匹夫《ひっぷ》、押して申しかねますなれど、きょうの日は、てまえにとって、実に、千載《ざい》の一遇《ぐう》といいましょうか、盲亀《もうき》の浮木《ふぼく》というべきか、逸しがたい機会です。もはや一日も、悪業の中には生きていられません」

周倉は、哭《な》かんばかりにいった。真情をもって訴えれば、人をうごかせないこともあるまいと、縷々《るる》、心の底から吐いてすがった。

「……どうか、どうか、てまえを人間にして下さい。いま将軍を仰ぐこと、井の底から天日を仰ぐにも似ております。この一筋のご縁を切られたら、ふたたび明らかな人道に生きかえるときが、あるや否やおぼつかなく思われます。……もし大勢の手下どもを引き具してゆくことが、世上にはばかられての御意なれば、手下の者は、しばらく裴元紹《はいげんしょう》にあずけ、この身ひとつ、馬の口輪をとらせて、おつれ願いとう存じまする」

関羽は、彼の誠意にうごかされて、ふたたび車の内へ伺った。

「あわれな者、かなえてつかわすがよい」

夫人のゆるしに、関羽もよろこび、周倉はなおのこと、欣喜雀躍《きんきじゃくやく》して、

「ああ、有難い！」と、天日へさけんだほどだった。

だが、裴元紹は、周倉が行くなら自分にも扈従《こじゅう》をゆるされたいと、彼につづいて、関羽に訴えた。

周倉は、彼をさとして、

「おぬしが手下を預かってくれなければ、みなちりぢりに里へおりて、どんな悪行をかさねるかもしれない。他日かならず誘うから、しばらく俺のため山に留まっていてくれ」

やむなく裴元紹は手下をまとめて、山寨へひきあげた。

周倉は本望をとげて、山また山の道を、身を粉にして先に立ち、車を推しすすめて行った。

ほどなく、目的の汝南に近い境まで来た。

その日、一行はふと、彼方の嶮しい山の中腹に、一つの古城を見出した。白雲はその

望楼や石門をゆるやかにめぐっていた。


「はて、あの古城には、煙がたちのぼっている。何者が立て籠っているのであろうか」

関羽と孫乾《そんけん》が、小手をかざしている間に、周倉は気転よくどこかへ走って行って、土地の者を引っ張ってきた。

二

その土民は猟夫《りょうし》らしい。人々に問われてこう話した。

「三月ほど前のことでした。名を張飛とかいう恐ろしげな大将が四、五十騎ほどの手下を連れてきて、にわかにあの古城へ攻めかけ、以前からそこを巣にして威を振るっていた千余のあぶれ者や賊将をことごとく退治してしまいました。そしていつの間にか壕《ほり》を深くし、防柵を結び、近郷から兵糧や馬をかりあつめ人数もおいおいと殖やしてきて、今では、三千人以上もあれに立て籠っているそうで……何にしても土地の役人や旅の者でも、震《ふる》い怖れて、あの麓へ近づく者はありません。旦那方も、道はすこし遠廻りになりますが、こっちの峰の南を廻って、汝南へお出でになったほうがご無事でございましょうよ」

さりげない態を装って聞いていたが、関羽は心のうちで飛び立つほど歓んでいた。

土民を追い放すと、すぐ孫乾をかえりみて、

「聞いたか、いまの話を。まぎれもない義弟《おとうと》の張飛だ。徐州没落ののち、おのおの離散

して半年あまり、計らずもここで巡り会おうとは。――孫乾、貴公すぐに、あの古城へはせ参って、仔細を告げ、張飛に会って、二夫人の御車をむかえに出よと伝えてくれい」と、いった。

孫乾も勇み立って、「心得て候う《そうろ》」とばかり直ちに駒をとばして行った。

飛馬は見るまに渓谷《けいこく》へ駈けおりて、また彼方の山裾をめぐり、ほどなく目的の古城の下に近づいた。

その昔《かみ》、いかなる王侯が居を構えていたものか、規模広大な山城であるが、山嶂《さんしょう》の塁《るい》壁望楼《へきぼうろう》はすべて風化し、わずかに麓門《ろくもん》や一道の石階《せっかい》などが、修理されてあるかに見える。刺を通じると、番卒から部将に、部将から張飛にと、孫乾の来訪が伝えられた。

「孫乾が来るわけはない。偽者《にせもの》だろう」

張飛の大声が中門に聞えた。孫乾は思わず、

「俺だよ、俺だよ」と、麓門の側でどなった。

「やあ、やはりおぬしか。どうしてやって来た」

彼の元気は相変らずすばらしい。高い石段の上から手をあげて呼び迎える。やがて通されたのは山腹の一閣で、張飛はここに構えて王者を気取っているようである。

「絶景だな。うまい所を占領したものじゃないか。これで一万の兵馬と三年の糧食があれば一州を手に入れることは易々たるものだ」

孫乾がいうと、張飛は、呵々《かか》と笑って、

「住んでからまだ三月にしかならないが、もう三千の兵は集まっている。一州はおろか、十州、二十州も伐り従えて故主玄徳のお行方が知れたら、そっくり献上しようと考えておるところだ。おぬしも俺の片腕になって手伝え」

「いや、劉皇叔《りゅうこうしゅく》のためには、手伝うも手伝わんもない。われらはみな一体のはずだろう。実は、今日これへ参ったのも、その皇叔の二夫人を護って、汝南へ赴く途中の関羽どのことばによって拙者が先触《さきぶ》れにきた次第である。——すぐ古城を出て二夫人の車を迎えに出られたい」

「なに、関羽が来ているとの？」

「許都《きよと》を立って、これより汝南の劉辟《りゅうへき》のもとへ行くご予定だ。そこには、河北の袁紹《えんしょう》にしばらく身をよせていたご主君も、先に落ちのびていられるはずだから……」

と、なおこまごまと、前後のいきさつを物語ると、張飛は何思ったか、にわかに城中の部下へ陣触れを命じ、自身も一丈八尺の蛇矛《じゃぼこ》をたずさえて、

「孫乾、あとから来いよ」

と、急な疾風雲《はやてぐも》のように、山窟《さんくつ》の門から駆けだして行った。

その様子がどうも、穏やかでないので、置き去りを喰った孫乾も、あわてて馬にとび乗った。

三

ひろい沢を伝わって、千余の兵馬が此方へさして登ってくる。二夫人の車を停めていた扈従の人々は、

「あれあれ、張飛どのが、さっそく勢を率いて迎えにくる——」

と、喜色をあらわしてどよめき合っていた。

ところが、やがてそこへ駈け上ってきた張飛は、奔馬の上に蛇矛を横たえ、例の虎髯《とらひげ》をさかだてて、

「関羽はどこにいるか。関羽、関羽っ」

と、吠えたてて、近寄りもできない血相だった。

関羽は、声を聞いて、

「おう、張飛か。関羽はこれにおる。よくぞ無事であったな」

と、何気なく進んでくると、張飛は、やにわに矛《ほこ》を突ッかけて、落雷が木を裂くように、

「いたかっ、人非人《にんぴにん》！」と、奮いかかってきた。

関羽は驚いて、猛烈な彼の矛さきをかわしながら、

「何をするっ張飛。人非人とは何事だ」

「人非人でわからなければ、不義者といおう。何の面目あって、のめのめ俺に会いにきたか」

「怪しからぬことを。この関羽がいかなる不義を働いたか」

「だまれっ。曹操《そうそう》に仕えて、寿亭侯に封ぜられ、さんざ富貴をむさぼって、義を忘れ果てながら、許都の風向きが悪くなったか、これへ落ちてきてぬけぬけ俺をも欺《あざむ》こうとするのだろう。ひとたびは義兄弟《けいてい》の誓いはしたが、犬畜生にも劣るやつを、兄貴とは立てられない。さあ勝負をしろ、勝負を！ 汝を成敗したら俺は生きているが、汝が生きているくらいなら俺はこの世にいたくないんだ。さあ来い関羽！」

「あははは、相変らず粗暴な男ではある、此方の口からいいわけはせぬ。二夫人の御簾《ぎよれん》を拝して、とくと、許都の事情をうけたまわるがよい」

「おのれ、笑ったな」

「笑わざるを得ない」

「盗《ぬす》ッ人《と》の小謡《こうた》というやつ。もう堪忍ならぬ」

りゅうりゅうと矛《ほこ》をしごいて、ふたたび関羽に突きかかる様子に、車上の二夫人は思わず簾《れん》を払って、

「張飛、張飛。なんで忠義の人に、さは怒りたつぞ。ひかえよ」と、さけんだ。

張飛は、振向いただけで、

「いやいやご夫人、驚きたもうな。この不義者を誅罰《ちゅうばつ》してから、それがしの古城へお迎えします。こんな二股膏薬《ふたまたこうやく》にだまされてはいけませんぞ」と、云い放った。

甘夫人は悲しんで、出ない声をふりしぼり、張飛の誤解であることを早口になだめたが、落着いてほかのことばに耳をかしているような張飛ではない。

のである。

「関羽がどう云い飾ろうと、真の忠臣ならば、二君に仕える道理はない」と、きかない

ところへ、後からきた孫乾は、この態を見て、あれほど自分からも説明したのにと、

腹を立てて、

「わからずやの虎髯《とらひげ》め。粗暴もいい加減にいたせ。関羽どのが一時、曹操に降ったの

は、死にもまさる忍苦と遠謀があってのことだ。汝の如き短慮無策にはわかるまいが、

謹んで矛をうしろにおき羽将軍のことばを落着いて聞くがいい」と傍らから呶鳴った。

張飛は、よけい赫怒《かくど》して、

「さては、汝ら一つになって、われらを生捕らんものと、曹操の命をおびて来たものだ

ろう。よしその分ならば」と、いきり立つを、関羽はあくまでなだめて、

「おぬしを生捕るためならば、もっと兵馬を引き具して来ねばなるまい。見よ、それが

しの従えている士卒は、二夫人の御車を推す人数しかおらんではないか。何という邪推

ぶかさよ。ははは」

と、笑ったが、時も時、後方から一彪《ぴよう》の軍馬が、地を捲いてこれへ襲《よ》せてきた。さて

はとばかり張飛はいよいよ疑って、本格的に身構えをあらためた。

四

身構える張飛のまえをひらいと避けて、関羽は赤兎馬の背から振向いた。

「――あれ見ろ、張飛。いま此方があれへ来る追手の大軍を蹴ちらして、おぬしに詐《いつわ》りなき証拠を見せてやるから」

「さては。彼方へ寄せてきたのは曹操の部下だな、貴様と諜《しめ》しあわせて、この張飛を討ちとらんためだろう」

「まだ疑っているか。その疑いは、眼のまえで晴らしてみせる。しばらくそこで待っておれ」

「よしっ、しからば、見物してやろう。だが、俺の部下が三通《つう》の鼓《こ》を打つあいだに、追手の大将の首をこれへ持ってこないときは、俺はただちに、俺の意志によって行動するからそう思え」

「よろしい」

関羽はうなずいて、約半町ほど駒をすすめ、見まもる張飛や二夫人の車をうしろに、敵勢を待ちかまえていた。

彪々《ひょうひょう》と煙る馬車のうえに、三旒《りゅう》の火焔旗《かえんき》をなびかせて、追撃の急速兵はたちまち関羽のまえに迫った。

関羽は、なお不動のすがたを守ったまま、

「来れるは、何者かっ」

と、二度ほど、大音をあげただけだった。

すると、鉄甲にきびしく鎧《よろ》った一名の大将が、真っ先に出て、

「われはこれ猿臂将軍《えんぴしょうぐん》の蔡陽《さいよう》である。汝、各地の関門をやぶり、よくもわが甥の秦琪《しんき》まで殺しおったな。汝の首を取って、丞相に献じ、功として、汝の寿亭侯は此方にもらいうける所存で参った。覚悟せよ、流亡の浮浪人」

「笑うべし。豎子《じゅし》っ」

関羽が、云うやいな、うしろのほうで、張飛の部下が、高らかに一鼓《こ》を打ち鳴らした。

二鼓、三鼓——

三通の鼓声がまだ流れ終らないうちに、関羽はもうどよめく敵の中から身を脱して、張飛のまえに駈けもどっていた。

そして、

「それ、蔡陽《さいよう》が首！」

と、張飛の足もとへ、首をほうり投げると、ふたたび敵を蹴ちらしに駈けて行った。

張飛は、あとを追いかけて、

「見とどけた。やはり関羽はおれの兄貴。おれも助勢するぞ」

と、蔡陽の軍を、めちゃくちゃに踏みつぶした。

さなきだに、大将を失って浮き足立つ残軍、なんでひと支えもできよう。羽、飛両雄の馬蹄の下に、死骸となる者、逃げ争う者、笑止なばかりもろい潰滅《かいめつ》を遂げてしまった。

張飛は、一人の旗持ちを生け捕りにして、引っ吊るしてきたが、その者の自白によって、なおさら関羽にたいする疑念は氷解した。

旗持ちの自白によると、蔡陽《さいよう》は甥の秦琪《しんき》が黄河の岸で討たれたと聞いて、関羽にたいする私憤やるかたなく、たびたび曹操へむかって復讐を願い出たが、曹操はゆるさなかった。――だが、折から汝南の劉辟《りゅうへき》を討伐に下る軍勢が催されたので、蔡陽にもその命が下った。

蔡陽は命をうけると、即刻、許都を発したが、汝南へは向わず、途中へ来てから、われは関羽を討つため追撃してきたのだと公言した。

（関羽を生かしておくのは、将来とも丞相のお為にならない。丞相は一時の情で関羽を放してしまったが、やがてすぐ後悔するにきまっている）と、いう独断からであった。

それらの仔細を知ると、張飛は間《ま》が悪そうに、関羽の前へきて、しきりと顔ばかりなでまわしていた。

「どうも、相済まん。兄貴、悪く思ってくれるな。……ともかく、おれの古城へ来てくれ。落着いてゆっくり話そう」

「わかったか、それがしに二心《ふたごころ》のないことが」

「わかった、わかった。もういうな」

張飛は大いにてれた顔して、三千の手下に向い、二夫人の御車を擁して、谷間を越え渡れと大声で下知しはじめた。

兄弟再会

一

その晩、山上の古城には、有るかぎりの燭《しょく》がともされ、原始的な音楽が雲の中に聞えていた。

二夫人を迎えて張飛がなぐさめたのである。

「ここから汝南へは、山ひとこえですし、もう大船に乗った気で、ご安心くださるように」

ところが、その翌日。望楼に立っていた物見が、

「弓箭《ゆみや》をたずさえた四、五十騎の一隊がまっしぐらに城へ向って寄せてくる」

と、城中へ急を告げた。張飛は聞いて、

「何奴？　何ほどのことかあらん」

と、自身で南門へ立ち向った。騎馬の弓箭隊《きゅうせんたい》は、ことごとくそこで馬をおりていた。

見れば、徐州没落のとき別れたきりの味方、糜竺《びじく》、糜芳《びほう》の兄弟が、そのなかに交《ま》じって

いる。

「やあ、糜兄弟ではないか」

「オオやはり張飛だったか」

「どうしてこれへは？」

「されば、徐州このかた皇叔のお行方をたずねていたが、皇叔は河北にかくれ、関羽は曹操に降服せりと、頼りない便りばかり聞いて、いかにせんかと、雁《かり》の群れの如く、こうして一族の者どもと、諸州を渡りあるいていたところ、近ごろこの古城に、虎髯《こぜん》の暴王が兵をあつめしきりと徐州の残党をあつめておると聞き、さては足下にちがいあるまいと、急にこれへやって来たわけだが」

「そいつは、よく来てくれた。関羽はすでに都を脱して、昨夜からこの城中におる」

「えっ、関羽もおるとか」

「皇叔の二夫人もおいで遊ばす」

「それは意外だった」

糜竺《びじく》兄弟は、さっそく通って、二夫人に謁《えつ》し、また、関羽に会って、こもごも、久濶《きゅうかつ》の情を叙《じょ》した。

二夫人は、人々にたいして、許都逗留中の関羽の忠節をつぶさに語った。

張飛は今さら面目なげに、感嘆してやまなかった。

そして羊を屠《ほふ》り山菜を煮て、その夜も酒宴をひらいた。

けれど関羽は、

「ここに家兄皇叔がおいであれば、どんなにこの酒もうまかろう。家兄を思うと、酒も喉《のど》を下らない」と、時おり嘆息していた。

孫乾がいった。

「もう汝南は近いのですから、明日でも、早速あなたと行って、皇叔にお目にかかりましょう」

関羽としては、何よりそれを望んでいたのである。夜が明けるか明けぬうちに、彼はもう孫乾と連れ立って、汝南へ道を急いでいた。

そして、汝南城へ行って、劉辟《りゅうへき》に対面したところ、劉辟がいうには、

「いや、その劉玄徳《りゅうげんとく》どのなら、四日ほど前までここにおられたが、城中の小勢を見て、この勢力では事を成すに至難だと仰せられ——また各〻の消息も、皆目《かいもく》知れないので、ふたたび河北の方へもどって行かれた。まったく一足ちがい——」

しきりと惜しがって劉辟はいうのである。

一歩の差が時によると千里の距《へだ》てとなる例もままある。関羽は憂いを面にみなぎらし、怏々《おうおう》と汝南を去った。

むなしく古城へ帰ってきたが、孫乾はなぐさめて、

「この上は、拙者がもう一度、河北へ行ってみましょう。ご心配あるな。かならずお伴《つ》れ申しますから」

すると張飛が、河北へなら自分が行こう、と進んで云いだした。けれど関羽は、

「いま、この一つの古城は、われわれ家なき義兄弟にとっては、重要な拠点だから君は断じてここを動いてはいかん」と、遂に孫乾《そんけん》を案内とし、わずかの従者をつれて、関羽は遠く河北まで、玄徳をさがしに立った。

その途中、臥牛山の麓までくると、彼は周倉《しゅうそう》を呼んで、

「いつぞや、ここで別れた裴元紹《はいげんしょう》のところへ、使いに参ってくれい」

と、一言を託した。

二

周倉はひとり関羽に別れて、臥牛山の奥へはいって行った。そこには、さきに機会を待てと止めてある裴元紹が、約五百の手勢と五、六十匹の馬をもってたて籠っている。

関羽はその裴元紹にむかって、

「近いうちに自分が皇叔をお迎えして帰りにはここを通るから、その折に、一勢を引き具して、途中でお迎えしたがよかろう」と、伝言してやったのである。

孫乾はそばでそれを聞いていたので、関羽が誰にたいしても、かならず約束をたがえないのに感心していた。

日を経て関羽と孫乾は、やがて冀州《きしゅう》の堺《さかい》まできた。

明日からの道は、もう袁紹《えんしょう》の領土である。孫乾は大事をとって、

「あなたは、この辺で仮の宿をとって、待っていて下さい。拙者はただひとり、冀州に入って、ひそかに皇叔にお会いし、計をめぐらして脱れてきますから」と、告げて別れた。

関羽はわずかな従者と共に、近くの村へ入ってただの旅人のごとく装い、村のうちでもたたずまいのいい一軒の門をたたいた。

主《あるじ》は、快く泊めてくれた。数日いるうちに、その心根も分ったので、何かのはなしの折、主の問うまま、自分は関羽であると姓氏を打明けた。

主は、驚きもしたり、また非常な歓びを示して、

「それはそれはなんたる奇縁でしょう。てまえの家の氏《うじ》も関氏《かんし》で、わたくしは関定《かんてい》というものです」

と、二人の子息を呼んで、ひきあわせた。

どっちも秀才らしい良い息子だった。兄は関寧《かんねい》といって、儒学に長じ、弟のほうは関《かん》平《ぺい》とて、武芸に熱心な若者だった。

二十騎の従者をこの家にかくして、関羽はひたすら孫乾の便りを待っていた。――その孫乾は、冀州へまぎれ入って、やがて首尾よく玄徳の居館をさぐり当て、ようやく近づくことができた。

その後の一部始終《しじゅう》から一族の健在を聞いて、玄徳のよろこびは何にたとえんようもなかった。しかし今にして悔ゆることは、この冀州の領内へわざわざ帰ってしまったこと

である。

「もう一度の脱出を、どうして果たそうか。何せい、わしの行動はいま、袁紹や藩中の者どもから、注目されている折ではあるし……」

玄徳の心は、飛び立つほどだったが、身は鉄鎖《てっさ》に囲まれていた。

「……そうだ、簡雍《かんよう》の智恵をかりてみよう。簡雍は近ごろ、袁紹にも信頼されて、おるらしいから」

と急に使いをやって、呼びよせた。

「えっ、簡雍もここに来ていたのですか」

孫乾は、初耳なので、驚きの目をみはった。

その簡雍も、以前の味方だ。聞けば近ごろ玄徳を慕って、この冀州へきていたが、そう見えては袁紹の心証がよくあるまいと察して、わざと玄徳には冷淡にして、つとめて袁紹の気に入るよう城中に仕えているということだった。

そういう間がらなので、簡雍はちょっと来てすぐ帰ったが、目的はその短時間に足りていた。

簡雍から授けられた策を胸に秘して、玄徳は次の日、冀州城に上がり、袁紹に会ってこう説いた。

「曹操とお家との戦いは、否応《いやおう》なく、ついに長期にわたりそうです、強大両国の実力は伯仲していずれが勝《まさ》れりともいえません。……けれどここに外交と戦争とを併行して、荊州《けいしゅう》の劉表《りゅうひょう》を味方に加えるの策に成功したら、もはや曹操とて完敗の地に立つしかありますまい」

「それはそうだとも。……しかし劉表も、ここは容易にうごくまい。龍虎ともに傷つけば、かれは兵を用いずして、*漁夫の利をうる位置にある」

「いや、それが外交です。九郡の大藩荊州を見のがしておくなど愚かではありませんか」

「それは貴公がいわなくても、とくに気づいて、数度の使者をつかわしたが、劉表あえて結ぼうとせんのじゃ。この上の使いは、わが国威を落すのみであろう」

「いえいえ、不肖玄徳が参れば、期してお味方に加えて見せます。なんとなれば、私と彼とは、共に漢室の同宗で、いわば遠縁の親族にあたりますから」

三

袁紹は考えこんだ。大いに意のうごいた容子である。玄徳はかさねて云った。

「それに近頃また、関羽も許都を脱出して、諸所をさまようておるやに伝えられております、私をして、荊州へおつかわし下さるならかならず関羽にも会い、お味方に伴《つ》れもどりましょう」

「なに関羽を」

袁紹は急に面をあらためて、

「彼は、顔良《がんりよう》、文醜《ぶんしゆう》を討った讐《かたき》ではないか。わしにその関羽を献じて、首を刎ねよと申すのか」

「いえいえ、そんなわけではありません。顔良、文醜のごときは、たとえば二匹の鹿です。二つの鹿を失っても、一匹の虎をお手に入れれば、償《つぐの》うて余りあるではございませんか」

「あははは、いや今のは、いささか戯《たわむ》れをいうてみたまでのこと。わしも実は深く関羽を愛しておる。真実、其許《そこもと》が荊州に赴いて劉表を説き、併せて関羽を連れてくるなら、何でわしが不同意をいおう。すぐ出発してくれい」

「承知しました。……が、大策は前に洩れると行えません。私が荊州に行き着くまでは、お味方に極めてご内分になしおかれますように」

玄徳はそういって、一夜に身支度をととのえ、翌日ひそかに袁紹《えんしよう》の書簡をうけ、風の如く関外へ走り去った。

そのあとで、すぐ簡雍《かんよう》は袁紹の前へ出た。そして袁紹を不安に陥れた。

「彼を荊州へお遣わしになったそうですが、実に飛んでもないことをなされました。玄徳はあのような温和な人物ですから、反対に劉表に説き伏せられて、荊州へついてしまう惧《おそ》れがありはしませんか。劉表も遠大な野心を抱いていますし、彼と彼とは、ともに宗族《そうぞく》で親類も同様ですからな」

「*木乃伊《ミイラ》取《と》りが木乃伊になっては何もならん。いや後日の大害だ。どうしたらいいだろう」

「てまえが追いかけて呼び返して参りましょう」

「それもあまりにわしの面目にかかわるが」

「では、てまえが随員として、玄徳について行きましょう。断じて、ご使命を裏切らぬように」

「そうだ、それが上策。すぐ追ってゆけ」と、関門の割符《わりふ》を与えてしまった。

簡雍が馬を飛ばして、どこかへ急いで行ったというのを、郭図《かくと》が耳にしたのは夕方だった。部下に調べさせてみると、その前に玄徳は荊州の旅へ立って行ったという。

「しまった！」

愴惶《そうこう》として、郭図は冀州城《きしゆうじよう》にのぼり、袁紹に謁してこう忠言した。

「何たる不覚をなされたのですか。さきに玄徳が汝南から帰ってきたのは、汝南はまだ兵力も薄く、自分の事を計るには足らないから見限ってきたのです。こんどはそうは行きません。荊州へ行ったら必ず二度と帰ってはきますまい。それがしに追い討ちをおゆるしあれば、長駆追撃して、彼を首とするか、生捕ってくるか、どっちかにします。どうかご決断ください」

しかし袁紹はゆるさなかった。玄徳のことばだけでは、まだ惑ったかも知れないが、簡雍が二重の計にかけてあるので、深く信じこんでおり、疑ってみようともしないのである。

郭図は、長嘆したが、黙々退出するしかなかった。

簡雍はすぐ玄徳に追いついていた。うまく行ったな、と相顧《かえり》みて一笑した。

冀州の堺も無事に脱けた。

孫乾はさきに廻って、ふたりを待ちうけ、道の案内をしてやがて関定の家へついた。

見れば――

関定の家の門前には、主の関定やら関羽以下の面々が立ち並んで出迎えている。久しやと、相見かわす眼は、彼もこなたも、共にはやいっぱいな涙であった。

四

「オー……」

「おう」

瞬間ふたりの唇《くち》から洩れたものは、それでしかない。関羽も玄徳も、無言は百言にまさる思いだった。

関定は二人の子息とともに、門を開いて玄徳を奥に招じた。住居はわびしい林間の一屋ながら、心からな歓待は、これも善美な贅《ぜい》にまさるものがある。

やや人なき折を見て玄徳と関羽は、はじめて手を取りあって泣いた。関羽は、玄徳の沓《くつ》に頬を寄せ、玄徳はその手を押しいただいて額《ひたい》につけた。

そのささやかな歓宴の座で、玄徳は、関定の子息関平のどこやら見どころある為人《ひととなり》を

愛《め》でて、

「関羽にはまだ子もないから、次男の関平を養子に乞いうけてはどうか」と、いった。

ふたりある息子のひとりである。関定は願ってもないことと歓《よろこ》んだ。関羽もひそかに関平の才を愛していたし、談はたちどころにまとまった。

「袁紹の討手が向わぬうちに」と、一同は次の朝すぐここを出発した。

急ぎに急いで、旅は日ごとにはかどった。やがて雲表《うんぴょう》に臥牛山の肩が見えだす。次の日にはその麓路へさしかかっていた。

すると、かねて関羽のさしずで、この付近へ手勢をひきいて出迎えに出ているはずの裴元紹《はいげんしょう》の手下が、彼方から猛風におわれたように逃げ散ってきた。

「何故の混乱か」と、関羽は、その中にいた周倉《しゅうそう》を見つけてただすと、周倉がいうには、

「誰やら為体《えたい》が分りませぬ。われわれどもが、今日のお迎えのため、勢揃いして山上からおりてまいると、途中一名の浪人者が、馬をつないで路上に鼾睡《かんすい》しています。先頭の裴元紹が、退《ど》けと罵ると、山賊の分際で白昼通るは何奴かと、はね起きるやいな裴元紹を斬り伏せてしまったのでござる。――それっと手下の者ども、総がかりとなって、相手の浪人を蔽《おお》いつつみましたが、その者の膂力絶倫《りょりょくぜつりん》で、当れば当るほど猛気を加え、如何とも手がつけられません。およそ世の中にあんな武力の持ち主というものは見たこともありません」

関羽は、聞き終ると、

「さらば、その珍しい人物の戟《ほこ》と、この青龍刀とを、久しぶり交じえてみよう」

と、一騎でまっ先に立って、山麓の高所へ馳け上って行った。

玄徳も鞭をあててすぐその後につづいた。すると、彼方の岩角に、鷲の如く、駒を立てていた浪人者は、玄徳のすがたを見ると、たちまち鞍からおりて、関羽が来てみた時は、もう地上に平伏していた。

「やあ、趙雲《ちょううん》ではないか」

玄徳も関羽も、ひとつ口のように叫んだ。浪人者は面をあげて、

「これは計らざる所で、……」とばかり、しばしはただなつかしげに見まもっていた。

これなん真定常山《しんていじょうざん》の趙雲《ちょううん》、字《あざな》は子龍《しりゅう》その人であった。

趙子龍《ちょうしりゅう》はずっと以前、公孫瓚《こうそんさん》の一方の大将として、玄徳とも親交があった。かつては玄徳の陣にいたこともあるが、北平の急変に公孫瓚をたすけ、奮戦百計よく袁紹軍を苦しめたものである。が、力ついに及ばず、公孫瓚は城とともに亡び、以来、浪々の身によく節義をまもり、幾度か袁紹にも招かれたが袁紹には仕えず、諸州の侯伯から礼をもって迎えられても禄や利に仕えず、飄零風泊《ひょうれいふうはく》、各地を遍歴しているうち、汝南州境の古城に張飛がたて籠っていると聞いてにわかにそこを訪ねてみようものと、ここまできた途中である。――と語った。

玄徳はここで君に会うとは、天の賜《たまもの》であると感激して、さらにいった。

「君を初めて見た時から、ひそかに自分は、君に嘱す思いを抱いていた。将来いつかは、刎頸《ふんけい》を契《ちぎ》らんと」

するど、趙子龍もいった。

「拙者も思っていました。あなたのような方を主と仰ぎ持つならば、この肝脳《かんのう》を地にまみれさせても惜しくはないと――」

五

関羽にあい、また、ゆくりなくも趙子龍に出会って、玄徳の左右には、兵馬の数こそとぼしいが、はやくも将星の光彩が未来をかがやかしていた。

やがて、古城は近づいた。

待ちかねていた望楼の眸は、はやそれと遠くから発見して、

「羽将軍が劉皇叔をお迎えして参られましたぞ」と、大声で下へ告げた。

喨々《りょうりょう》たる奏楽がわきあがった。奥の閣からは二夫人が楚々たる蓮歩《れんぽ》を運んで出迎える。服装こそ雑多なれ、ここの山兵もきょうはみな綺羅《きら》びやかだった。大将張飛も最大な敬意と静粛をもって、出迎えの兵を閲《えつ》し、黄旗青旗金繍旗日月旗《きんしゅうきじつげつき》など、万朶《ばんだ》の花の一時にひらくが如く翩翻《へんぽん》と山風になびかせた。

玄徳以下、列のあいだを、粛々《しゅくしゅく》と城内へとおった。

「あの君が、これからの＊総帥《そうすい》となるのか。あの人が、関羽というのか」

通過のあいだに、ちらと見ただけで、兵卒たちの心理は、その一瞬から変った。もう古城の山兵でも烏合《うごう》の衆でもなかった。

楽器の音は、山岳を驚かせた。空をゆく鴻《おおとり》は地に降り、谷々の岩燕は、瑞雲《ずいうん》のように、天に舞った。

まず何よりも、二夫人との対面の儀が行われた。関羽は、堂下に泣いていた。

夜は、牛馬を宰して、聚議《しゅうぎ》の大歓宴が設けられた。

「人生の快、ここに尽くる」

関羽、張飛がいうと、

「何でこれに尽きよう。これからである」と、玄徳はいった。

趙雲、孫乾、簡雍《かんよう》、周倉、関平などみな杯を交歓して、

「これからだっ！　これからだっ！」と、どよめき合った。

使者をうけて、汝南の劉辟《りゅうへき》と龔都《きょうと》もやがて馳けつけ、賀をのべてさていった。

「この狭隘《きょうあい》な地では、守るによくとも、大志は展《の》べられません。かねてのお約束、汝南を献じます。汝南を基地として、次の大策におかかりください」

古城には、一手の勢をのこして、玄徳は即日、汝南へ移った。徐州没落このかた、実に何年ぶりだろうか。こうして君臣一城に住み得る日を迎えとったのは。

顧《かえり》みれば――

それはすべて忍苦の賜だった。また、分散してもふたたび結ばんとする結束の力だっ

た。その結束と忍苦の二つをよく成さしめたものは、玄徳を中心とする信義、それであった。

さて、日の経つほどに。

ようやく、焦躁と不安に駆られていたのは袁紹《えんしょう》である。

「荊州からなんの消息《おとずれ》もくるわけはありません。玄徳は関羽、張飛、趙雲などを集めて、汝南にたて籠っておる由です」

そう聞いたときの彼の憤激はいうまでもない。

河北の大軍を一度にさし向けようとすら怒ったほどである。

郭図《かくと》が、うまいことをいった。

「愚です。玄徳の変は、いわばお体にできた疥癬《かいせん》の皮膚病です。捨ておいても、今が今というほど、生命とりにはなりません。何といっても、心腹の大患は、曹操の勢威です。これを延引しておいては、ご当家の強大もついには命脈にかかわりましょう」

「そうか。……ウうム、しかしその曹操もまた急には除けまい。すでに戦いつつあるが、戦いは膠着《こうちゃく》の状態にある」

「荊州の劉表を味方にしても、大局は決しますまい。何となれば、彼には大国大兵はあっても、雄図がありません。ただ国境の守りに怯々《きょうきょう》たる事なかれ主義の男です。——あんな者に労を費やすよりは、むしろ南方の呉国孫策《ごこくそんさく》の勢力こそ用うべきでありましょう。呉は、大江の水利を擁し、地は六郡に、威《い》は三江《こう》にふるい、文化たかく産業は充実し、精兵数十万はいつでも動かせるものとみられます。いま国交を求むるとせば、新興の国、呉を措《お》いてはありません」と、熱心に説いた。

袁紹の重臣陳震《ちんしん》が、書を載せて、呉へ下ったのはそれから半月ほど後のことだった。

于《う》吉《きつ》仙《せん》人《にん》

一

呉の国家は、ここ数年のあいだに実に目ざましい躍進をとげていた。

浙江《せっこう》一帯の沿海を持つばかりでなく、揚子江の流域と河口を扼《やく》し、気温は高く天産は豊饒《ほうじょう》で、いわゆる南方系の文化と北方系の文化との飽和によって、宛然《えんぜん》たる呉国色をここに劃し、人の気風は軽敏で利に明るく、また進取的であった。

彗星《すいせい》的な風雲児、江東の小覇王孫策《そんさく》は、当年まだ二十七歳でしかないが、建安四年の冬には、廬江《ろこう》を攻略し、また黄祖、劉勲《りゅうくん》などを平げて恭順を誓わせ、予章《よしょう》の太守もまた彼の下風について降を乞うてくるなど——隆々たる勢いであった。

彼の臣、張紘《ちょうこう》は、いくたびか都へ上り、舟航して、呉と往来していた。

孫策の「漢帝に奉《たてまつ》るの表《ひょう》」を捧げて行ったり、また朝廷への貢《みつ》ぎ物を持って行ったのである。

孫策の眼にも漢朝はあったけれど、その朝門にある曹操は眼中になかった。

孫策はひそかに大司馬の官位をのぞんでいたのである。けれど、容易にそれを許さないものは、朝廷でなくて、曹操だった。

甚だおもしろくない。

だが、並び立たざる両雄も、あいての実力は知っていた。

「彼と争うは利でない」

曹操は、獅子の児と嚙みあう気はなかった。

しかし獅子の児に、乳を与え、冠《かんむり》を授けるようなことも、極力回避していた。

ただ手なずけるを上策と考えていた。——で、一族曹仁《そうじん》の娘を、孫策の弟にあたる孫《そん》匡《きょう》へ嫁入らせ、姻戚《いんせき》政策をとってみたが、この程度のものは、ほんの一時的な偽装平和を彩ったまでにすぎない。日がたつと、いつとはなく、両国のあいだには険悪な気流がみなぎってくる。乳を与えなくても、獅子の児は牙《きば》を備えてきた。

呉郡の太守に、許貢《きょこう》という者がある。その家臣が、渡江の途中、孫策の江上監視隊に怪しまれて捕われ、呉の本城へ送られてきた。

取調べてみると、果たして、密書をたずさえていた。

しかも、驚くべき大事を、都へ密告しようとしたものだった。

（呉の孫策《そんさく》、度々、奏聞《そうもん》をわずらわし奉り、大司馬の官位をのぞむといえども、ご許容なきをうらみ、ついに大逆を兆《きざ》し、兵船強馬をしきりに準備し、不日都へ攻めのぼらんの意あり、疾《と》くよろしくそれに備え給え）

こういう内容である。

孫策は怒って、直ちに、許貢《きょこう》の居館へ詰問《きつもん》の兵をさし向けた。そして許貢をはじめ妻子眷族《けんぞく》をことごとく誅殺《ちゅうさつ》してしまった。

阿鼻叫喚《あびきょうかん》のなかから、あやうくも逃げのがれた三人の食客があった。当時、どこの武人でも、有為な浪人はこれをやしきにおいて養っておく風があった。その食客三人は、日頃ふかく、許貢の恩を感じていたので、

「何とかして、恩人の讐《かたき》をとらねばならぬ」

と、ともに血をすすりあい、山野にかくれて、機をうかがっていた。

孫策はよく狩猟《かり》にゆく。

淮南《わいなん》の袁術《えんじゅつ》に身を寄せていた少年時代から、狩猟は彼の好きなものの一つだった。

その日も――

彼は、大勢の臣をつれて、丹徒《たんと》という部落の西から深山にはいって、鹿、猪などを、おっていた。

するとここに、

「今だぞ、復讐は」

「加護あれ。神仏」

と、かねて彼を狙っていた例の食客浪人は、箭《や》に毒をぬり、槍の穂を石でみがいて、孫策の通りそうな藪かげにかくれ、一心天を念じていたのであった。

二

孫策の馬は、稀世の名馬で「五花馬《かば》」という名があった。多くの家臣をすてて、彼方此方、平地を飛ぶように馳駆《ちく》していた。

彼の弓は、一頭の鹿を見事に射とめた。

「射たぞ、誰か、獲物《えもの》を拾え」

振向いた時である。孫策の顔へ、ひゅっと、一本の箭《や》が立った。

「あっ」

顔を抑《おさ》えると、藪のかげから躍りだした浪人三名が、

「恩人許貢《きょこう》の仇、思い知ったか」と、槍をつけてきた。

孫策は、弓をあげて、一名の浪人者を打った。しかし、また一方から突いてきた槍に太股をふかく突かれた。五花馬の背からころげ落ちながらも、孫策はあいての槍を奪っていた。その槍で自分を突いた相手を即座に殺したが、同時に、

「うぬっ」と、うしろから、二名の浪人もまた所きらわず、彼の五体を突いていた。

うう――むッと、大きなうめきを発して、孫策が仆《たお》れたとき、残る二名の浪人もま

た、急を見て馳けつけてきた呉将程普《ごしようていふ》のために、ずたずたに斬り殺されていた。その附近は、おびただしい血しおで足の踏み場もないほどだった。

何にしても、国中の大変とはなった。応急の手当を施して、すぐ孫策の身は、呉会の本城へ運び、ふかく外部へ秘した。

「華陀《かだ》を呼べ。華陀がくればこんな瘡《きず》はなおる」

うわ言のように、当人はいいつづけていた。さすがに気丈であった。それにまだ肉体が若い。

いわれるまでもなく、名医華陀のところへは、早馬がとんでいた。すぐ呉会の城へのぼった。けれど華陀は眉をひそめた。

「いかんせん、鏃《やじり》にも槍にも、毒が塗ってあったようです。毒が骨髄《こつずい》にしみとおっていなければよろしいが……？」

三日ばかりは、昏々《こんこん》とただうめいている孫策であった。

けれども二十日も経つと、さすがに名医華陀の手をつくした医療の効はあらわれてきた。孫策は時折、うすら笑みすら枕頭の人々に見せた。

「都に在任していた蔣林《しようりん》が帰りましたが、お会いなされますか」

すっかり容体が快《よ》いので、侍臣がいうと、孫策はぜひ会って、都の情勢を聞きたいという。

蔣林は病牀の下に拝跪《はいき》して、何くれとなく報告した。

すると孫策が、

「曹操は近ごろおれのことをどういっているか」と、訊ねた。蔣林は、

「獅子の児と喧嘩はできぬといっているそうです」と、噂のまま話した。

「そうか。あははは」

めずらしく、孫策は声をだして笑った。非常なご機嫌だと思ったので、蔣林は訊かれもしないのに、なおしゃべっていた。

「――しかし、百万の強兵があろうと、彼はまだ若い。若年の成功は得て思い上がりやすく、図に乗ってかならず蹉跌《さてつ》する。いまに何か内争を招き、名もない匹夫の手にかかって非業《ひごう》な終りを遂げるやも知れん。……などと曹操は、そんなこともいっていたと、朝廷の者から聞きましたが」

見る見るうちに孫策の血色は濁ってきた。身を起して北方をはったと睨み、やおら病牀をおりかけた。人々が驚いて止めると、

「曹操何ものぞ。瘡《きず》の癒《い》えるのを待ってはいられない。すぐわしの戦袍《せんぽう》や盔《かぶと》をこれへ持て、陣触れをせいっ」

すると張昭《ちょうしょう》が来て、

「何たることです。それしきの噂に激情をうごかして、千金の御身を軽んじ給うなどということがありますか」と、叱るが如くなだめた。

ところへ、遠く河北の地から、袁紹《えんしょう》の書を持って、陳震《ちんしん》が使いに来た。

ほかならぬ袁紹の使いと聞いて、孫策は病中の身を押して対面した。

使者の陳震は、袁紹の書を呈してからさらに口上をもって、

「いま曹操の実力と拮抗《きっこう》し得る国はわが河北か貴国の呉しかありません。その両家がまた相結んで南北から呼応し、彼の腹背を攻めれば、曹操がいかに中原《ちゅうげん》に覇《は》を負うとも、破るるは必定でありましょう」と、軍事同盟の緊要を力説し、天下を二分して、長く両家の繁栄と泰平を計るべき絶好な時機は今であるといった。

孫策は大いに歓んだ。彼も打倒曹操の念に燃えていたところである。

これこそ天の引き合わせであろうと、城楼に大宴をひらいて陳震を上座に迎え、呉の諸大将も参列して、旺《さかん》なもてなし振りを示していた。

三

すると、宴も半ばのうちに、諸将は急に席を立って、ざわざわとみな楼台からおりて行った。孫策はあやしんで、何故にみな楼をおりてゆくかと左右に訊ねると、近侍の一名が、

「于吉仙人《うきっせんにん》が来給うたので、そのお姿を拝さんと、いずれも争って街頭へ出て行かれたのでしょう」

と、答えた。

孫策は眉毛をピリとうごかした。歩を移して楼台の欄干により城内の街を見下ろして

いた。

街上は人で埋まっていた。見ればそこの辻を曲っていま真っすぐに来る一道人*があある。髪も髯も真っ白なのに、面は桃花のごとく、飛雲鶴翔《ひうんかくしょう》の衣をまとい、手には藜《あかざ》の杖をもって、飄々《ひょうひょう》と歩むところ自《おのず》から微風が流れる。

「于吉《うきつ》さまじゃ」

「道士《どうし》様のお通りじゃ」

道をひらいて、人々は伏し拝んだ。香を焚《た》いて、土下座する群衆の中には、百姓町人の男女老幼ばかりでなく、今あわてて宴を立って行った大将のすがたも交《ま》じっていた。

「なんだ、あのうす汚い老爺《おやじ》は！」

孫策は不快ないろを満面にみなぎらして、人をまどわす妖邪の道士、すぐ搦《から》め捕ってこいと、甚だしい怒りようで、武士たちに下知した。

ところが、その武士たちまで、口を揃えて彼を諫《いさ》めた。

「かの道士は、東国に住んでいますが、時々、この地方に参っては、城外の道院にこもり、夜は暁にいたるまで端坐してうごかず、昼は香を焚いて、道を講じ、符水《ふすい》を施《ほどこ》して、諸人の万病を救い、その霊顕《れいげん》によって癒《なお》らない者はありません。そのため、道士にたいする信仰はたいへんなもので、生ける神仙とみな崇《あが》めていますから、めったに召捕ったりしたら、諸民は号泣して国主をお怨みしないとも限りませぬ」

「ばかを申せっ。貴様たちまで、あんな乞食老爺にたばかられているのかっ。否やを申すと、汝らから先に獄へ下すぞ」

孫策の大喝《だいかつ》にあって、彼らはやむなく、道士を縛って、楼台へ引っ立ててきた。

「狂夫っ、なぜ、わが良民を、邪道にまどわすかっ」

孫策が、叱っていうと、于吉《うきつ》は水のごとく冷やかに、

「わしの得たる神書と、わしの修めたる行徳《ぎようとく》をもって、世人に幸福をわかち施すのが、なぜ悪いか、いけないのか、国主はよろしく、わしにたいして礼をこそいうべきであろう」

「だまれっ。この孫策をも愚夫あつかいにするか。誰ぞ、この老爺の首を刎《は》ねて、諸民の妖夢を醒《さ》ましてやれ」

だが、誰あって、進んで彼の首に剣を加えようとする者はなかった。

張昭は、孫策をいさめて、何十年来、なに一つ過ちをしていないこの道士を斬れば、かならず民望を失うであろうといったが、

「なんの、こんな老いぼれ一匹、犬を斬るも同じことだ。いずれ孫策が成敗する。きょうは首枷《くびかせ》をかけて獄に下しておけ」と、ゆるす気色もなかった。

四

孫策の母は、愁《うれ》い顔をもって、嫁の呉夫人を訪れていた。

「そなたも聞いたでしょう。策《さく》が于道士《うどうし》を捕えて獄に下したということを」

「ええ、ゆうべ知りました」

「良人《おっと》に非行あれば、諫めるのも妻のつとめ。そなたも共に意見してたもれ。この母もいおうが、妻のそなたからも口添えして下されし」

呉夫人も悲しみに沈んでいたところである。母堂を始め、夫人に仕える女官、侍女など、ほとんど皆、于吉仙人の信者だった。

呉夫人はさっそく良人の孫策を迎えに行った。孫策はすぐ来たが、母の顔を見ると、すぐ用向きを察して先手を打って云った。

「きょうは妖人《ようじん》を獄からひき出して、断乎《だんこ》、断罪に処するつもりです。まさか母上までが、あの妖道士に惑わされておいでになりはしますまいね」

「策、そなたは、ほんとに道士を斬るつもりですか」

「妖人の横行は国のみだれです。妖言妖祭《ようげんようさい》、民を腐らす毒です」

「道士は国の福神です、病を癒すこと神のごとく、人の禍いを予言して誤ったことはありません」

「母上もまた彼の詐術《さじゅつ》にかかりましたか、いよいよ以って許せません」

彼の妻も、母とともに、口を極めて、于吉仙人の命乞いをしたが、果ては、

「女童《おんなわらべ》の知るところでない」と、孫策は袖を払って、後閣から立ち去ってしまった。

一匹の毒蛾《どくが》は、数千の卵を生みちらす。数千の卵は、また数十万の蛾と化して、民家の灯、王城の燭、後閣の鏡裡《きょうり》、ところ、きらわず妖舞して、限りもなく害をなそう。孫

策はそう信じて、母のことばも妻のいさめも耳に入れなかった。

「典獄。于吉《うきつ》をひき出せ」

主君の命令に、典獄頭《てんごくのかみ》は、顔色を変えたが、やがて獄中からひき出した道士を見ると、首枷《くびかせ》がかけてない。

「だれが首枷をはずしたか」

孫策の詰問に典獄はふるえあがった。彼もまた信者だったのである。いや、典獄ばかりでなく、牢役人の大半も実は道士に帰依《きえ》しているので、いたくその祟《たた》りを恐れ、縄尻を持つのも厭《いと》う風であった。

「国の刑罰をとり行う役人たるものが、邪宗を奉じて司法の任にためらうなど言語道断だ」

孫策は怒って剣を払い、たちどころに典獄の首を刎ねてしまった。また于吉仙人を信ずるもの数十名の刑吏を武士に命じてことごとく斬刑《ざんけい》に処した。

ところへ張昭以下、数十人の重臣大将が、連名の嘆願書をたずさえて、一同、于吉仙人の命乞いにきた。孫策は、典獄の首を刎ねて、まだ鞘にも納めない剣をさげたまま嘲《あざ》笑《わら》って、

「貴様たちは、史書を読んで、史を生かすことを知らんな。むかし南陽の張津《ちょうしん》は、交州の太守となりながら、漢朝の法度《はっと》を用いず、聖訓をみな捨ててしまった。そして、常に赤き頭巾を着、琴を弾じ、香を焚き、邪道の書を読んで、軍に出れば不思議の妙術をあ

らわすなどと、一時は人に稀代な道士などといわれたものだが、たちまち南方の夷族《いぞく》に敗られて幻妙の術もなく殺されてしまったではないか。要するに、于吉もこの類だ、まだ害毒の国全体に及ばぬうちに殺さねばならん。——汝ら、無益な紙筆をついやすな」

頑《がん》として、孫策はきかない。すると、呂範《りょはん》がこうすすめた。

「こうなされては如何です。彼が真の神仙か、妖邪《ようじゃ》の徒か、試みに雨を祈らせてごらんなさい。幸いにいま百姓たちは、長い旱《ひでり》に困りぬいて、田も畑も亀裂している折ですから、于吉に雨乞いのいのりを修させ、もし験《しるし》あれば助け、効のないときは、群民の中で首を刎ね、よろしく見せしめをお示しになる。その上のご処分なら、万民もみな得心するでしょう」

「よかろう」

孫策は快然と笑って即座に吏に命じた。

五

「さっそく、市中に雨乞いの祭壇をつくれ、彼奴《きゃつ》が化けの皮を脱ぐのを見てやろう」

市街の広場に壇が築かれた。四方に柱を立て彩華をめぐらし、牛馬を屠《ほふ》って雨龍や天神を祭り、于吉は沐浴して壇に坐った。

麻衣《まい》を着がえるとき、于吉はそっと、自分を信じている吏にささやいた。

「わしの天命も尽きたらしい。こんどはもういけない」

「なぜですか、霊験《れいげん》をお示しあればいいでしょう」

「平地に三尺の水を呼んで百姓を救うことはできても、自分の命数だけはどうにもならんよ」

壇の下へ、孫策の使いがきて、高らかに云いわたした。

「もし、今日から三日目の午《うま》の刻までに、雨が降らないときは、この祭壇とともに、生きながら焼き殺せとの厳命であるぞ。よいか、きっと心得ておけよ」

于吉はもう瞑目していた。

白髪のうえからかんかん日があたる。夜半は冷気肌を刺す。祭壇の大香炉《こうろ》は、縷々《るる》として香煙を絶たず、三日目の朝となった。

一滴の雨もふらない。

きょうも満天は焦《こ》げて、烈々たる太陽だけがあった。ただ地上には聞き伝えて集まった数万の群集が、それこそ雲のごとくひしめいていた。

すでに午《うま》の刻となった。陽時計《ひどけい》を睨んでいた吏は、鐘台へかけあがって、時刻の鐘を打った。数万の百姓は、それを聞くと、大声をあげて哭《な》いた。

「見ろ！　およそ道士だの神仙だのというやつは、たいがいかくの如きものだ。ただちにあの無能な老爺《おやじ》を焚殺《やきころ》せ」と、孫策が城楼から下知した。

刑吏は、祭壇の四方に、薪や柴を山と積んだ。たちまち烈風が起って、于吉のすがたを焔の中につつんだ。

火は風をよび、風はまた砂塵を呼んで、一すじの黒気《こっき》が濃い墨のように空中へ飛揚して行った。——と見るまに、天の一角にあたって、霹靂《かみなり》が鳴り、電光がはためき、ぽつ、ぽつ、と痛いような大粒の雨かと思ううち、それも一瞬で、やがて盆をくつがえすような大雷雨とはなってきた。

未《ひつじ》の刻まで降り通した。市街は河となって濁流に馬も人も石も浮くばかりだった。それ以上降ったら万戸《ばんこ》洪水にひたされそうに見えたが、やがて祭壇の上から誰やらの大喝が一声空をつんざいたかと思うと、雨ははたとやみ、ふたたび耿々《こうこう》たる日輪が大空にすがたを見せた。

刑吏が驚いて、半焼の祭壇のうえを見ると、于吉《うきつ》は仰向けに寝ていた。

「ああ、真に神仙だ」

と、諸大将は駈け寄って、彼を抱きおろし、われがちに礼拝讃嘆してやまなかった。

孫策は轎《くるま》に乗って、城門から出てきた。さだめし赦免《しゃめん》されるであろうとみな思っていたところ彼の不機嫌は前にも増して険悪であった。武将も役人もことごとく衣服の濡るるもいとわず于吉のまわりに拝跪《はいき》したざまが、彼の眼には見るに耐えなかった。

「大雨を降らすも、炎日のつづくも、すべて自然の現象で、人間業《にんげんわざ》で左右されるものではない。汝ら諸民の上に立つ武将たり市尹《しいん》たりしながら、なんたる醜状か。妖人に組して、国をみだすも、謀叛《むほん》してわれに弓をひくも、同罪であるぞ。斬れッ、その老爺を！」

諸臣、黙然と首をたれているばかりで、誰も、于吉を怖れて進み出る者もなかった。

孫策はいよいよ憤《いきどお》って、

「なにを臆《おく》すかッ、よしっ、このうえは自ら成敗してくれん。見よわが宝剣の威を」

と、戛然《かつぜん》、抜き払った一閃の下に、于吉の首を刎ねてしまった。

日輪は赫々と空にありながら、また沛然《はいぜん》と雨が降りだした。怪しんで人々が天を仰ぐと、一朶《だ》の黒雲のなかに、于吉の影が寝ているように見えた。

孫策はその夕方頃から、どうもすこし容子が変であった。眼は赤く血ばしり、発熱気味に見うけられた。

孫権《そんけん》立つ

一

「あっ、何だろう？」

宿直《とのい》の人々は、びっくりした。真夜半《まよなか》である。燭が白々と、もう四更に近い頃。

寝殿の帳裡《ちょうり》ふかく、突然、孫策の声らしく、つづけさまに絶叫がもれた。すさまじい物音もする。

「何事？」と、典医や武士も馳けつけて行った。――が、孫策は見えなかった。

「オオ、ここだ。ここに仆れておいでになる」

見れば、孫策は、牀《しょう》を離れて床のうえに俯伏《うつぶ》していた。しかも、手には剣の鞘《さや》を払って。

その前にある錦の垂帳《すいちょう》はズタズタに斬りさかれていた。

宿直の武士がかかえて牀にうつし、典医が薬を与えると、孫策はくわっと眼をみひらいたが、昼間とは、眸のひかりがまるでちがっていた。

「于吉《うきつ》め！　妖爺めッ。どこへ失せたか」

口走るのである。明らかに、ただならぬ症状であった。

しかし夜が明けると、昏々《こんこん》と眠りに落ち、日が高きころ目をさまして、平常に回《かえ》ってきた。

彼の母とともに夫人も見舞にきていた。老母は涙をうかべて云った。

「そなたはきのう神仙を殺したそうじゃが、なんでそんなことをしてくれたか。どうぞきょうから祭堂に籠《こも》って仙霊に懺悔《ざんげ》し、七日のあいだ善事を修行してくだされ」

「ははは――」孫策は哄笑して――「母上、この孫策は、父孫堅にしたがって、十六、七歳から戦場に出で、今日まで名だたる敵を斬ることその数も知れません。なんで妖法をなす乞食老爺《おやじ》ひとりを殺したからといって、祭堂に籠って天に詫びることをする要がありましょう」

「いえいえ、于吉は、凡人ではない。神仙です。神霊の祟《たた》りをそなたは恐れぬのか」

「恐れません。わたくしは、呉の国主です」

「まあ、いくら諫めても、そなたは強情《ごうじょう》な……」

「もう仰《おっ》しゃって下さるな、人には人の天命ありです。いくら妖人が祟ろうと、人命を支配するなどという理はうなずけません」

やむなく老母と夫人は、愛児のため、良人のため、自身が代って修法の室に籠り、七日のあいだ潔斎《けっさい》して禱《いの》りを修めていた。

けれどその効もなく、毎夜、四更の頃となると、孫策の寝殿には怪異なる絶叫がながれた。

于吉のすがたが現れて、彼の寝顔をあざ笑い、彼の牀をめぐり、彼が剣を抜いて狂うと、忽然《こつぜん》、夜明けの光とともに掻き消えてしまうらしい。

目に見えるほど痩せてきた。そして孫策は、昼間も昏々とつかれて眠り落ちている日が多かった。

母は、枕元へきて、頼むようにまたいった。

「策。どうぞ、おねがいですから玉清観《ぎょくせいかん》へお詣りに行ってください」

「寺院に用はありません。父の命日でもありますまい」

「わたくしから、玉清観の道主におすがりしたのじゃ。天下の道士を請《しょう》じて香を焚き、行を営んで、鬼神のお怒りをなだめていただくように」

「孫策は幼少からまだ、父が鬼神を祭ったのは、見たこともありませんが」

「そんな理窟はもういわないでおくれ。英魂も怨みをのこしてこの土に執着すれば鬼神になる。まして罪もなく殺された神仙の霊が祟りをなさずにいましょうか」

老母はよよと泣く。夫人も泣きすがって諫める。孫策もそれには負けて、遂に轎《くるま》の用意を命じ、道士院の玉清観へおもむいた。

「ようこそ」

と、国主の参詣をよろこんで、道主以下、大勢して彼を出迎え、修法の堂へ導いた。

気のすすまない顔をして、孫策は中央の祭壇に向い、まるで対峙《たいじ》しているように睨みつけていたが道主にうながされて、やむなく香炉へ香を焚いた。

「——おのれッ！」

何を見たか、とたんに孫策は、帯びたる短剣を、投げつけた。剣は侍臣のひとりに突刺さったので、異様な絶叫が、堂に籠った。

二

縷々《るる》とのぼる香のけむりの中に于吉《うきつ》のすがたが見えたのである。

投げた剣は侍臣を仆し、その者は、七穴《けっ》から血をながして即死しているのに、孫策の眼には、なお何か見えているらしく、祭壇を蹴とばしたり、道士を投げたりして暴れ狂った。

そのあとはまた、いつものように疲れきって、昏々と眠るが如く、大息をついていたが、われにかえると急に、

「帰ろう」と、ばかりに玉清観の山門を出ていった。

――と、路傍に沿って、飄々《ひょうひょう》と一緒についてくる老人がある。孫策が轜《くるま》の内からふと見ると、于吉だった。

「老いぼれっ、まだいるかっ」

叫んだとたんに、彼は、簾《れん》を斬り破って轜《くるま》から落ちていた。

城門を入るときにも、狂いだした。瑠璃瓦《るりがわら》の楼門の屋根を指さして、そこに于吉がいる。射止めよ槍を投げよと、まるで陣頭へ出たように、下知してやまないのであった。

暴れだすと、大勢の武士でも、手がつけられなかった。寝殿は毎夜、不夜城のごとく灯をともし、昼も夜も、侍臣は眠らなかったが一陣の黒風がくると、呉城全体があやしく揺れおののくばかりだった。

「この城中では眠れない」

遂に孫策もそう云いだした。で――城外に野陣を張り、三万の精兵が帷幕《いばく》をめぐって警備についた。彼の眠る幕舎の外には、屈強な力士や武将が斧鉞《おのまさかり》をもって、夜も昼も、四方を守っていた。

ところが、于吉のすがたは、眦《まなじり》を裂き、髪をさばいて、それでも毎夜彼の枕頭に立つらしかった。そして彼に会う者はみな、彼の形容が変ってきたのに驚いた。

「……そんなに痩せ衰えたろうか」

孫策は或る折、ひとり鏡を取寄せて、自分の容貌をながめていたが、愕然《がくぜん》と、鏡をなげうって、

「妖魔め」と、剣を払い、虚空を斬ること十数遍、ううむ——と一声うめいて悶絶《もんぜつ》してしまった。典医が診ると、せっかく一時なおっていた金瘡《きんそう》がやぶれ、全身の古傷から出血していた。

もう名医華陀《かだ》の力も及ばなくなった。孫策も、ひそかに、天命をさとったらしく、甚だしい衰弱のなおつづくうちにもその後はやや狂暴もしずまって、或る日、夫人を招いておとなしくいった。

「だめだ……残念ながらもうだめだ……こんな肉体をもって何でふたたび国政をみることができよう。張昭《ちょうしょう》をよんでくれ。そのほかの者どももみなここへ呼びあつめてくれ。……云いのこしたいことがある」

夫人は、慟哭《どうこく》して、涙に沈んでいるばかりだった。典医や侍臣たちは、

「すこし、ご容子が……」と、すぐ城中へ報らせた。

張昭以下、譜代の重臣や大将たちが、ぞくぞくと集まった。

孫策は、牀《しょう》に起き直ろうとしたが、人々が強《し》いてとめた。わりあいに彼の面色は平静

であったし、眸も澄んでいた。

「水をくれい」と求めて、唇の渇《かわ》きをうるおしてから、静かに彼はいいだした。

「いまわが中国は、大きな変革期にのぞんでいる。後漢の朝はすでに咲いて凋落《ちょうらく》におののく花にも似ている。黒風濁流は大陸をうずまき、群雄いまなおその土に処《ところ》を得ず、天下はいよいよ分れ争うであろう。……ときに、わが呉は三江の要害にめぐまれ、居ながらにして、諸州の動向と成敗を見るに充分である。とはいえ、地の利天産にたのむなかれ。……あくまで国を保つものは人である。汝ら、われ亡きあとは、わが弟を扶《たす》け、ゆめ怠るな」

そういって、細い手を、わずかにあげて、

「弟、弟……孫権《そんけん》はいるか」と見まわした。

「はい、はい、孫権はここにおりまする」

群臣のあいだから、あわれにもまだ年若い人の低い声がした。

三

それは弟の孫権だった。

孫権は、泣きはらした眼をふせながら、兄孫策の枕頭へ寄って、

「兄上、お気をしっかり持って下さい。いまあなたに逝かれたら、呉の国家は、柱石を失いましょう。そこにいる母君や、多くの臣下を、どうして抱えてゆけましょう」

と、両手で顔をつつんで泣いた。

孫策は、いまにも絶えなんとする呼吸であったが、強いて微笑しながら、枕の上の顔を振った。

「気をしっかり持てと。……それはおまえに云いのこすことだ。孫権、そんなことはないよ。おまえには内治の才がある。しかし江東の兵をひきいて、*乾坤一擲《けんこんいってき》を賭けるようなことは、おまえはわしに遠く及ばん。……だからそちは、父や兄が呉の国を建てた当初の艱難《かんなん》をわすれずに、よく賢人を用い有能の士をあげて、領土をまもり、百姓を愛し、堂上にあっては、よく母に孝養《きよう》せよ」

刻々と、彼の眉には、死の色が兆してきた。病殿の内外は、水を打ったように寂として、極めてかすかな遺言の声も、一様にうなだれている群臣のうしろの方にまで聞えてくるほどだった。

「……ああ不孝の子、この兄は、もう天命も尽きた。慈母の孝養をくれぐれ頼むぞ。また諸将も、まだ若い孫権の身、何事も和し、そして扶《たす》けてくれるように。孫権もまた、功ある諸大将を軽んじてはならんぞ。内事は何事も、張昭《ちょうしょう》にはかるがよい。外事の難局にあわば周瑜《しゅうゆ》に問え。……ああ周瑜。周瑜がここにいないのは残念だが、彼が巴丘《はきゅう》から帰ってきたらよう伝えてくれい」

そういうと、彼は、呉の印綬《いんじゅ》を解いて、手ずからこれを孫権に譲った。

孫権は、おののく手に、印綬をうけながら、片膝を床について、滂沱《ぼうだ》……ただ滂沱……涙であった。

「夫人《おく》。……夫人……」

孫策は、なお眸をうごかした。泣き仆れていた妻の喬氏《きょうし》は、みだれた雲鬢《うんびん》を良人の顔へ寄せて、よよと、むせび泣いた。

「そなたの妹は、周瑜《しゅうゆ》に娶合《めあ》わせてある。よくそなたからも妹にいって、周瑜をして、孫権《そんけん》を補佐するよう……よいか、内助をつくせよ。夫婦、人生の中道に別れる、これほどな不幸はないが、またぜひもない」

次に、なお幼少な小妹《しょうまい》や弟たちを、みな近く招きよせて、

「これからはみな、孫権を柱とたのみ、慈母をめぐって、兄弟相背《あいそむ》くようなことはしてくれるなよ。汝ら、家の名をはずかしめ、義にそむくようなことがあると、孫策のたましいは、九泉《せん》の下《もと》にいても、誓ってゆるさぬぞ。……ああ！」

云い終ったかと思うと、忽然、息がたえていた。

孫策、実に二十七歳であった。江東の小覇王が、こんなにはやく夭折《ようせつ》しようとは、たれも予測していなかったことである。

印綬《いんじゅ》をついで、呉の主《あるじ》となった孫権は、この時、まだわずか十九歳であった。けれど、孫策が臨終にもいったように、兄の長所には及ばないが、兄の持たないものを彼は持っていた。それは内治的な手腕、保守的な政治の才能は、むしろ孫権のほうが長じていたのである。

孫権、字《あざな》は仲謀《ちゅうぼう》、生れつき口が大きく、頤《あご》ひろく、碧眼紫髯《へきがんしぜん》であったというから、孫家の血には、多分に熱帯地の濃い南方人の血液がはいっていたかもしれない。

彼の下にも、幼弟がたくさんあった。かつて、呉へ使いにきた漢の劉琬《りゅうえん》は、よく骨相を観るが、その人がこういったことがある。

「孫家の兄弟は、いずれも才能はあるが、どれも天禄《てんろく》を完うして終ることができまい。ただ末弟の孫仲謀《そんちゅうぼう》だけは異相である。おそらく孫家を保って寿命長久なのはあの児だろう」

この言は、けだし孫家の将来と三児の運命を、ある程度予言していた。いやすでに孫策にはその言が不幸にも的中していたのである。

四

呉は国中喪《も》に服した。空に哀鳥《あいちょう》の声を聞くほか、地に音曲《おんぎょく》の声はなかった。

葬儀委員長は、孫権の叔父孫静《そんせい》があたって、大葬の式は七日間にわたってとり行われた。

孫権は喪《も》にこもって、ふかく兄の死をいたみ、ともすれば哭《な》いてばかりいた。

「そんなことでどうしますか。豺狼《さいろう》の野心をいだく輩が地にみちているこの時に。――どうか前王のご遺言を奉じて、国政につとめ、外には諸軍勢を見、四隣にたいしては、前代に劣らぬ当主あることをお示し下さい」

張昭は、彼を見るたびに、そういって励ました。

巴丘《はきゅう》の周瑜《しゅうゆ》は、その領地から夜を日についで、呉郡へ馳けつけてきた。

孫策の母も、未亡人も、彼のすがたを見ると、涙を新たにして、故人の遺託をこまごま伝えた。

周瑜は、故人の霊壇に向って拝伏し、

「誓って、ご遺言に添い、知己《ちき》のご恩に報いまする」と、しばし去らなかった。

そのあとで、彼は孫権の室に入って、ただ二人ぎりになっていた。

「何事も、その基《もと》は人です。人を得る国はさかんになり、人を失う国は亡びましょう。ですからあなたは、高徳才明な人をかたわらに持つことが第一です」

周瑜《しゅうゆ》のことばを、孫権は素直にうなずいて聞いていた。

「家兄《このかみ》も息をひく時そういわれた。で、内事は張昭に問い、外事は周瑜にはかれとご遺言になった。きっと、それを守ろうと思う」

「張昭はまことに賢人です。師傅《しふ》の礼をとって、その言を貴ぶべきです。けれど、私は生来の駑鈍《どどん》、いかんせん故人の寄託《きたく》は重すぎます。ねがわくは、あなたの補佐として、私以上の者を一人おすすめ申しあげたい」

「それは誰ですか」

「魯粛《ろしゅく》――字を子敬《しけい》というものですが」

「まだ聞いたこともないが、そんな有能の士が、世にかくれているものだろうか」

「野《や》に遺賢《いけん》なしということばがありますが、いつの時代になろうが、かならず人の中には人がいるものです。ただ、それを見出す人のほうがいません。また、それを用うる組織が悪くて、有能もみな無能にしてしまうことが多い」

「周瑜《しゅうゆ》。その魯粛《ろしゅく》とやらは一体どこに住んでいるのか」

「臨淮《りんわい》の東城《とうじょう》（安徽省《あんきしょう》・東城）におります。――この人は、胸に六韜三略《りくとうさんりゃく》を蔵し、生れながら機謀に富み、しかも平常は実に温厚で、会えば春風に接するようです。幼少に父をうしない、ひとりの母に仕えて孝養をつくし、家は富んでいるものですから東城の郊外に住んで、悠々《ゆうゆう》自適しています」

「知らなかった。自分の領下に、そういう人がおろうとは」

「仕官するのを好まないようです。魯粛の友人の劉子揚《りゅうしよう》というのが、巣湖《そうこ》へ行って鄭宝《ていほう》に仕えないかとしきりにすすめている由ですが、どんな待遇にも、寄ろうとしません」

「周瑜、そんな人が、もしほかへ行ったら大変だ。ご辺が参って、なんとか、召し出してきてくれないか」

「さっきもいった通り、いかなる人材でも、それをよく用いなければ、何にもなりません。あなたに真の熱情があるなら、私がかならず説いて連れてきますが」

「国のため、家のため、なんで賢人を求めて、賢人を無用にしよう。いそいで行ってきてくれい、ご苦労だが」

「承知しました」

周瑜《しゅうゆ》はひきうけて、次の日、東城へ立った。そして魯粛の田舎を訪ねるときは、わざと供も連れず、ただ一騎で、そこの門前に立った。

ちょうど田舎の豪農というような家構えだった。門の内には長閑《のどか》に臼《うす》をひく音がしていた。

五

その家の門をくぐれば、その家の主人の嗜《たしな》みや家風は自ら分るものという。

周瑜《しゅうゆ》は、門の内へはいって、まず主人魯粛《ろしゅく》の為人《ひととなり》をすぐ想像していた。

門を通ってもとがめる者なく、内は広く、そして平和だった。あくまでこの地方の大百姓といった構えである。どこやらで牛が啼いている。振向くと村童が二、三人、納屋の横で水牛と寝ころんで嘻々《きき》と戯れている。

「ご主人はおいでかね」

近づいて、周瑜が問うと、村童たちは、彼の姿をじろじろと見まわしていたが、

「いるよ、あっちに」と、木の間の奥を指さした。

見るとなるほど、田舎びた母屋とはかけ離れて一棟の書堂が見える。周瑜は童子たちに、

「ありがとう」と、愛想をいって、そこへ向う、疎林《そりん》の小径《こみち》を歩いて行った。

すると、立派な風采をした武人が供を連れて、鷹揚《おうよう》に歩いてきた。魯粛《ろしゅく》の訪客だなと

思ったので、すこし道をかわしていると、客は周瑜に会釈《えしやく》もせず、威張って通りすぎた。

周瑜は気にもかけなかった。そのまま書堂の前まで来ると、ここには今、＊柴門《さいもん》をひらいて、客を見送ったばかりの主がちょうどまだそこにたたずんでいた。

「失礼ですが、あなたは当家のお主魯粛どのではありませんか」

周瑜がいんぎんに問うと、魯粛は豊かな眼をそそいで、

「いかにも、てまえは魯粛ですが、してあなたは」

「呉城の当主、孫権のお旨をうけて、突然お邪魔に参ったもの。すなわち巴丘《はきゆう》の周瑜ですが」

「えっ、あなたが瑜君《ゆくん》ですか」

魯粛は非常におどろいた。巴丘の周瑜といえば知らぬ者はなかったのである。

「ともあれ、どうぞ……」と、書堂に請《しよう》じて、来意をたずねた。

うわさにたがわぬ魯粛の人品に、内心すっかり感悦していた周瑜は、辞を低うしてこう説いた。

「今日の大事は、もちろん将来にあります。将来を慮《おもんぱか》るとき、君たる者はその臣を選ばねばならず、臣たらんとする者も、その君を選ぶことが、実に生涯の大事だろうと存ぜられる。――それがしは夙《つと》にあなたの名を慕っていたが、お目にかかる折もなかったところ、ご承知のとおり呉の先主孫策のあとを継がれて、まだお若い孫権が当主に立

たれた。こう申しては、我田引水《*がでんいんすい》とお聞きかも知れぬが、主人孫権はまれに見る英邁篤《えいまいとく》実《じつ》のお方で、よく先哲の秘説をさぐり、賢者を尊び、有能の士を求めること、実に切なるものがある」

と、まえおきして、

「どうです、呉に仕えませんか。あなたも一箇の書堂におさまって文人的な閑日《かんじつ》に甘んじたり、終生、大百姓でいいとしているわけでもありますまい。世が泰平ならば、或いはそれも結構ですが、天下の時流はあなたのような有能の士を、こんな田舎におくことは許しません。――巣湖《そうこ》の鄭宝《ていほう》に仕えるくらいなら……あえてそれがしは云いきります。あなたは、呉に仕えるべきであると」

周瑜《しゅうゆ》は力弁した。

魯粛《ろしゅく》はにこやかにうなずいて、

「いまここから帰って行った客と、お会いでしたろう」

「お見かけしました。やはりあなたを引き出しにきた劉子揚《りゅうしよう》でしょう」

「そうです。再三再四、これへ参って鄭宝へ仕官せよと、根気よくすすめてくれるのですが」

「あなたの意はうごきますまい。良禽《*りょうきん》は樹をえらぶ。――当然です。それがしとともに呉にきてください」

「……？」

「おいやですか」と、切りこむと、

「いや、待って下さい」

と、魯粛はふいに立つと、客をそこへのこして、ひとり母屋のほうへ行ってしまった。

六

「失礼しました――」と魯粛はまもなく戻ってきて、

「自分には一人の老母がおるものですから、老母の意向もたずねてきたわけです。ところが老母もそれがしの考えと同様に、呉に仕えるがよかろうと、歓んでくれましたから、早速お招きに応じることにしましょう」と、快諾の旨を答えた。

周瑜はこおどりして、

「これでわが三江の陣営は精彩を一新する」

と、直ちに駒を並べて、呉郡に帰り、魯粛をみちびいて、主君孫権にまみえさせた。

彼を迎えて、孫権がいかに心強く思ったかはいうまでもない。以来、喪室《そうしつ》の感傷を一擲《てき》して、政務を見、軍事にも熱心に、明け暮れ魯粛の卓見をたたいた。

ある日は、ただ二人酒を飲んで、臥《ふ》すにも床を一つにしながら夜半また燭をかかげて、国事を談じたりなどしていた。

「御身は漢室の現状をどう思う？　また、わが将来の備えは？」

若い孫権の眸はかがやく。

魯粛は答えていう。

「おそらく漢朝の隆盛はもう過去のものでしょう。かえって寄生木《やどりぎ》たる曹操《そうそう》のほうが次第に老いたる親木を蝕《く》い、幹を太らせ、ついに根を漢土に張って、繁茂《はんも》してくること必然でしょう。――それに対して、わが君は静かに時運をながめ、江東の要害を固うして、河北の袁紹《えんしょう》と、鼎足《ていそく》の形をなし、おもむろに天下の隙《げき》をうかがっておられるのが上策です。一朝、時来れば黄祖《こうそ》を平げ、荊州《けいしゅう》の劉表を征伐し、一挙に遡江《そこう》の態勢を拡大して行く。曹操はつねに河北の攻防に暇なく、呉の進出を妨げることはできません」

「漢室が衰えたあと、朝廟《ちょうびょう》はどうなるであろう」

「ふたたび、漢の高祖のごとき人物が現れ、帝王の業が始りましょう。歴史はくり返されるものです。この秋《とき》に生れ、地の利と人の和を擁《よう》し、呉三江を継がれたわが君は、よくよくご自重なさらねばなりますまい」

孫権はじっと聞いていた。彼の耳朶《じだ》は紅かった。

その後、数日の暇を乞うて、魯粛が田舎の母に会いに行く時、孫権は、彼の老母へといって、衣服や帷帳《いちょう》を贈った。

魯粛はその恩に感じ、やがて帰府するとき、さらにひとりの人物を伴ってきて、孫権に推薦した。

この人は、漢人にはめずらしい二字姓をもっていたから、誰でもその家門を知っていた。

姓を諸葛《しょかつ》、名を瑾《きん》という。

孫権に、身の上をたずねられて、その人は語った。

「郷里は、瑯琊《ろうや》の南陽（山東省・泰山の南方）であります。亡父は諸葛珪《しょかつけい》と申して、泰山の郡丞《ぐんじょう》を勤めていましたが、私が洛陽《らくよう》の大学に留学中亡くなりました。その後河北は戦乱がつづいて、継母の安住も得られぬため、継母をつれて江東に避難いたし、弟や姉は、私と別れて、荊州の伯父のところで養われました」

「伯父は、何をしておるか」

「荊州の刺史劉表《りゅうひょう》に仕え重用されていましたが、四、五年前乱に遭って土民に殺され、いまはすでに故人となっています」

「御身の年齢は」

「ことし二十七歳です」

「二十七歳。すると、わが亡兄の孫策と同年だの」

孫権は非常になつかしそうな顔をした。

魯粛はかたわらから、

「諸葛兄《けい》は、まだ若いですが、洛陽の大学では秀才の聞えがあり、詩文経書通ぜざるはありません。ことに自分が感服しているのは継母に仕えること実の母のようで、その家庭を見るも、瑾《きん》君の温雅な情操がわかる気がします」と、その為人《ひととなり》を語った。

孫権は、彼を呉の上賓《じょうひん》として、以来重く用いた。

この諸葛瑾《しょかっきん》こそ、諸葛孔明《しょかっこうめい》の実兄で、弟の孔明より年は七つ上だった。

霹《へき》靂《れき》車《しゃ》

一

呉を興《おこ》した英主孫策を失って、呉は一たん喪色《もしょく》の底に沈んだが、そのため却って、若い孫権を中心に輔佐の人材があつまり、国防内政ともに、いちじるしく強化された。

国策の大方針として、まず河北の袁紹《えんしょう》とは絶縁することになった。

これは諸葛瑾の献策で、瑾は長く河北にいたので袁紹の帷幕《いばく》内輪もめをよく知っていたからである。

しばらく曹操にしたがうと見せ、時節がきたら曹操を討つ！

それが方針の根底だった。

そうきまったので、河北から使者にきて長逗留していた陳震《ちんしん》はなんら得るところなく、追い返されてしまった。

一方、曹操のほうでも。

呉の孫策死す！――という大きな衝動をうけて、にわかに評議をひらき、曹操はその席で、

「天の与えた好機だ。ただちに大軍を下江《げこう》させて、呉を伐《う》ち取らんか」

と提議したが、折ふし都へ来ていた侍御史《じぎょし》張紘《ちょうこう》がそれを諫めて、

「人の喪《も》に乗じて、軍を興すなどとは、丞相にも似あわしからぬことでしょう。古《いにしえ》の道にも、聞いた例がありません」といったので、曹操もその卑劣をふかく恥じたとみえ、以後、それを口にしないばかりでなく、上使を呉へ送って後継者の孫権に恩命をつたえた。

すなわち孫権を討虜将軍《とうりょしょうぐん》、会稽《かいけい》の太守に封じ、また張紘《ちょうこう》には、会稽の都尉を与えて帰らせた。

彼の選んだ方針と、呉がきめていた国策とは、その永続性はともかく孫策の死後においては、端《はし》なくも一致した。

――だが、おさまらないのは、河北の袁紹《えんしょう》であった。

使者は追い返され、呉はすすんで曹操に媚《こ》び、曹操はまた、呉の孫権に、叙爵昇官《じょしゃくしょうかん》の斡旋《あっせん》をとって、両国提携の実を見せつけたのであるから、孤立河北軍の焦躁や思うべしであった。

「まず、曹操を打倒せよ」

令に依って。

冀州、青州、幷州《へいしゅう》、幽州、など河北の大軍五十万は官渡《かんと》(河南省・開封附近)の戦場へ殺到した。

袁紹も、曠《はれ》のいでたちを着飾って、冀北城《きほくじょう》からいざ出陣と馬をひかせると、重臣の田《でん》豊《ほう》が、

「かくの如く、内を虚にして、みだりにお逸《はや》りあっては、かならず大禍を招きます。むしろ官渡の兵を退かせ、防備をなさるこそ、最善の策と存じますが」と、極力その不利を説いた。

かたわらにいた逢紀《ほうき》は、日頃から田豊とは犬猿の間がらなので、この時とばかり、

「出陣にあたって不吉なことをいわれる。田豊には、主君の敗北を期しているとみえるな。何を根拠に、大禍に会わんなどと、この際断言されるか」と、ことさら、大仰《おおぎょう》に咎めだてした。

出陣の日は、わずかなことも吉凶を占って、気にかけるものである。不吉な言をなしたというのは大罪に値《あたい》する。まして重臣たるものがである。

袁紹も怒って、田豊を血祭りにせんと猛ったが、諸人が哀号《あいごう》して、助命を乞うので、

「――首枷《くびかせ》をかけて獄中にほうりこんでおけ。凱旋ののちきっと罪を正すであろう」

と云い払って出陣した。

ところが途中、陽武(河南省・原陽附近)まで進むと、また沮授《そじゅ》がきて諫言を呈した。

「曹操は速戦即決をねらっています。後の整備や兵糧が乏しいためです。しかるに、その図に乗って急激にこの大軍で当られるのは心得ません。味方は大軍ですが、その勇猛と意気にかけてはとても彼に及ぶものではないに」

「だまれ。汝もまた、田豊をまねて、みだりに不吉の言を吐くか」

袁紹は、彼の首にも首枷《くびかせ》をかけて、獄へほうってしまった。

かくて、官渡の山野、四方九十里にわたって、河北の軍勢七十余万、陣を布いて曹操に対峙した。

二

この日、馬煙《うまけむり》は天をおおい、両軍の旗鼓《きこ》は地を埋めた。なにやら燦々《さんさん》と群星の飛ぶような光を、濛々《もうもう》のうちに見るのだった。

午《ひる》。陽はまさに高し。

折から、三通の金鼓《きんこ》が、袁紹の陣地からながれた。

見れば、大将軍袁紹《えんしょう》が、門旗をひらいて馬をすすめてくる。黄金《こがね》の盔《かぶと》に錦袍《きんぽう》銀帯を鎧《よろ》い、春蘭《しゅんらん》と呼ぶ牝馬《ひんば》の名駿《めいしゅん》に螺鈿《らでん》の鞍をおき、さすがに河北第一の名門たる風采堂々たるものを示しながら、

「曹操に一言申さん」と、陣頭に出た。

西軍の鉄壁陣は、許褚《きょちょ》、張遼《ちょうりょう》、徐晃《じょこう》、李典《りてん》、楽進《がくしん》、于禁《うきん》などの諸大隊をつらねて、

あたかも人馬の長城を形成している。——その真ん中をぱっと割って、「曹操これにあり、めずらしや河北の袁紹なるか」と、乗りだしてきたもの、いうまでもなく、いま天下の動向この人より起るとみられている曹操である。

曹操はまずいった。

「予、さきに、天子に奏して、汝を冀北《きほく》大将軍に封じ、よく河北の治安を申しつけあるに、みずから、叛乱《はんらん》の兵をうごかすは、そも、何事か」

彼が敵に与える宣言はいつもこの筆法である。袁紹は当然面を朱に怒った。

「ひかえろ曹操。天子のみことのりを私して、みだりに朝威をかさに振舞うもの、すなわち廟堂《びょうどう》の鼠賊《そぞく》、天下のゆるさざる逆臣である。われ、いやしくも、遠祖累代《るいだい》、漢室第一の直臣たり。天に代って、汝がごとき逆賊を討たでやあるべき。またこれ、万民の望む総意である」

宣言の上では、誰が聞いても、袁紹のほうがすぐれている。

だから曹操はすぐ、

「問答無用」と、駒を返して、「——張遼《ちょうりょう》、出でよ」と、高く鞭を振った。

弩弓《どきゅう》、鉄砲など、いちどに鳴りとどろく、飛箭《ひせん》のあいだに、

「見参！」

と、張遼は馳けすすんできて、袁紹へ迫ろうとしたが、袁紹のうしろから突として、

「罰当りめ。ひかえろ」

と、叱りながら、河北の勇将張部《ちょうこう》がおどり出して、敢然、戟《ほこ》をまじえた。

二者、火をちらして激闘すること五十余合、それでも勝負がつかない。

曹操は、遠くにあって、驚きの目をみはりながら、

「そも、あの化け物はなんだ」と、つぶやいた。

差し控えていた許褚《きょちょ》は、こらえかねて大薙刀《なぎなた》を舞わし、奮然、突進して行った。河北軍からは、それと見て、

「われ高覧《こうらん》なるを知らずや」と、槍をひねって向ってくる。

――その時、将台の上に立って、軍《いくさ》の大勢をながめていた袁紹《えんしょう》方の宿将審配《しんぱい》は、いま曹軍の陣から、約三千ずつ二手にわかれて、味方の側面から挟撃してくるのを見て、

「それっ、合図を」と、軍配も折れよと振った。

かかることもあろうかと、かねて隠しておいた弩弓隊《どきゅうたい》や鉄砲隊の埋伏《まいふく》の計が、果然、図にあたったのである。

天地も裂くばかりな轟音《ごうおん》となって、矢石《しせき》鉄丸を雨あられと敵の出足へ浴びせかけた。

側面攻撃に出た曹軍の夏侯惇《かこうじゅん》、曹洪《そうこう》の両大将は、急に、軍を転回するいとまもなく、さんざんに討ちなされて潰乱《かいらん》また潰乱の惨《さん》を呈した。

「いまぞ追いくずせ」

袁紹は、勝った。まさにこの日の戦は、河北軍の大捷《たいしょう》であり、それにひきかえ、曹操の軍は、官渡《かんと》の流れを渡って、悲壮なる退陣をするうちに、日ははや暮れていたのであ

った。

三

元来この官渡《かんと》の地勢は、河南北方における唯一の要害たる条件を自ら備えていた。うしろには大山《たいざん》がそびえ、その麓をめぐる三十余里の官渡の流れは、自然の濠《ごう》をなしている。曹操は、その水流一帯に、逆茂木《さかもぎ》を張りめぐらし、大山の嶮に拠って固く守りを改めていた。

両軍はこの流れをさし挟んで対陣となった。地勢の按配と双方の力の伯仲しているこの軍《いくさ》は、ちょうどわが朝《ちょう》の川中島における武田上杉の対戦に似ているといってもよい。

「いかに、河北の軍勢でも、これでは近づき得まい」

と、曹軍はその陣容を誇るかのようだった。

さすがの袁紹も、果たして、

「力攻めは愚だ」と、さとったらしく、ここ数日は矢一つ放たなかった。

ところが、一夜のうちに、官渡の北岸に、山ができていた。そも、袁紹は何を考えだしたか、二十万の兵に工具を担《にな》わせて、人工の山を築かせたのである。十日も経つと、完全な丘になった。

「これは?」と知った曹操のほうでは、陣所陣所から手をかざして、なにか評議をこらしていたが、ついに施す策もなかった。

「……やあ、こんどはあの築山の上に、幾つも高櫓《たかやぐら》を組み立てているぞ」

「なるほど、仰山なことをやりおる、どうする気だろう？」

その解答は、まもなく袁紹のほうから、実行で示してきた。

細長い丘の上に、五十座の櫓《やぐら》を何ヵ所も構築して、それが出来あがると、一櫓に五十張りの弩弓手《どきゅうしゅ》がたて籠り、いっせいに矢石を撃ち出してきたのである。

これには曹操も閉口して、前線すべて山麓の陰へ退却してしまうしかなかった。

「渡河の用意！」

当然、袁紹の作戦は次の行動を開始していた。夜な夜な河中の逆茂木を伐りのぞき、やがて味方の掩護《えんご》射撃のもとに敵前上陸へかかろうものと機をうかがっていた。

曹操も、内心、恐れを覚えてきたらしい。

「官渡の守りも、この流れあればこそだが？　……」

すると幕僚の劉曄《りゅうよう》が、

「まず敵の築丘《ちくきゅう》や櫓をさきに粉砕してしまわなければ味方はどうにも働くことができません。それには発石車《はっせきしゃ》を製《せい》して虱《しらみ》つぶしに打ち砕くがよいでしょう」と献策した。

「発石車とは何か」

「それがしの領土に住む、名もない老鍛冶屋《ろうかじや》が発明したもので、硝薬《しょうやく》を用い、大石を筒にこめて、飛爆させるものであります」と、図に描いてみせた。

曹操はよろこんで、直ちに、その無名の老鍛冶屋を奉行にとりたて、鍛冶、木工、石屋、硝石作りなど、数千人の工人を督励して、図のように発石車を数百輛作らせた。

まさに科学戦である——近代兵器のそれとは比較にならないがその精神や戦法は、たしかにそこを目ざして飛躍している。

車砲は口をそろえて烈火を吐いた。大石は虚空にうなり、河をこえて、人工の丘に、無数の土けむりをあげ、また、敵の櫓をみな木《こ》っぱ微塵《みじん》に爆破してしまった。

「何だろう。あの器械は」

敵はもとより、味方のものまで目に見た科学の威力に、ひとしく畏怖《いふ》した。

「霹靂車《へきれきしゃ》だ……。あれは西方の海洋から渡ってきた夷蛮《いばん》の霹靂車という火器だ」

物識りらしくいう者があって、いつかそのまま霹靂車とよびならわされた。

それはともかく。河北軍はまた新しい一戦法を案出して、曹操を脅かした。

四

掘子軍《くつしぐん》というものを編成したのである。

これは土龍《もぐら》のように、地の底を掘りぬいて、地下道をすすみ敵前へ攻め出るという戦法である。河北軍が得意とするものとみえて、さきに北平城の公孫瓚《こうそんさん》を攻め陥した時も、この奇法で城内へ入りこみ、放火隊の飛躍となって、首尾よく功を奏した前例がある。

こんどの場合は、城壁とちがい、官渡の流れが両軍のあいだにあるが、水深は浅い。

深く掘りすすめば至難ではなかろう。

こう審配《しんぱい》が献策《けんさく》したので、

「よかろう」と、袁紹は直ちに実行させたのである。二万余の土龍は、またたくうちに、一すじの地道を対岸の彼方まで掘りのばして行った。

曹操は早くもそれを察していた。なぜならば、坑《あな》の口から外へだした土の山が、蟻地《ありじ》獄《ごく》のように、敵陣の諸所に盛られ始めたからである。

「どうしたら防げるか」

彼はまた、劉曄《りゅうよう》にたずねた。

劉曄は笑って、

「あの策《て》はもう古いです。これを防ぐには、味方の陣地の前に、横へ長い壕を掘切っておけばいい。——またその壕へ、官渡の水を引きこんでおけば更に妙でしょう」と、いった。

「なるほど」

苦もなく防禦線はできた。

物見によって、それと知った袁紹は、あわてて掘子《くっし》軍《ぐん》の作業を中止させた。

こんなふうに、対戦はいたずらに延び、八月、九月も過ぎた。

輸送力に比して、大軍を擁しているため、長期となると、かならず双方とも苦しみだすのは、兵糧であった。

曹操は、そのため、幾度か官渡《かんと》をすてて、一度都へ引揚げようかと考えたほどだったが、ともあれ、荀彧《じゅんいく》の意見をたずねてみようと、都へ使いを立てたりしていた。

すると、徐晃《じょこう》の部下の史渙《しかん》という者が、その日、一名の敵を捕虜としてきた。

徐晃が、この捕虜を手なずけて、いろいろ問いただしてみると、

「袁紹の陣でも、実は、兵糧の窮乏に困りかけています。けれど、近頃、韓猛《かんもう》というものが奉行となって、各地から穀物《こくもつ》、糧米なんどおびただしく寄せてきました。てまえは、その兵糧を前線へ運び入れる道案内のために行く途中を、運悪く足の裏に刃物を踏んで落伍してしまったのです」

と、嘘でもなさそうな自白であった。

で——徐晃はさっそく、その趣を、曹操へ報告した。

曹操は、聞くと手を打って、

「その兵糧こそ、天が我軍へ送ってくれたようなものだ。韓猛《かんもう》という男は、ちょっと強いが、神経のあらい男で、すぐ敵を軽んじるふうのある部将だ。……誰か行って、その兵糧を奪ってくるものはないか」

「誰彼と仰せあるより、それがしが史渙を連れて行ってきましょう」

徐晃は、その役を買って出た。

壮なりとして、曹操はゆるしたけれど、敵地に深く入りこむことなので、徐晃の先手二千人のあとへ、さらに、張遼と許褚の二将に五千余騎を授けて立たせた。

その夜。

河北の兵糧奉行たる韓猛は、数千輛の穀車や牛馬に鞭を加えて、山間の道を蜿蜒《えんえん》と進んできたが、突然、四山の谷間から、鬨《とき》の声が起ったので、

「さては？」と、急に防戦のそなえをしたが、足場はわるし道は暗いし、牛馬は暴れだすし、まだ敵を見ぬうちから大混乱を起していた。

徐晃の奇襲隊は、用意の硫黄《いおう》や焔硝《えんしょう》を投げつけ、敵の糧車へ、八方から火をつけた。

火牛は吠え、火馬は躍り、真っ赤な谷底に、人間は戦い合っていた。

五

真夜中に、西北の空が、真っ赤に焦《や》けだしたので、袁紹は陣外に立ち、

「何事だろう？」と、疑っていた。

そこへ韓猛の部下がぞくぞく逃げ返ってきて、

「兵糧を焼かれました」と告げたから袁紹は落胆もしたし、韓猛の敗退を、

「腑《ふ》がいなき奴」と憤《いきどお》った。

「張郃《ちょうこう》やある！　高覧《こうらん》も来れ」

彼は、俄に呼んで、その二将に精兵をさずけ、兵糧隊を奇襲した敵の退路をたって殲《せん》滅《めっ》しろと命じた。

「心得ました。味方の損害は莫大のようですが、同時に、兵糧を焼いた敵のやつらも、

一匹も生かして返すことではありません」

二大将は手分けして、大道をひた押しに駈け、見事、敵路を先に取った。

徐晃は使命を果たして、意気揚々《ようよう》と、このところへさしかかって来た。

待ちかまえていた高覧、張郃の二将は、

「賊は小勢だぞ。みなごろしにしてしまえ」

と、無造作に包囲して、馬を深く敵中へ馳け入れ、

「徐晃は汝か」と、彼のすがたを探しあてるやいな、挟み撃ちにおめきかかっていた。

ところが。

背後の部下はたちまち蜘蛛《くも》の子みたいに逃げ散った。怪しみながら両将も逃げだすと、何ぞ計らん敵には堂々たる後詰《ごづめ》がひかえていたのである。

すなわち一軍は許褚、一軍は張遼、あわせて五千余騎が、いちどに喊声《かんせい》をあげて、逃げる兵を虱《しらみ》つぶしに殲滅しているではないか。

高覧は仰天《ぎょうてん》して、

「これは及ばん」と、戦わずして逃げ去り、張郃も、

「むだに命は捨てられん」とばかり、逃げ鞭たたいて逸走してしまった。

徐晃は、後詰の張遼、許褚と合流して、悠々、官渡の下流をこえて陣地へ帰ったが、
曹操が功をたたえると、

「いやご過賞です。せっかくご使命を買って出ながら、功は半ばしか成りませんでし

た」

といって自ら恥じた。

「なぜ恥じるか」と、曹操が訊くと、

「でも、敵の兵糧を焼いて帰ってきただけでは味方の腹はくちくなりませんから」と、答えた。

「ぜひもない。そこまでは慾が張りすぎよう」

曹操が慰めたので、諸将はみな苦笑したが、まったくこの戦果によっては、少しも兵糧の窮乏は解決されなかった。

しかし、これを袁紹のほうに比較すると、士気をあげただけでも、やはり充分に、徐晃の功は大きかったといっていい。

袁紹は、期待していた兵糧の莫大な量をむなしく焼き払われたので、

「韓猛《かんもう》の首を陣門に曝《さら》させい」と、赫怒《かくど》して命じたが、諸将があわれんで、しきりに命乞いしたため、将官の任を解いて、一兵卒に下してしまった。

この難に遭ってから審配《しんぱい》は、

「烏巣《うそう》(河北省)の守りこそは実に大事です。敵の飢餓してくるほど、そこの危険は増しましょう」

と、大いに袁紹へ注意するところがあった。

烏巣、鄴都《ぎょうと》の地には、河北軍の生命をつなぐ穀倉がある。いわれてみるとなおさら袁

紹は心安からぬ気がしてきたので、審配をそこへ派遣して、兵糧の点検を命じ、同時に淳于瓊《じゅんうけい》を大将として、およそ二万余騎を、穀倉守備軍として急派した。

この淳于瓊というのは、生来の大酒家で、躁狂広言《そうきょうこうげん》のくせがある人物だったから、その下に部将としてついて行った呂威《りょい》、韓筥子《かんきょし》、眭元《けいげん》などは、

「また失態をやりださねばよいが」と、内心不安を抱いていた。

けれど烏巣そのものの地は天嶮の要害であった。それに安心したか、果たして、淳于瓊は毎日、部下をあつめて飲んでばかりいた。

六

ここに、袁紹の軍のうちに、許攸《きょゆう》という一将校がいた。年はもう相当な年配だが、掘《く》子軍《つしぐん》の一組頭だったり、平常は中隊長格ぐらいで、戦功もあがらず、不遇なほうであった。

この許攸が、不遇な原因は、ほかにもあった。

彼は曹操と同郷の生れだから、あまり重用すると、危険だとみられていたのである。

酒を飲んだ時か何かの折に、彼自身の口から、

「おれは、子供の頃から、曹操とはよく知っている。いったい、あの男は、郷里にいた時分は、毎日、女を射当《いあ》てに、狩猟には出る、衣装を誇って、村の酒屋は飲みつぶして歩くといったふうで、まあ、不良少年の大将みたいなものだったのさ。おれもまた、そ

の手下でね、ずいぶん乱暴をしたものだ」

などと、自慢半分にしゃべったことが祟《たた》りとなって、つねに部内から白眼視されていた。

ところが、その許攸《きょゆう》が、偶然、一つの功を拾った。

偵察に出て、小隊と共に、遠く歩いているうち、うさん臭い男を一名捕まえたのである。

拷問《ごうもん》してみると、計らずも大ものであった。

さきに曹操から都の荀彧《じゅんいく》へあてて書簡を出していたが、以後、いまもって、荀彧から吉報もなし、兵糧も送られてこないので、全軍餓死に迫る――の急を報じて、彼の迅速《じんそく》な手配を求めている重要な書簡を襟に縫いこんでいたのである。

「折入ってお願いがあります。わたくしに騎馬五千の引率をおゆるし下さい」

許攸は、ここぞ日頃の疑いをはらし、また自分の不遇から脱する機会と、直接、袁紹を拝してそう熱願した。

もちろん証拠の一書も見せ、生擒《いけど》った密使の口書きもつぶさに示しての上である。

「どうする。五千の兵を汝に持たせたら」

「間道の難所をこえ、敵の中核たる許都の府へ、一気に攻め入ります」

「ばかな。そんなことが易々として成就《じょうじゅ》するものなら、わしをはじめ上将一同、かく辛労はせん」

「いや、かならず成就してお見せします。なんとなれば、荀彧が急に兵糧を送れないのは、その兵糧の守備として、同時に大部隊をつけなければならないからです。しかし、早晩その運輸は実行しなければ、曹操をはじめとして、前線の将士は飢餓に瀕《ひん》しましょう。――わたくしが思うには、もうその輸送大部隊は、都を出ている気がします。さすれば、洛内の手薄たることや必《ひっ》せりでありましょう」

「そちは上将の智を軽んじおるな。左様なことは、誰でも考えるが、一を知って二を知らぬものだ。――もしこの書簡が偽状《にせじょう》であったらどうするか」

「断じて、偽筆《ぎひつ》ではありません。わたくしは曹操の筆蹟は、若い時から見ているので」

彼の熱意は容易に聞き届けられなかったが、さりとて、思いとどまる気色もなく、なお懇願をつづけていた。

袁紹は途中で、席を立ってしまった。審配から使いがきたからである。すると、その間に、侍臣がそっと彼に耳打ちした。

「許攸の言はめったにお用いになってはいけません。下将《げしょう》の分際で、嘆願に出るなど、僭越《せんえつ》の沙汰です。のみならず、あの男は、冀州《きしゅう》にいた頃も、常に行いがよろしくなく、百姓をおどして、年貢の賄賂《わいろ》をせしめたり、金銀を借りては酒色に惑溺《わくでき》したり、鼻つまみに忌《い》まれているような男ですから」

「……ふム、ふム。わかっとる、わかっとる」

袁紹は二度目に出てくると、穢《むさ》いものを見るような眼で、許攸を見やって、

「まだいたのか、退がれ。いつまでおっても同じことじゃ」と、叱りとばした。

許攸は、むっとした面持で、外へ出て行った。そしてひとり憤懣《ふんまん》の余り、剣を抜いて、自分の首を自分の手で刎ねようとしたが、

「豎子《じゅし》、われを用いず。いまに後悔するから見ていろ。――そうだ、見せてやろう、おれが自刃する理由は何もない」

急に、思い直すと、彼はこそこそと塹壕《ざんごう》のうちにかくれた。そしてその夜、わずか五、六人の手兵とともに、暗にまぎれて、官渡の浅瀬を渡り、一散に敵の陣地へ駈けこんで行った。

溯巻《さかま》く黄河《こうが》

一

槍の先に、何やら白い布をくりつけ、それを振りながらまっしぐらに駈けてくる敵将を見、曹操の兵は、

「待てっ、何者だ」と、たちまち捕えて、姓名や目的を詰問した。

「わしは、曹丞相《そうじようしよう》の旧友だ。南陽の許攸《きよゆう》といえば、きっと覚えておられる。一大事を告げにきたのだからすぐ取次いでくれい」

その時、曹操は本陣の内で、衣《ころも》を解きかけてくつろごうとしていたが、取次の部将からそのことを聞いて、

「なに、許攸が？」と、意外な顔して、すぐ通してみろといった。

ふたりは轅門《えんもん》のそばで会った。少年時代の面影はどっちにもある。おお君か——となつかしげに、曹操が肩をたたくと、許攸は地に伏して拝礼した。

「儀礼はやめ給え。君と予とは、幼年からの友、官爵《かんしやく》の高下をもって相見るなど、水くさいじゃないか」

曹操は、手をとって起した。許攸はいよいよ慙愧《ざんき》して、

「僕は半生を過まった。主を見るの明《めい》なく、袁紹《えんしよう》ごときに身をかがめ、忠言もかえって彼の耳に逆らい、今日、追われて故友の陣へ降を乞うなど……なんとも面目ないが、丞相、どうか僕を憐れんで、この馬骨を用いて下さらんか」

「君の性質はもとよりよく知っている。無事に相見ただけでもうれしい心地がするのに、さらに、予に力を貸さんとあれば、なんで否む理由があろう。歓んで君の言を聞こう。……まず、袁紹を破る計があるなら予のために告げたまえ」

「実は、自分が袁紹にすすめたのは、今、軽騎の精兵五千をひっさげて、間道の嶮をしのび越え、ふいに許都《きよと》を襲い、前後から官渡の陣を攻めようということでござった。

——ところが、袁紹は用いてくれないのみか、下将の分際で僭越なりと、それがしを辛く退けてしまった」

曹操はおどろいて、

「もし袁紹が、君の策を容れたら、予の陣地は七花八裂《かれつ》となるところだった。ああ危うい哉。——して、君は今、この陣へ来て、逆に彼を破るとしたら、どう計を立てるか」

「その計を立てるまえに、まず伺いたいことがある。いったい丞相のご陣地には今、どれくらいな兵糧のご用意がおありか？」

「半年の支えはあろう」

曹操が、即答すると、許攸《きょゆう》は面を苦《にが》りきらせて、じっと曹操の眼をない、じッた。

「嘘をお云いなさい。せっかく自分が、旧情を新たにして、真実を吐こうと思えば、あなたは却っていつわりをいう。——われを欺《あざむ》こうとする人に真実はいえないじゃありませんか」

「いや、いまのは戯れだ。正直なところをいえば、三月ほどの用意しかあるまい」

許攸はまた笑って、

「むべなる哉。世間の人が、曹操は奸雄《かんゆう》で、悪賢い鬼才であるなどと、よく噂にもいうが、なるほど、当らずといえども遠からずだ。あなたはあくまで人を信じられないお方と見える」

と、舌打ちして、嗟嘆《さたん》すると、ややあわて気味に、曹操は彼の耳へいきなり口を寄せて、小声にささやいた。

「軍の機秘《きひ》。実は味方に秘しているが、君だからもうほんとのことをいってしまう。実は、すでに涸渇《こかつ》して、今月を支えるだけの兵糧しかないのだ」

すると許攸《きょゆう》は、憤然、彼の口もとから耳を離して、ずばりと刺すようにいった。

「子どもだましのような嘘はもうおよしなさい。丞相の陣にはもはや一粒の兵糧もないはずです。馬を喰い草を嚙むのは、兵糧とはいえませんぞ」

「えっ……どうして君は、そこまで知っているのか」

と、さすがの曹操も顔色を失った。

二

許攸は、ふところへ手を入れた。

そして、封のやぶれている書簡を出して、曹操の眼の前へつきだした。

「これは一体、誰の書いたものでしょう」

許攸は鼻の上に皮肉な小皺《こじわ》をよせて云った。それは先に曹操から都の荀彧《じゅんいく》へ宛てて、兵糧の窮迫を告げ、早速な処置をうながした直筆のものであった。

「や。どうして予の書簡が、君の手にはいっているのか」

曹操は仰天してもう嘘は効《き》かないとさとった容子だった。

許攸は、自分の手で、使いを生け捕ったことなど、つぶさに話して、

「丞相の軍は小勢で、敵の大軍に対し、しかも兵糧は尽きて、今日にも迫っている場合でしょう。なぜ敵の好む持久戦にひきずられ、自滅を待っておいでになるか、それがしに分りません」

と、いった。

曹操はすっかり兜《かぶと》をぬいで、速戦即決に出たいにも名策はないし持久を計るには兵糧がない。如何にせば、ここを打開できるだろうかと、辞を低うして訊ねた。

許攸は初めて、真実をあらわして云った。

「ここを離るること四十里、烏巣《うそう》の要害がありましょう。烏巣はすなわち袁紹の軍を養う糧米がたくわえある糧倉の所在地です。ここを守る淳于瓊《じゅんうけい》という男は、酒好きで、部下に統一なく、ふいに衝けば必ず崩れる脆弱《ぜいじゃく》な備えであります」

「――が、その烏巣へ近づくまでどうして敵地を突破できよう」

「尋常なことでは通れません。まず屈強なお味方をすべて北国勢に仕立て、柵門《さくもん》を通るたびに袁将軍の直属蔣奇《しょうき》の手の者であるが、兵糧の守備に増派され、烏巣へ行くのだと答えれば――夜陰といえども疑わずに通すにちがいありません」

曹操は彼の言を聞いて、暗夜に光を見たような歓びを現した。

「そうだ、烏巣を焼討ちすれば袁紹の軍は、七日と持つまい」

彼は直ちに、準備にかかった。

まず河北軍の偽旗《にせはた》をたくさんに作らせた。将士の軍装も馬飾りも幟《のぼり》もことごとく河北風俗にならって彩《いろど》られ、約五千人の模造軍が編制された。

張遼は、心配した。

「丞相、もし許攸《きょゆう》が、袁紹のまわし者だったら、この五千は、ひとりも生き還れないでしょうが」

「この五千は、予自身が率いてゆく。なんでわざわざ敵の術中へ墜ちにゆくものか」

「えっ、丞相ご自身で」

「案じるな。——許攸が味方へとびこんできたのは、実に、天が曹操に大事を成さしめ給うものだ。もし狐疑逡巡《こぎしゅんじゅん》して、この妙機をとり逃したりなどしたら、天は曹操の暗愚を見捨てるであろう」

果断即決は、実に曹操の持っている天性の特質中でも、大きな長所の一つだった。彼には兵家の将として絶対に必要な「勘《かん》」のするどさがあった。他人には容易に帰結の計りがつかない冒険も、彼の鋭敏な「勘」は一瞬にその目的が成るか成らないか、最終の結果をさとるに早いものであった。

——が、彼にとって、恐いのは行く先の敵地ではなく、留守中の本陣だった。

もちろん許攸はあとに残した。態《てい》よく陣中にもてなさせておいて、曹洪《そうこう》を留守中の大将にさだめ、賈詡《かく》、荀攸《じゅんゆう》を助けに添え、夏侯淵《かこうえん》、夏侯惇《かこうじゅん》、曹仁《そうじん》、李典《りてん》などもあとの守りに残して行った。

そして、彼自身は。

五千の偽装兵をしたがえ、張遼、許褚《きょちょ》を先手とし、人は枚《ばい》をふくみ馬は口を勒《ろく》し、その日のたそがれ頃から粛々《しゅくしゅく》と官渡をはなれて、敵地深く入って行った。

時、建安五年十月の中旬《なかば》だった。

三

袁紹《えんしょう》の臣沮授《そじゅ》は、主君袁紹に諫言《かんげん》して、かえって彼の怒りをかい、軍の監獄に投じられていたが、その夜、獄中に独坐して星を見ているうちに、

「……ああ。これはただごとではない」と、大きくつぶやいた。

彼の独り言を怪しんで、典獄がそのわけを問うと、沮授はいった。

「こよいは星の光いとほがらかなのに、いま天文を仰ぎ見るに、太白星《たいはくせい》をつらぬいて、一道の妖霧《ようむ》がかかっている。これ兵変のある凶兆《きょうちょう》である」

そして彼は、典獄を通して、主君の袁紹に会うことをしきりに――しかも、火急に嘆願したので、折から酒をのんでいた袁紹は、何事かと、面前にひかせて見た。

沮授は、信念をもって、

「こよいから明け方までの間に、かならず敵の奇襲が実行されましょう。察するに、味方の兵糧は烏巣にありますから、智略のある敵ならきっとそこを脅《おびや》かそうとするに違いありません。すぐさま猛将勇卒を急派して、山間の通路にそなえ、彼の計を反覆《はんぷく》して、凶を吉とする応変のお手配こそ必要かと存ぜられます」と進言した。

袁紹は聞くと、苦りきって、まだみだりに舌をうごかし、士気を惑わそうとするか。賢才《けんさい》を衒《てら》う憎むべき囚人め。退がれっ」と、ただ一喝《かつ》して、退けてしまった。

それのみか、彼の嘆願を取次いだ典獄は、獄中の者と親しみを交わしたという罪で、その晩、首を斬られてしまったと聞いて、沮授は独り哭《な》いて、獄裡に嘆いていた。

「もう眼にも見えてきた。味方の滅亡は刻々にある。――ああ、この一身も、どこの野末の土となるやら……」

――かかる間に、一方、曹操の率いる模擬《もぎ》河北軍は、いたるところの敵の警備陣を、

「これは九将蔣奇《しょうき》以下の手勢、主君袁紹の命をうけて、にわかに烏巣の守備に増派されて参るものでござる」と呶鳴って、難なく通りぬけてしまった。

烏巣の穀倉守備隊長淳于瓊《じゅんうけい》は、その晩も、土地の村娘など拉《らっ》してきて、部下と共に酒をのんで深更まで戯れていた。ところが、陣屋の諸所にあたってバリバリと異様な音がするので、あわてて、飛びだしてみると、四面一体は、はや火の海と化し、硝煙の光、投げ柴の火光などが火の襷《たすき》となって入り乱れているあいだを、金鼓、矢うなり、突喊《とっかん》のさけび、たちまち、耳も聾《ろう》せんばかりだった。

「あっ、夜討だっ」

狼狽《ろうばい》を極めて、急に防戦してみたが、何もかも、間に合わない。

半数は、降兵となり、一部は逃亡し、踏みとどまった者はすべて火焔の下に死骸とな

った。

曹操の部下は、熊手をもって淳于瓊《じゅんうけい》をからめ捕った。

副将の眭元《けいげん》は行方知れず、趙叡《ちょうえい》は逃げそこねて討ち殺された。

曹操は存分に勝って淳于瓊の鼻をそぎ耳を切って、これを馬の上にくりつけ、凱歌をあげながら引返した。――夜もまだ明けきらぬうちであった。

ときに袁紹は、本陣のうちで、無事をむさぼって眠っていたが、

「火の手が見えます！」と不寝《ねず》の番に起され、はじめて烏巣の方面の赤い空を見た。

そこへ、急報が入った。

袁紹は驚愕して、とっさにとるべき処置も知らなかった。

部将張郃《ちょうこう》は、

「すぐに烏巣の急を救わん」

とあせり立ち、高覧はそれに反対して、

「むしろ、曹操の本陣、官渡の留守を衝《つ》いて、彼の帰るところをなからしめん」と主張した。

火の手を見ながらこんなふうに袁紹の帷幕《いばく》では議論していたのであった。

四

焦眉《しょうび》の急をそこに見ながら、袁紹には果断がなかった。帷幕《いばく》の争いに対しても明快な

直裁を下すことができなかった。

彼とても、決して愚鈍な人物ではない。ただ旧態《きゅうたい》の名門に生れて、伝統的な自負心がつよく、刻々と変ってくる時勢と自己の周囲に応じてよく処することを知らなかった日頃の科《とが》が、ここへ来てついに避けがたい結果をあらわし、彼をして、ただ狼狽を感じさせているものと思われる。

「やめい。口論している場合ではない」

たまらなくなって、袁紹はついに呶鳴った。

そして、確たる自信もなく、

「張郃《ちょうこう》、高覧のふたりは、共に五千騎をひっさげて、官渡の敵陣を衝け。また、烏巣《うそう》の方面へは、兵一万を率いて、蔣奇《しょうき》が参ればよい。はやく行け、はやく」

と、ただあわただしく号令した。

蔣奇は心得てすぐ疾風陣《しっぷうじん》を作った。一万の騎士走卒はすべて馳足《かけあし》でいそいだ。烏巣の空はなお炎々と赤いが、山間の道はまっ暗だった。

すると彼方から百騎、五十騎とちりぢりに馳けてきた将士が、みな蔣奇の隊に交じりこんでしまった。もっとも出合いがしらに先頭の者が、

「何者だっ？」と充分に糺《ただ》したことはいうまでもないが、みな口を揃えて、

「淳于瓊《じゅんうけい》の部下ですが、大将淳于瓊は捕われ、味方の陣所は、あのように火の海と化したので逃げ退いてきたのです」というし、姿を見れば、すべて河北軍の服装なので、怪

しみもせず、応援軍のなかに加えてしまったものであった。

ところが、これはみな烏巣から引っ返してきた曹操の将士であったのである。中には、張遼《ちょうりょう》だの許褚《きょちょ》のごとき物騒な猛将も交じっていた。馳足の行軍中、蔣奇の前後にはいつのまにかそういう面々が近づいていたのであった。

「やっ、裏切者か」

「敵だっ」

突然混乱が起った。暗さは暗し、敵か味方かわからない間に、すでに蔣奇は何者かに鎗で突き殺されていた。

たちまち四山の木々岩石はことごとく人と化し、金鼓は鳴り刀鎗はさけぶ。曹操の指揮下、蔣奇の兵一万の大半は殲滅《せんめつ》された。

「追い土産まで送ってくるとは、袁紹も物好きな」

と、大捷《たいしょう》を博した曹操は、会心の声をあげて笑っていた。

その間に、彼はまた、袁紹の陣地へ、人をさし向けてこういわせた。

「蔣奇以下の軍勢はただ今、烏巣についてすでに敵を蹴ちらし候えば、袁将軍にもお心を安じられますように」

袁紹はすっかり安心した。――が、その安夢は朝とともに、霧の如く醒めてふたたび惨憺《さんたん》たる現実を迎えたことはいうまでもない。

張郃《ちょうこう》、高覧も、官渡へ攻めかかって、手痛い敗北を喫していたのである。彼に備えがなかったら知らないこと、あらかじめかかることもあろうかと、手具脛《てぐすね》ひいていた曹仁や夏侯惇《かこうじゅん》の正面へ寄せて行ったので敗れたのは当然だった。

そのあげく、官渡から潰乱してくる途中、運悪くまた曹操の帰るのにぶつかってしまった。ここでは、徹底的に叩かれて、五千の手勢のうち生き還ったものは千にも足らなかったという。

袁紹は茫然自失していた。

そこへ淳于瓊《じゅんうけい》が、耳鼻を削《そ》がれて敵から送られてきたので、その怠慢《たいまん》をなじり、怒りにまかせて即座に首を刎ねてしまった。

五

淳于瓊が斬られたのを見て、袁紹の幕将たちは、みな不安にかられた。

「いつ、自分の身にも」と、めぐる運命におののきを覚えたからである。

中でも、郭図《かくと》は、

「これはいかん……」と、早くも、保身の智恵をしぼっていた。

なぜならば、ゆうべ官渡の本陣を衝けば必ず勝つと、大いにすすめたのは、自分だったからである。

やがてその張部、高覧が大敗してここへ帰ってきたら、必定、罪を問われるかも知れない。今のうちに――と彼はあわてて、袁紹にこう讒言《ざんげん》した。

「張郃、高覧の軍も、今暁、官渡において、惨敗を喫しましたが、ふたりは元から、味方を売って曹操に降らんという二心が見えていました。さてこそ、昨夜の大敗は、わざとお味方を損じたのかも知れませぬぞ。いかになんでも、ああもろく小勢の敵に敗れるわけはありません」

袁紹は、真っ蒼になって、

「よしっ、立ち帰ってきたら、必ず彼らの罪を正さねばならん」

と、いうのを聞くと、郭図はひそかに、人をやって、張郃、高覧がひき揚げてくる途中、

「しばし、本陣に還るのは、見合わせられい。袁将軍はご成敗の剣を抜いて、貴公たちの首を待っている」と、告げさせた。

二人が、それを聞いているところへ、袁紹からほんとの伝令がきて、

「早々に還り給え」と、主命を伝えた。

高覧は、突然剣を払って、馬上の伝令を斬り落した。驚いたのは張郃である。

「なんで主君のお使いを斬ったのか。そんな暴を働けば、なおさら君前で云い開きが立たんではないか」と絶望して悲しんだ。

すると高覧は、つよくかぶりを振って、

「われら、豈《あに》、死を待つべけんや。――おい、張郃。時代の流れは河北から遠い。旗をかえして、曹操に降ろう」と、共に引っ返して、官渡の北方に白旗をかかげ、その日つ

いに、曹操の軍門に降服してしまった。

諫める者もあったが、曹操は容《い》れるにひろい度量があった。降将《こうしょう》張部を、偏将軍都亭侯《へんしょうぐんとていこう》に、高覧を同じく偏将軍東萊侯《とうらいこう》に封じ、「なお、将来の大を期し給え」と、励ましたから、両将の感激したことはいうまでもない。

彼の二を減じて、味方に二を加えると、差引き四の相違が生じるわけだから、曹操軍が強力となった反対に、袁将軍の弱体化は目に見えてきた。

それに烏巣焼打ち以後、兵糧難の打開もついて、丞相旗のひるがえるところ、旭日昇天の概《がい》があった。

許攸《きょゆう》も、その後、曹操に好遇されていた。彼はまた、曹操に告げて、

「ここで息を抜いてはいけません。今です。今ですぞ」と励ました。

昼夜、攻撃また攻撃と、手をゆるめず攻めつづけた。しかし何といっても、河北の陣営はおびただしい大軍である。一朝一夕に崩壊するとは見えなかった。

「――敵の勢力を三分させ、箇々殲滅《せんめつ》してゆく策をおとりになっては如何ですか。まずそれを誘導するため、味方の勢を実は少しずつ――黎陽《れいよう》（河南省浚県東南）鄴都《ぎょうと》（河北省）酸棗《さんそう》（河南省）の三方面へ分け、いつわって、袁紹の本陣へ、各所から一挙に働く折をうかがうのです」

これは荀彧《じゅんいく》の献策だった。こんどの戦いで、荀彧が口を出したのは初めてであるか

ら、曹操も重視してその説に耳を傾けた。

六

鄴都、黎陽、酸棗の三方面へ向って、しきりに曹操の兵がうごいてゆくと聞いて、袁紹は、

「すわ、また何か、彼が奇手を打つな」

と、大将辛明《しんめい》に、五万騎をつけて、黎陽へ向わせ、三男袁尚《えんしょう》にも、五万騎をさずけて、鄴都へ急派し、さらに酸棗へも大兵を分けた。

当然、彼の本陣は、目立って手薄になった。探り知った曹操は、

「思うつぼに」と、ほくそ笑んで、一時三方へ散らした各部隊と聯絡をとり、日と刻を諜《しめ》し合わせて、袁紹の本陣へ急迫した。

黄河は逆巻《さかま》き、大山は崩れ、ふたたび天地開闢《かいびゃく》前の晦冥《かいめい》がきたかと思われた。袁紹は甲《よろい》を着るいとまもなく、単衣《たんい》帛髪《きんはつ》のまま馬に飛び乗って逃げた。

あとには、ただ一人、嫡子《ちゃくし》の袁譚《えんたん》がついて行ったのみである。

それと知って、

「われぞ、手擒《てどり》に！」

と張遼《ちょうりょう》、許褚《きょちょ》、徐晃《じょこう》、于禁《うきん》などの輩《ともがら》が争って追いかけたが、黄河の支流で見失ってしまった。

一すじや二すじの河流なら見当もつくが、広茫の大野に、沼やら湖やら、またそれをつなぐ無数の流れやらあって、どっちへ渡って行ったか——水に惑わされてしまったからであった。

なお諸所を捜索中、捕虜とした一将校の自白によると、

「嫡子袁譚《えんたん》のほかに、約八百ほどの旗下《はたもと》の将士がついて、北方の沼を逃げ渡られた」

と、いうことだった。

そのうちに集結の角笛《つのぶえ》が聞えたので、一同むなしく引揚げた。この日の戦果は予想外に大きかった。敵の遺棄死体は八万と数えられ、袁紹の本陣付近から彼の捨てて行った食料、重大の図書、金銀絹帛の類《たぐい》などぞくぞく発見されたし、そのほか分捕りの武器馬匹など莫大な額にのぼった。

また、それらの戦利品中には、袁紹の座側にあった物らしい金革《きんかく》の大きな文櫃《ふばこ》などもあった。曹操が開いてみると、幾束《いくたば》にもなった書簡が出てきた。思いがけない朝廷の官人の名がある。現に曹操のそばにいて忠勤顔している大将の名も見出された。そのほか、日頃、袁紹に内通していた者の手紙は、すべて彼の眼に見られてしまった。

「実にあきれたもの、この書簡を証拠に、この際、これらの二心ある醜類をことごとく軍律に照して断罪に処すべきでしょう」

荀攸《じゅんゆう》がそばからいうと、曹操はにやにや笑って、

「いや待て。——袁紹の勢いが隆々としていたひと頃には、この曹操でさえ、如何にせんかと、惑ったものだ。いわんや他人をや」

彼は、眼のまえで、革櫃《かわびつ》ぐるみ書簡もすべて、焼き捨てさせてしまった。

また、袁紹の臣沮授《そじゅ》は、獄につながれていたので、当然、逃げることもどうすることもできず、やがて発見されて、曹操の前にひかれてきた。曹操は見るとすぐ、

「おう、君とは、一面の交わりがある」

と、自身で縄をといてやったが、沮授は声をあげて、その情けを拒んだ。

「わしが捕われたのは、やむを得ず捕われたのだ。降参ではないぞ。早く首を斬れ」

しかし曹操は、あくまでその人物を惜しんで陣中におき、篤くもてなしておいた。ところが、沮授は隙を見て、兵の馬を盗みだし、それに乗って逃げだそうとした。

「……あっ」

沮授が、鞍につかまった刹那、一本の矢が飛んできて、沮授の背から胸まで射ぬいてしまった。曹操は自分のしたことを、

「ああ。われついに、忠義の人を殺せり」

と悲しんで、手ずから遺骸を祭り、黄河のほとりに墳《つか》を築いて、それに「忠烈《ちゅうれつ》沮君《そくん》之墓《のはか》」と碑《ひ》にきざませた。

十面《めん》埋《まい》伏《ふく》

一

袁紹《えんしょう》はわずか八百騎ほどの味方に守られて、辛くも黎陽《れいよう》まで逃げのびてきたが、味方の聯絡はズタズタに断ち切られてしまい、これから西すべきか東すべきか、その方途にさえ迷ってしまった。

黎山の麓《ふもと》に寝た夜の明け方ごろである。

ふと眼をさますと。

老幼男女の悲泣《ひきゅう》哀号《あいごう》の声が天地にみちて聞えた。

耳をすましていると、その声は親を討たれた子や、兄を失った弟や、良人を亡くした妻などが、こもごもに、肉親の名を呼びさがす叫びであった。

「逢紀《ほうき》、義渠《ぎきょ》の二大将が、諸所のお味方をあつめて、ただ今、ここに着きました」

旗下の報らせに、袁紹は、

「さては、あの叫びは、敗残のわが兵を見て、その中に身寄りの者がありやなしやと、案じる者どもの声だったか……」と、思いあわせた。

しかし逢紀、義渠の二将が追いついてくれたので、彼は蘇生の思いをし、冀州《きしゅう》の領へ帰って行ったが、その途々にも、人民たちが、

「もし田豊《でんほう》の諫《いさ》めをお用いになっていたら、こんな惨《みじ》めは見まいものを」

と、部落を通っても、町を通っても、沿道に人のあるところ、必ず人民の哀号と恨みが聞えた。

それもその筈で、こんどの官渡の大戦で、袁紹の冀北軍は七十五万と称せられていたのに、いま逢紀、義渠などが附随しているとはいえ、顧みれば敗残の将士はいくばくもなく、寥々《りょうりょう》の破旗悲風に鳴り、民の怨嗟《えんさ》と哀号の的《まと》になった。

「田豊。……ああそうだった。実に、田豊の諫めを耳に入れなかったのが、わが過ちであった。なんの面目をもって彼に会おうか」

袁紹がしきりと悔《く》いわびるのを聞いて、田豊と仲のよくない逢紀は、冀北城に近づくと、やがて彼が袁紹に重用されようかと惧《おそ》れて、こう讒言《ざんげん》した。

「城中からお迎えのため着いた人々のはなしを聞くと、獄中の田豊は、お味方の大敗を聞いて、手を打って笑い、それ見たことかと、誇りちらしているそうです」

またしても袁紹は、こんな讒言の舌にうごかされて、内心ふたたび田豊を憎悪し、帰城次第に、斬刑に処してしまおうと心に誓っていた。

冀州城内の獄中に監せられていた田豊は、官渡の大敗を聞いて沈吟《ちんぎん》、食もとらなかっ

た。

彼に心服している典獄の奉行が、ひそかに獄窓を訪れてなぐさめた。

「今度という今度こそ、袁大将軍にも、あなたのご忠諌《ちゅうかん》がよく分ったでしょう。ご帰国のうえは、きっとあなたに謝して、以後、重用遊ばすでしょう」

すると田豊は顔を振って、

「否《いな》とよ君。それは常識の解釈というもの。よく忠臣の言を入れ、奸臣《かんしん》の讒《ざん》をみやぶるほどなご主君なら、こんな大敗は求めない。おそらく田豊の死は近きにあろう」

「まさか、そんなことは……」と、典獄もいっていたが、果たして、袁紹が帰国すると即日、一使がきて、

「獄人《ごくじん》に剣を賜《たも》う」と、自刃を迫った。

典獄は、田豊の先見に驚きもし、また深く悲しんで、別れの酒肴《さけさかな》を、彼に供えた。

田豊は自若《じじゃく》として獄を出、莚《むしろ》に坐って一杯の酒を酌み、

「およそ士たるものが、この天地に生れて、仕える主を過つことは、それ自体すでに自己の不明というほかはない。この期に至って、なんの女々《めめ》しい繰言《くりごと》を吐かんや」

と、剣を受けて、みずから自分の首に加えて伏した。黒血大地をさらに晦《くろ》うし、冀州の空、星は妖しく赤かった。田豊死すとつたえ聞いて、人知れず涙をながした者も多かった。

二

本国に帰ってからの袁紹は、冀州城内の殿閣にふかくこもって、快憂《おうゆう》、煩憂《はんゆう》の日を送っていた。

衰退が見えてくると、大国の悩みは深刻である。

外戦の傷手《いたで》も大きいが、内政の患《わずら》いはもっと深い。

「あなたがお丈夫なうちに、どうか世嗣《よつぎ》を定めてください。それを先に遊ばしておけば、河北の諸州も一体となって、きっとご方針が進めよくなりましょう」

劉《りゅう》夫人はしきりにそれを説いた。――が、実は自分の生んだ子の三男袁尚《えんしょう》を、河北の世嗣に立てたいのであった。

「わしも疲れた。……心身ともにつかれたよ。近いうちに世嗣を決めよう」

つねに劉夫人からよいことだけを聞かされているので、彼の意中にも、袁尚が第一に考えられていた。

だが、長男の袁譚《えんたん》は、青州にいるし、次男の袁熙《えんき》は、幽州を守っている。

その二人をさしおいて、三男の袁尚を立てたら、どういうことになるだろうか？

袁紹はそこに迷いを持ったのであった。つねにそばにおいて可愛がっている袁尚だけに、悩むまでもない明白な問題なのに、彼は迷い苦しんだ。

重臣たちの意向をさぐると、逢紀《ほうき》、審配《しんぱい》のふたりは、袁尚《えんしょう》を擁立したがっているし、郭図《かくと》、辛評《しんぴょう》の二名は、正統派というか、嫡子袁譚《ちゃくしえんたん》を立てようとしているらしい。

だが、自分から自分の望みをほのめかしたら、そういう連中も、一致して袁尚を支持してくれるかも知れぬ——と考えたらしく袁紹は或る日、四大将を翠眉廟《すいびびょう》の内に招いて、

「時に、わしもはや老齢だし、諸州に男子を分けて、それぞれ適する地方を守らせてあるが、宗家の世嗣としては、もっとも三男袁尚がその質と思うている。——で、近く袁尚を河北の新君主に立てようと考えておるが、そち達はどう思うな？」

と、意見を問いながら暗に自分の望みを打ち明けてみた。

すると、誰よりも先に郭図《かくと》が口をひらいて、

「これは思いもよらぬおことばです。古《いにしえ》から兄をおいて弟を立て、宗家の安泰を得ためしはありますまい。これを行えば乱兆《らんちょう》たちまち河北の全土に起って、人民の安からぬ思いをするは火をみるよりもあきらかです。しかもいま一方には、曹操の熄《や》まざる侵略のあるものを。……どうか、家政を紊《みだ》し給わず、一意、国防にお心を傾け給わるよう、痛涙、ご諫言申しあげまする」

と、面を冒《おか》していった。

沮授《そじゅ》や田豊《でんほう》などという忠良の臣を失って、そのことばが時折、悔いの底に思い出されていたところなので、袁紹もこんどは、

「左様か……。む、む」

と、気まずい顔いろながらも、反省して、考え直しているふうであった。

すると、それから数日の間に。

幷州《へいしゅう》にいる甥の高幹《こうかん》が、官渡の大敗と聞いて、軍勢五万をひきいて上ってきたところへ、長男の袁譚《えんたん》も、青州から五万余騎をととのえて駈けつけ、次男袁熙《えんき》もまた前後して、六万の大兵をひっさげ、城外に着いて、野営を布《し》いた。

ために冀州城下の内外は、それらの味方の旗で埋められたので、一時は気を落していた袁紹も大いに歓んで、

「やはり何かの場合には、気づよいものは子どもや肉親である。かく、新手の兵馬がわれに備わるからには、長途を疲れてくる曹操の如きは何ものでもない」と、安心をとり戻していた。

一方、曹操の軍勢は、どう動いているかと、諸所の情報をあつめてみると、さすがに急な深入りもせず、大捷をおさめたのち、彼はひとまず黄河の線に全軍をあつめ、おもむろに装備を改めながら兵馬に休養をとらせているらしかった。

三

或る日、曹操の陣所へ、土民の老人ばかりが、何十人もかたまって訪ねてきた。髪の真白な者、山羊《やぎ》のような鬚《ひげ》を垂れた者、杖をついた者、童顔の翁など、ぞろぞろつながって、

「丞相《じようしよう》へお祝いをのべにきましたのじゃ」と、卒へいう。

卒の取次を聞くと、曹操はすぐ出てきた。そして一同に席を与え、

「おまえ達は、幾歳になるか」と、訊ねた。

一人は百四歳と答える。一人は百二歳という。最低の者でも八十、九十歳だった。

「めでたい者達だ」と、曹操は、酒を飲ませたり、帛《きぬ》を与えたりした。

そしてなお、いうには、

「予は老人が好きだ、また老人を尊敬する。なぜなら、多難な人生を、おまえ達の年齢まで生きてきただけでも大変なものじゃないか。生きてきたというだけでも充分に尊敬に値《あたい》するが、また、悪業《あくごう》をやってきた者では、そこまで無事でいるわけがない。だから高齢者はすべて善民であり、人中の人である」

老人達はすっかり歓んでしまった。百何歳という中の一翁が、謹んで答えた。

「いまから五十年前——まだ桓帝《かんてい》の御宇《ぎよう》の頃です。遼東の人で殷馗《いんき》という予言者が村へきたとき申しました。乾《いぬい》の空に黄星《こうせい》が見える。あれは五十年の後、この村に稀世の英傑が宿する兆《しらせ》じゃと。……その後、村は袁紹の治下になって悪政に苦しめられ、いつまでこんな世がつづくのかと思っていましたところ、まさに今年は、殷馗の予言した五十年目にあたりますのじゃ。そこで一同打ち揃って、お歓びに参ったわけでござります

る」

と、たずさえてきた猪《いのこ》や鶏を献物に捧げ、*簞食《たんし》壺漿《こしよう》して、にぎやかに帰った。

曹操は、軍令を出して、
一、農家耕田《コウデン》ヲ荒《アラ》ス者ハ斬《キル》
一、一犬一鶏《ケイ》タリト盗ム者ハ斬
一、婦女ニ戯ルル者ハ斬
一、酒ニミダレ火ヲ弄《モテアソ》ブ者ハ斬
一、老幼ヲ愛護シ仁徳ヲ施《ホドコ》スハ賞ス
と、諸軍に法札を掲げさせた。

「善政来《ぜんせいらい》！」

「泰平来《たいへいらい》！」

土民が彼を謳歌したことはいうまでもない。ために彼の軍はその後、兵糧や馬糧にも困らなかったし、しばしば土民から有利な敵の情報を聞くこともできた。

敵の袁紹《えんしよう》は、*捲土重来《けんどちようらい》して、四州三十万の兵を催し、ふたたび倉亭《そうてい》（山東省陽谷県境）のあたりまで進出してきたと早くも聞えた。

曹操も全軍を押し進め、戦書を交わして、堂々と出会った。

開戦第一の日。

袁紹は一人の甥《おい》と、三人の子をうしろに従え、陣前へ出て曹操へ呼びかけた。

曹操は、颯爽《さつそう》と、鼓声に送られて、姿を示し、

「世に無用なる老夫。なお、曹操の刃《やいば》をわずらわさんとするか」と、罵った。

袁紹は怒って、直ちに、「世に害をなすあの賊子を討てッ」と、左右へ叱咤《しった》した。三男の袁尚《えんしょう》が、父の眼に、手柄を見せようものと、声に応じて、曹操へ討ってかかる。

曹操は、その弱冠なのに、眼をみはって、

「あわれ、この青二才は、何者か」

と、うしろへ訊いた。

「袁紹の子三男袁尚です。それがしが承らん」

と、鎗をひねって、躍りでた者がある。徐晃《じょこう》の部下、史渙《しかん》だった。

彼の鋭い鎗先に追われて、袁尚はたちまち逃げだした。のがさじと、史渙は追いまくる。すると袁尚はしり眼に振向いて、矢ごろをはかり、丁《ちょう》と弓弦《ゆづる》を切って、一矢を放った。

矢は、史渙の左の目に立った。

どうっと、転び落ちる土煙とともに、袁紹以下、旗下《はたもと》達も、声をあわせて、御曹司《おんぞうし》袁尚の手柄をどっと賞めたたえた。

四

我が子の武勇を眼《ま》のあたり見て、袁紹も大いに意を強めた。

その装備においても、兵数の点でも、依然、河北軍は圧倒的な優位を保持していた。

接戦第一日も、二日目も、さらにその以後も、河北軍は連戦連捷の勢いだった。

曹操は敗色日増しに加わる味方を見て、

「程昱《ていいく》、何としたものだろう」とかたわらの大将にはかった。

程昱は、この時、十面埋伏《めんまいふく》の計をすすめたといわれている。

曹操の軍は、にわかに退却を開始し、やがて黄河をうしろに、布陣を改めた。

そして部隊を十に分け、各〻、緊密な聯絡をもって、迫りくる敵の大軍を待っていた。

袁紹はしきりに物見を放ちながら、三十万の大軍を徐々に進ませてきた。

——敵、背水《はいすい》の陣を布《し》く！

と聞いて、河北軍も、うかつには寄らなかったが、一夜、曹操の中軍前衛隊の許褚《きょちょ》が、闇に乗じて、味方を奇襲してきたので、

「それッ、包囲せよ」と、五寨《さい》の備えは、ここに初めて行動を起して、許褚の一隊を捕捉せんものと、引っ包んで、天地をゆるがした。

許褚は、かねて計のあることなので、戦っては逃げ、戦っては逃げ、ついに黄河の畔《ほとり》まで、敵を誘い、敵の五寨の備えをある程度まで変形させることに成功した。

「うしろは黄河だ。背水の敵は死物狂いになろう。深入りすな」

と袁紹父子《おやこ》が、その本陣から前線の将士へ、伝騎を飛ばした時は、すでに彼らの司令本部も、五寨の中核からだいぶ位置を移して、前後の連絡はかなり変貌《へんぼう》していたのであ

った。

突如として、方二十里にわたる野や丘や水辺から、かねて曹操の配置しておいた十隊の兵が、鯨波《ときのこえ》をあげて起った。

「大丈夫だ」

「なんの、さわぐことはない」

袁紹父子は、最後に至るまで総司令部と敵とのあいだに、分厚な味方があり、距離があることを信じていた。

――何ぞ知らん。彼の信じていた五寨の備えは、すでに間隙だらけであったのである。

またたく間に、味方ならぬ敵の喊声《かんせい》はここに近づいていた。しかも、十方の闇からである。

「右翼の第一隊、夏侯惇《かこうじゆん》」

「二隊の大将、張遼《ちようりよう》」

「第三を承るもの李典《りてん》」

「第四隊、楽進《がくしん》なり」

「第五にあるは、夏侯淵《かこうえん》」

「――左備え。第一隊曹洪《そうこう》」

「二隊、張郃《ちようこう》、三、徐晃《じよこう》。四、于禁《うきん》。五、高覧《こうらん》」

と、いうような声々が潮のように耳近く聞かれた。

「すわ。急変」と、総司令部はあわてだした。

どうしてこう敵が急迫してきたのか、三十万の味方が、いったいどこで戦っているのか。皆目《かいもく》、知れないし、考えている遑《いとま》などもとよりなかった。

袁紹は、三人の子息と共に、夢中で逃げだしていた。うしろに続く旗下《はたもと》の将士も、途中敵の徐晃や于禁の兵に挟まれて、さんざん討死を遂げてしまった。

いや彼ら父子の身も、いくたびか包まれて、雑兵の熊手にかかるところだった。馬を乗り捨て、また拾い乗ること四度、辛くも倉亭《そうてい》まで逃げ走ってきて、味方の残存部隊に合し、ほっとする間もなく、ここへも曹洪、夏侯惇の疾風隊が、電雷《でんらい》のごとく突撃してきた。

次男の袁熙《えんき》は、ここで深傷《ふかで》を負い、甥の高幹《こうかん》も、重傷を負った。

夜もすがら、逃げに逃げて、百余里を走りつづけ――翌る日、友軍をかぞえてみると、何と一万にも足らなかった。

五

逃げては迫られ、止まればすぐ追われ、敗走行《はいそうこう》の夜昼ほど、苦しいものはないだろう。

しかも一万の残兵も、その三分の一は、深傷《ふかで》や浅傷《あさで》を負い、続々、落伍してしまう。

「あっ？　父上、どうなされたのですか」

遅れがちの父の袁紹をふと振返って、三男の袁尚が、仰天しながら駒を寄せた。

「兄さん！　大変だっ、待ってくれい」

ふたたび彼は大声で、先へ走ってゆく二人の兄を呼びとめた。

袁譚《えんたん》、袁熙《えんき》の二子も、何事かとすぐ父のそばへ引返してきた。全軍も、混乱のまま、潰走を止めた。

老齢な袁紹は、日夜、数百里を逃げつづけてきたため、心身疲労の極《きょく》に達し、馬のたてがみへうつ伏したまま、いつか、口中から血を吐いていたのであった。

「父上っ」

「大将軍っ」

「お気をしっかり持って下さい」

三人の子と、旗下の諸将は、彼の身を抱きおろして懸命に手当を加えた。

袁紹は、蒼白な面をあげ、唇の血を三男にふかせながら、

「案じるな。……何の」と、強《し》いて眸をみはった。

すると、はるか先に、何も知らず駆けていた前隊が、急に、雪崩《なだれ》を打って、戻ってきた。

強力な敵の潜行部隊が、早くも先へ迂回して、道を遮断し、これへ来るというのであ

る。

まだ充分意識もつかない父を、ふたたび馬の背に乗せて、長男袁譚《えんたん》が抱きかかえ、それから数十里を横道へ、逃げに逃げた。

「……だめだ。苦しい。……おろしてくれい」

袁譚の膝で、袁紹のかすかな声がした。いつか白い黄昏《たそがれ》の月がある。兄弟と将士は、森の木陰に真黒に寄り合った。

草の上に、戦袍《せんぽう》を敷き、袁紹は仰向けに寝かされた。――にぶい眸に、夕日が映っている。

「袁尚。袁譚も……袁熙もおるか。わしの天命も、尽きたらしい。そちたち兄弟は、本国に還り、兵をととのえて、ふたたび、曹操と雌雄《しゆう》を決せよ。……ち、ちかって、父の怨みを散ぜよ。いいか、兄弟ども」

云い終ると、かっと、黒血を吐いて、四肢を突張った。最後の躍動であった。

兄弟は号泣しながら、遺骸を馬の背に奉じて、なお本国へ急いだ。そして冀州城《きしゆうじよう》へ入ると、袁紹は陣中に病んで還ったと触れ、三男袁尚《えんしよう》が、仮に執政《しつせい》となり、審配その他の重臣がそれを扶けた。

次男の袁熙は幽州へ、嫡子袁譚は青州に、それぞれ守るところへ還り、甥の高幹も、

「かならず再起を」と約して、ひとまず幷州《へいしゆう》へと引揚げた。

――かくて大捷《たいしよう》をえた曹操は、思いのまま冀州の領内へ進出してきたが、

「いまは稲の熟した時、田を荒らし、百姓の業《わざ》をさまたげるのは、いかがなものでしょう。ことに味方も長途に疲れ、後方の聯絡、兵糧の補給は、いよいよ困難を加えますし、袁紹病むといえども、審配、逢紀などの名将もおること、これ以上の深入りは、多分に危険もともなうものと思慮せねばなりません」と、諸将みな諫《いさ》めた。

曹操は釈然《しゃくぜん》と容れて、

「百姓は国の本だ。――この田もやがて自分のものだ。憐れまないで何としよう」

一転、兵馬をかえして、都へさして来る途中、たちまち相次いで来る早馬の使いがこう告げた。

「いま、汝南《じょなん》にある劉玄徳《りゅうげんとく》が、劉辟《りゅうへき》、龔都《きょうと》などを語らって、数万の勢をあつめ、都の虚をうかがって、にわかに攻め上らんとするかの如く、動向、容易ならぬものが見えまする！」

泥《でい》魚《ぎょ》

一

途中、しかも久しぶりに都へかえる凱旋の途中だったが——曹操はたちどころに方針を決し、

「曹洪は、黄河にのこれ。予は、これより直ちに、汝南へむかって、玄徳の首を、この鞍に結いつけて都へ還ろう」と、いった。

一部をとどめたほか、全軍すべて道をかえた。彼の用兵は、かくの如く、いつもとどこおることがない。

すでに、汝南を発していた玄徳は、

「よもや？」と、思っていた曹操の大軍が、あまりにも迅く、南下して来たばかりか、逆寄せの勢いで攻めてきたとの報に、

「はや、穰山《じょうざん》（河北省）の地の利を占めん」と、備えるに狼狽《ろうばい》したほどであった。

劉辟《りゅうへき》、龔都《きょうと》の兵をあわせ、布陣五十余里、先鋒は三段にわかれて備えを立てた。

東南《たつみ》の陣、関羽《かんう》。

西南《ひつじさる》には張飛《ちょうひ》。

南の中核に玄徳、脇備《わきぞな》えとして趙雲《ちょううん》の一隊が旗をひるがえしていた。

地平線の彼方から、真黒に野を捲いてきた大軍は、穰山を距《さ》ること二、三里、一夜に陣を八卦《はっけ》の象《かたち》に備えていた。

夜明けとともに、弦鳴鼓雷《げんめいこらい》、両軍は戦端を開始していたが、やがて中軍を割って、曹操自身すがたを現し、

「玄徳に一言いわん」と、告げた。

玄徳も、旗をすすめ、駒を立てて、彼を見た。

曹操は大声叱咤《しった》して云った。

「以前の恩義をわすれたか。唾棄《だき》すべき亡恩の徒め。どの面さげて曹操に矢を射るか」

玄徳は、にこと笑い、

「君は、漢の丞相《じょうしょう》というが帝の御意でないことは明らかだ。故に、君がみずから恩を与えたというのは不当であろう。記憶せよ、玄徳は漢室の宗親であることを」

「だまれ、予は、天子の勅をうけて、叛《そむ》くを討ち、紊《みだ》すを懲《こ》らす。汝もまた、その類でなくて何だ」

「いつわりを吐き給うな。君ごとき覇道《はどう》の奸雄《かんゆう》に、なんで天子が勅を降そう。まことの詔詞《みことのり》とは、ここにあるものだ」と、かねて都にいた時、董国舅《とうこっきゅう》へ賜わった密書の写しを取りだし、玄徳は馬上のまま声高らかに読みあげた。

その沈着な容子と、朗々たる音吐《おんと》に、一瞬敵味方とも耳をすましたが、終ると共に、玄徳の兵が、わあっと正義の軍《いくさ》たる誇りを鯨波《ときのこえ》としてあげた。

いつも、朝廷の軍たることを、真っ向に宣言してのぞむ曹操の戦いが、この日はじめて、位置をかえて彼に官軍の名を取られたような形になった。

彼が憤怒《ふんぬ》したことというまでもない。鞍つぼを叩いて、

「偽詔《ぎしょう》をもって、みだりに朝廷の御名を騙《かた》る不届き者、あの玄徳めを引摑んで来いっ」

眦《まなじり》を裂いて命じた。

「おうっ」と、吠えて、許褚《きょちょ》がすすむ。

迎えたのは趙雲。

戟《げき》、剣、馬蹄から立つ土けむりの中に、戛々《かつかつ》と火を発し、閃々《せんせん》とひらめき合う。

勝負――つくべくも見えなかった。

関羽の一陣、横から攻めかかる。

張飛の手勢も、猛然、声をあわせて、側面を衝いた。

曹操の八卦陣《はっけじん》は、三方からもみたてられて、ついに五、六十里も退却してしまった。

「幸先《さいさき》はよいぞ」

その夜、玄徳がよろこびを見せると、関羽は首を振って云った。

「計の多い曹操のことです。まだまだ歓ぶところにはゆきません」

「いや、彼の退却は、長途の疲れを、無理してきたためで、計ではなかろう」

「では、試みに、趙雲を出して、挑《いど》んでごらんなさい」

次の日、趙雲が進んで、挑戦してみたが、曹操の陣は、唖《おし》の如く、鳴りをしずめたきり動かない。

――七日、十日と過ぎても、一向戦意を示さなかった。

二

「はて。——曹操の備えとしてはいつにない守勢だ。彼はそんな消極的な戦法を好む性格ではないが？」

ひとり関羽は怪しんでいた。曹操を知るもの、関羽以上の者はない。果たせるかな、変があらわれた。

「汝南から前線へ、兵糧の運輸中襲都《きょうと》の隊は、道にて曹操の伏勢に囲まれ、全滅の危うきに瀕《ひん》しています！」と、いう後方からの飛報だった。

すると、また、次の早馬の伝令には、

「——強力な敵軍が、遠く迂回してきて、汝南の城へ急迫し、留守の守りは、苦戦に陥っている！」と、ある。

玄徳は、色を失って、

「留守の城には、われを始め、人々の妻子もおること」

と、関羽をして、救いのため、そこへ急派し、同時に張飛には、兵糧輸送隊の救援を命じた。

だが、その張飛の手勢も、現地まで行かないうちに、またも敵に包囲されたと聞えてきたし、関羽のほうとは、それきり連絡も絶えて、玄徳の本軍は、ようやく孤立《こりつ》の相を呈してきた。

「進まんか。退《しりぞ》かんか？」

玄徳は、迷った。

趙雲は、討って出て、前面の敵と雌雄を決すべきだと、悲壮な覚悟をもって云ったが、

「いや、それは捨て身だ。軽々しく死ぬときではない」

と、玄徳は自重して、ひとまず穣山《じようざん》へ退却しようと決めた。

しかし、万全な退却は、進撃よりも難しい。昼は、陣地を固く守って、士気を養い、ひそかに準備をしておき、翌晩、闇夜を幸いに、騎馬を先とし、輸車歩兵をうしろに徐々と退却を開始して、そして約五、六里――穣山の下までさしかかった時である。突然断崖のうえで声がした。

「劉玄徳を捕り逃がすなっ！」

それに答える喊声《かんせい》と共に、山の上から太い火の雨が降ってきた。無数の松明《たいまつ》が焔の尾をひいて、兵馬の上へ浴びせかかってきたのである。

山は吠え、鼓は鳴り、岩石はおちてくる。

逃げまどう玄徳の兵は明らかに次の声を耳に知った。

「曹操は、ここにある。降る者はゆるすであろう。弱将玄徳ごときに従《つ》いて、犬死する愚者は死ね。生きて楽しもうとする者は、剣をすてて、予の軍門に来れ」

火の雨の下、降る石の下に、阿鼻叫喚《あびきようかん》して、死物狂いに退路をさがしていた兵は、そう聞くと争って剣を捨て、槍を投げ、曹操の軍へ投降してしまった。

趙雲は、玄徳の側へ寄りそって、血路を開きながら、

「怖れることはありませんぞ。趙雲がお側にあるからは」と、励まし励まし逃げのびた。

山上からどっと、于禁《うきん》、張遼《ちょうりょう》の隊が襲《よ》せてきて、道をふさぐ。

趙雲は、槍をもって、さえぎる敵を叩き伏せ、玄徳も両手に剣を揮《ふる》って、しばし戦っていたが、またまた、李典の一隊が、うしろから迫ってきたので、彼はただ一騎、山間へ駈けこみ、ついにその馬も捨てて身ひとつを、深山へ隠した。

夜が明けると、峠の道を、一隊の軍馬が、南のほうから越えてきた。驚いて、隠れかけたが、よく見ると、味方の劉辟《りゅうへき》だった。

孫乾《そんけん》、糜芳《びほう》なども、その中にいた。聞けば、汝南の城も支えきれなくなったので、玄徳の夫人や一族を守護して、これまで落ちのびてきたのであるという。

汝南の残兵千余をつれて、まず関羽や、張飛と合流してから、再起の計を立てようものと、そこから三、四里ほど山伝いに行くと、敵の高覧《こうらん》、張郃《ちょうこう》の二隊が、忽然《こつぜん》、林の中から紅の旗を振って突撃してきた。

劉辟は、高覧と戦って、一戟《げき》のもとに斬り落され、趙雲は高覧へ飛びかかって、一突きに、高覧を刺し殺した。

しかし、わずか千余の兵では、ひとたまりもない。玄徳の生命は、暴風の中にゆられる一穂《すい》の燈火《ともしび》にも似ていた。

三

勇にも限度がある。

趙雲子龍《ちょううんしりゅう》も、やがては、戦いつかれ、玄徳も進退きわまって、すでに自刃を覚悟した時だった。

一方の嶮路から、関羽の隊の旗が見えた。

養子の関平《かんぺい》や、部下周倉《しゅうそう》をしたがえ、三百余騎で馳せ降ってきた。

猛然、張郃《ちょうこう》の勢を、うしろから粉砕し、趙子龍と協力して、とうとう敵将張郃を屠《ほふ》ってしまった。

玄徳ははからぬ助けに出会って、歓喜のあまり、この時、天に両手をさしのべて、

「ああ、我また生きたり！」と、叫んだという。

そのうちに、おとといから敵中に苦戦していた張飛も、麓の一端を突破して、山上へ逃げのぼってきた。

玄徳に出会って、

「味方の輸送部隊にあった龔都《きょうと》も惜しいかな、雄敵夏侯淵《かこうえん》のために、討死をとげました」

と、復命した。

「ぜひもない……」

玄徳は、山嶮に拠って、最後の防禦にかかった。けれど、にわか造りの防寨《ぼうさい》なので、風雨にも耐えられないし、兵糧や水にも困りぬいた。

「曹操自身、大軍を指揮して、麓から総がかりに襲《よ》せてきます」

物見はしきりと、ここへ急を告げた。——玄徳は、怖れふるえた。夫人や老幼の一族を、如何にせん？——と憂い悩んだ。

「孫乾を、夫人や老少の守護にのこし、その余の者は、のこらず出て、決戦しよう」

これが大部分の意見だった。

玄徳も決心した。関羽、張飛、趙子龍など、挙げて、麓の大軍へ逆落しに、突撃して行った。

半日の余にわたる死闘、また死闘の物凄《ものすさま》じい血戦の後、月は山の肩に、白く冴えた。

その夜、曹操は、

「もはや、これ以上、痛めつける必要もあるまい」

と、敗将玄徳の無力化したのを見とどけて、大風の去るごとく、許都《きょと》へ凱旋《がいせん》してしまった。

わずかな残軍を、さらに散々に討ちのめされた玄徳、わずかな将士をひきつれて、ここかしこ流亡の日をつづけた。

ひとつの大江に行きあたった。

渡船をさがして対岸へ着き、ここは何処かと土地の名を漁夫に訊くと、

「漢江《かんこう》（湖北省）でございます」と、いう。

その漁夫が知らせたのであろう、江岸の小さい町や田の家から、

「劉皇叔《りゅうこうしゅく》様へ――」と、羊の肉や酒や野菜などをたくさん持ってきて献じた。

一同は河砂のうえに坐って、その酒を酌み、肉を割いた。

汀《みぎわ》のさざ波は、玄徳の胸に、そぞろ薄命を嘆かせた。

「関羽といい、張飛といい、また趙雲子龍といい、そのほかの諸将も、みな*王佐《おうさ》の才あり、稀世の武勇をもちながら、わしのような至らぬ人物を主と仰いで従ってきたため、事ごとに憂き目にばかり遭わせてきた。それを思うと、この玄徳は、各〻に対してあげる面もない心地がする。――にもかかわらず、各〻はほかに良き主を求め、富貴を得ようともせず、こうして労苦を共にしてくれるのが……」

杯の酒にも浮かず、玄徳がしみじみいうと、諸将みな沈湎《ちんめん》、頭を垂れてすすり泣いた。

関羽は杯を下において、

「むかし漢の高祖は、項羽と天下を争って、戦うごとに負けていましたが、九里山の一戦に勝って、遂に四百年の基礎をすえました。不肖、われわれも皇叔と兄弟の義をむすび、君臣の契《ちぎり》をかため、すでに二十年、浮沈興亡、極まりのない難路を越えてきましたが、決してまだ大志は挫折しておりません。他日、天下に理想を展《の》べる日もあらんことを想えば、百難何かあらんです。お気弱いことを仰せられますな」と切に励ました。

「勝敗は兵家のつね。人の成敗みな時ありです。……時来れば自ら開き、時を得なければいかにもがいてもだめです。長い人生に処するには、得意な時にも得意に驕《おご》らず、絶望の淵《ふち》にのぞんでも滅失に墜ちいらず、——そこに動ぜず溺れず、出所進退《しゅっしょしんたい》、悠々たることが、難しいのではございますまいか」

四

関羽は、しきりと、言葉をつづけた。ひとり玄徳の落胆《らくたん》を励ますばかりでなく、敗滅の底にある将士に対して、ここが大事と思うからであった。

彼はふと、乾き上がっている河洲《かわす》の砂上を見まわして、

「——ごらんなさい」と、指さして云った。「そこらの汀に、泥にくるまれた蓑虫《みのむし》のようなものが無数に見えましょう。虫でも藻草《もぐさ》でもありません。泥魚《でいぎょ》という魚です。この魚は天然によく処世を心得ていて、旱天《ひでり》がつづき、河水が乾《ひ》あがると、あのように頭から尾まで、すべて身を泥にくるんで、幾日でも転がったままでいる。餌をあさる鳥にもついばまれず、水の干《ひ》た河床でもがき廻ることもありません。——そして、自然に身の近くに、やがて浸々《しんしん》と、水が誘いにくれば、たちまち泥の皮をはいで、ちろちろと泳ぎだすのです。ひとたび泳ぎだすときは、彼らの世界には俄然《がぜん》満々たる大江あり、雨水あり、自由自在を極め、もはや窮することを知りません。……実におもしろい魚ではありませんか。泥魚と人生。——人間にも幾たびか泥魚の隠忍にならうべき時期があると

思うのでございまする」

関羽の話に人々は現実の敗戦を見直した。そこに人生の妙通を悟った。

孫乾《そんけん》はにわかに云いだした。

「荊州《けいしゅう》の地は、ここから遠くないし、太守劉表《りゅうひょう》は九郡を治めて、当世の英雄たり、一方の重鎮たる存在です。――ひとまず、わが君には荊州へおいであって、彼をお頼み遊ばしては如何ですか。劉表は喜んでかならずお扶けすると存じますが」

玄徳は、考えていたが、

「なるほど、荊州は江漢の地に面し、東は呉会《ごかい》に連なり、西は巴蜀《はしょく》へ通じ、南は海隅《かいぐう》に接し、兵糧は山のごとく積み、精兵数十万と聞く。ことに劉表は漢室の宗親《そうしん》でもあるから、同じ漢の苗裔《びょうえい》たる自分とは遠縁の間がらでもあるが……たえて音信を交わしたこともないのに、急に、この敗戦の身と一族をひき連れて行ってどうであろうか？」

と、先方の思惑《おもわく》をはばかって、ためらう容子《ようす》だった。孫乾は進んで自分がまず荊州へ行かんといい、一同の賛意を得ると、すぐその場から馬をとばして使いに立った。

劉表は、彼を城内に引いて、親しく玄徳の境遇を聞きとると、即座に、快諾してこういった。

「漢室の系図によれば、この劉表と劉備《りゅうび》とは、共に宗親のあいだがらであり、遠いながら彼は予の義弟にあたる者である。いま九郡十一州の主たる自分が、一人の宗親を見捨てて扶けなかったとあれば、天下の人が笑うだろう――すぐ荊州へ参られよと、伝えてくれい」

すると、侍側の大将、蔡瑁《さいぼう》がそばから拒んだ。

「無用無用。その儀は、お見合わせがよいでしょう。――玄徳は義を知らず恩を忘れる男です。はじめは呂布《りょふ》と親しみ、のち曹操に仕え、近頃また、袁紹《えんしょう》に拠《よ》って、みな裏切っています。それを以てその人を知るべしで、もし玄徳を当城に迎えたら、曹操が怒って、荊州へ攻め入ってくる惧《おそ》れもありましょう」

聞くと、孫乾は色を正して、

「呂布は、人道の上において、正しき人であったか。曹操は真の忠臣か。袁紹は、世を救うに足る英雄か。ご辺はなぜ、ことばを歪曲《わいきょく》して、無用な讒言《ざんげん》をなさるか」と、つめ寄った。

劉表も叱りつけて、

「要らざるさし出口はひかえろ」

と一喝したので、蔡瑁も顔あからめて黙ってしまった。

自《じ》壊《かい》闘《とう》争《そう》

一

玄徳が、その一族と共に、劉表を頼って、荊州へ赴いたのは、建安六年の秋九月であった。

劉表は郭外三十里まで出迎え、互いに疎遠《そえん》の情をのべてから、

「この後は、長く唇歯《しんし》の好誼《よしみ》をふかめ、共々、漢室の宗親たる範を天下に垂れん」

と、城中へ迎えて、好遇すこぶる鄭重であった。

このことは早くも、曹操の耳に聞えた。

曹操はまだ汝南から引揚げる途中であったが、その情報に接すると、愕然《すいたく》として、

「しまった。彼を荊州へ追いこんだのは、籠の魚をつかみそこねて、水沢へ逃がしたようなものだ。今のうちに——」

と、直ちに、軍の方向を転じて、荊州へ攻め入ろうとしたが、諸将はひとしく、

「今は、利あらずです。来年、陽春を待って、攻め入っても遅くありますまい」

と、一致して意見したので、彼も断念して、そのまま許都へ還ってしまった。

——が、翌年になると、四囲の情勢は、また微妙な変化を呈してきた。建安七年の春早々、許都の軍政はしきりに多忙であった。

荊州方面への積極策は、一時見合わせとなって、ただ夏侯惇《かこうじゅん》、満寵《まんちょう》の二将が抑えに下った。

曹仁《そうじん》、荀彧《じゅんいく》には、府内の留守が命ぜられ、残る軍はこぞって、

「北国へ。——官渡へ」

と、冀北《きほく》征伐の征旅が、去年にも倍加した装備をもって、ここに再び企図《もくろ》まれたのであった。

冀州の動揺はいうまでもない。

「ここまで、敵を入れては、勝ち目はないぞ」

と、青州、幽州、幷州《へいしゅう》の軍馬は、諸道から黎陽《れいよう》へ出て、防戦に努めた。

けれど曹軍の怒濤は、大河を決するように、いたる所で北国勢を撃破し、駸々《しんしん》と冀州《きしゅう》の領土へ蝕《く》いこんで来た。

袁譚《えんたん》、袁熙《えんき》、袁尚《えんしょう》などの若殿輩《わかとのばら》も、めいめい手痛い敗北を負って、続々、冀州へ逃げもどって来たので、本城の混乱はいうまでもない。

のみならず、袁紹《えんしょう》の未亡人劉《りゅう》氏は、まだ良人の喪《も》も発しないうちに、日頃の嫉妬を、この時にあらわして、袁紹が生前に寵愛していた五人の側女《そばめ》を、武士にいいつけて、後園に追いだし、そこここの木陰で刺し殺してしまった。

「死んでから後も、九泉《きゅうせん》の下で、魂と魂とがふたたび巡り合うことがないように」

という思想から、その屍まで寸断して、ひとつ所に埋《い》けさせなかった。

こんな所へ、三男袁尚が先に逃げ帰ってきたので、劉夫人は、

「この際、そなたが率先して父の喪を発し、ご遺書をうけたととなえて、冀州城の守に

おすわりなさい。ほかの子息が主君になったら、この母はどこに身を置こうぞ」と、すすめた。

長男の袁譚が、後から城外まで引揚げてくると、袁紹の喪が発せられ、同時に三男の袁尚から大将逢紀《ほうき》を使いとして、陣中へ向けてよこした。

逢紀は印を捧げて、

「あなたを、車騎将軍に封ずというお旨です」と、伝えた。

袁譚は、怒って、

「何だ、これは？」

「車騎将軍の印です」

「ばかにするな。おれは袁尚の兄だぞ。弟から兄へ官爵を授けるなんて法があるか」

「ご三男は、すでに冀州の君主に立たれました。先君のご遺言を奉じて」

「遺書を見せろ」

「劉夫人のお手にあって、臣らのうかがい知るところではありません」

「よし。城中へ行って、劉氏に会い、しかと談じなければならん」

郭図《かくと》は、急に諫めて、彼の剣の鞘《さや》をつかんだ。

「いまは、兄弟で争っている時ではありません。何よりも、敵は曹操です。その問題は、曹操を破ってから後におしなさい。――後にしても、いくらだって取る処置はありましょう」

「そうだ、内輪喧嘩は、あとのことにしよう」

袁譚《えんたん》は、兵馬を再編制して、ふたたび黎陽《れいよう》の戦場へ引返した。

そして健気《けなげ》にも、曹軍にぶつかって、さきの大敗をもり返そうとしたが、兵を損じるばかりだった。

二

逢紀は、どうかしてこの際、袁譚、袁尚《えんしょう》の兄弟を仲よくさせたいものと、独断で、冀《き》州《しゅう》へ使いをやり、「すぐ、援けにおいでなさい」と、袁尚の来援をうながした。

しかし、袁尚の側にいる智者の審配《しんはい》が反対した。――そのまに袁譚はいよいよ苦戦に陥ってしまい、逢紀が独断で、冀州へ書簡を送ったことも耳にはいったので、

「怪しからん奴だ」と、その僭越をなじり、自身、手打ちにしてしまった。そして、

「この上は、ぜひもない。曹操に降って、共に冀州の本城を踏みつぶしてやろう」

と、やぶれかぶれな策を放言した。

冀州の袁尚へ、早馬で密告したものがある。袁尚も愕《おどろ》き、審配も愕然とした。

「そんな無茶をされてたまるものではない。大挙すぐ援軍にお出向き遊ばせ」

審配のすすめに、彼と蘇由《そゆう》の二人を本城にとどめて、袁尚自身、三万余騎で駈けつけた。それを知ると袁譚も、

「なにも好んで曹操へ降参することはない」

と、意をひるがえして、袁尚の軍と、両翼にわかれ、士気をあらためて曹軍と対峙した。

そのうち、二男の袁熙《えんき》や甥の高幹《こうかん》も、一方に陣地を構築し、三面から曹操を防いだのでさしもの曹軍も、やや喰いとめられ、戦いは翌八年の春にわたって、まったく膠着《こうちゃく》状態に入るかと見えたが、俄然二月の末から、曹軍の猛突撃は開始され、河北軍はなだれを打って、その一角を委《ゆだ》ねてしまった。

そしてついに曹軍は、冀州城外三十里まで迫ったが、さすがに北国随一の要害であった。犠牲をかえりみず、惨憺《さんたん》たる猛攻撃をつづけたが、この堅城鉄壁はゆるぎもしないのである。

「これは胡桃《くるみ》の殻《から》を手で叩いているようなものでしょう。外殻は何分にも堅固です。けれど中実《なかみ》は虫が蝕《く》っているようです。兄弟相争い、諸臣の心は分離している。やがてその変が現れるまで、ここは兵をひいて、悠々待つべきではありますまいか」

これは曹操へ向って、郭嘉《かくか》がすすめた言葉であった。曹操も、実にもと頷《げ》いて、急に総引揚げを断行した。

もちろん黎陽《れいよう》とか官渡とかの要地には、強力な部隊を、再征の日に備えて残して行ったことはいうまでもない。

冀州城は、ほっと、息づいた。――が、小康的な平時に返ると、たちまち、国主問題をめぐって、内部の葛藤《かっとう》が始まった。

「城へ入れろ」

袁譚《えんたん》はいまなお、城外の守備にあったので、

「入るをゆるさん」と、兄弟喧嘩だった。

すると一日、その袁譚から、急に折れて、酒宴の迎えがきた。兄のほうからそう折れて出られると、拒むこともできず、袁尚が迷っていると、謀士審配《しんはい》が教えた。

「あなたを招いて、油幕《ゆまく》に火を放ち、焼き殺す計であると――或る者からちらと聞きました。お出向き遊ばすなら、充分兵備をしておいでなさい」

袁尚は、五万の兵をつれて、城門からそこへ出向いた。袁譚は、そう知ると、

「面倒だ、ぶつかれ」と、急に、鼓を打ち鳴らして、戦いを挑んだ。

陣頭で、兄弟が顔を合わせた。一方が、兄に刃向いするかと罵れば、一方は、父を殺したのは汝だなどと、醜い口争いをしたあげく、遂に、剣を抜いて、兄弟火華を散らすに至った。

袁譚は敗れて、平原へ逃げた。袁尚はさらに兵力を加え、包囲して糧道を断った。

「どうしよう、郭図《かくと》」

「一時、曹操へ、降服を申入れ、曹操が冀州を衝いたら、袁尚はあわてて帰るにちがいありません。そこを追い討ちすれば、難なく、囲みはとけ、しかも大捷《たいしょう》を得ること、火を見るより明らかでしょう」

郭図は袁譚へそうすすめた。

三

「たれか使いの適任者はいるだろうか。曹操に会ってそれを告げるに」

「あります。平原《へいげん》の令、辛毘《しんぴ》ならきっといいでしょう」

「辛毘ならわしも知っている。弁舌さわやかな士だ。早速運んでくれい」

袁譚のことばに、郭図はすぐ人を派して辛毘を招いた。

辛毘は欣然《きんぜん》と会いにきて、袁譚から手簡を受けた。袁譚は使いの行を旺《さかん》にするため、兵三千騎を附してやった。

その時、曹操はちょうど、荊州へ攻め入る計画で河南の西平《せいへい》（京広線西平）まで来たところだったが、急に陣中へ袁譚の使いが着いたとのことに、威容を正して辛毘を引見した。辛毘は、書簡を呈して、袁譚の降参の旨を申入れた。

「いずれ評議の上で」と軽くうけて、曹操は、辛毘を陣中にとどめ、一方諸将をあつめて、

「どうするか」を議していた。

諸説区々に出たが、曹操は衆論のうちから、荀攸《じゅんゆう》の卓見を採用した。荀攸が説くには、

「劉表は四十二州の大国を擁《よう》しているが、ただ境を守るだけで、この時代の大変革期に当りながら何ら積極的な策に出たという例がない。要するに規格の小さい人物で大計の

ない証拠である。だからそこは一時さしおいても大したことはないでしょう。むしろ冀《き》北《ほく》四ヵ国のほうが厄介物《やっかいもの》です。袁紹没し、敗軍たびたびですが、なお三人の男あり、精兵百万、富財山をなしています。もしこれに良い謀士がついて、兄弟の和を計り、よく一体になって、報復を計ってきたら、もう手だてを加えようも勝つ策もありますまい。——今、幸いにも兄弟相争って、一方の袁譚《えんたん》が打負け、降服を乞うてきたのは、実に天のお味方に幸いし給うところです。よろしく袁譚の乞いをいれ、急に袁尚を亡ぼして、その後、変を見てまた袁譚その他の一族を、順々に処置して行けば万過《ばんあやま》ちはありますまい」というにあった。

曹操はまた、辛毘《しんぴ》を招いて、

「袁譚の降服は、真実か詐《いつわ》りか。正直にのべよ」

と、いって、その面を、炯々《けいけい》と見つめた。

辛毘のひとみは、よく彼の凝視にも耐えた。虚言のない我の顔を見よといわぬばかりである。やがて涼《すず》やかに答えていう。

「あなたは実に天運に恵まれた御方である。たとい袁紹は亡くても、冀北の強大は、普通ならここ二代や三代で亡ぶものではありません。しかし、外には兵革に敗れ、内には賢臣みな誅せられ、あげくの果て、世嗣《せいし》の位置をめぐって骨肉たがいに干戈《かんか》をもてあそび、人民は嘆き、兵は怨嗟《えんさ》を放つの有様、天も憎しみ給うか、昨年来、飢餓蝗害《こうがい》の災厄も加わって、いまや昔日の金城湯池《*きんじょうとうち》も、帯甲《たいこう》百万も、秋風に見舞われて、明日も知れぬ暗雲の下におののき慄えているところです。――ここをおいて、荊州へ入らんなどは、平路を捨てて益なき難路を選ぶも同様です。直ちに、一路鄴城《ぎょうじょう》をお衝きなさい。おそらくは秋の木の葉を陣風の掃《はら》って行くようなものでしょう」

「…………」

終始、耳を傾けて、曹操は黙然と聞いていたが、

「辛毘。なんでもっと早く君と会う機会がなかったか恨みに思う。君の善言、みな我意にあたる。即時、袁譚に援助し、鄴城へ進むであろう」

「もし、丞相が冀北全土を治められたら、それだけでも天下は震動しましょう」

「いや曹操は何も、袁譚の領土まで奪り上げようとはいわんよ」

「ご遠慮には及びますまい。天があなたに授けるものなら」

「むむ、間違えば予の生命を人手に委《い》してしまうかもしれぬ大きな賭け事だからな。遠慮は愚かであろう、すべては行く先の運次第だ。誰か知らん乾坤《けんこん》の意《こころ》を」

その夜は、諸大将も加えて盛んなる杯をあげ、翌日は陣地を払って、大軍ことごとく冀州へと方向を転じていた。

邯《かん》鄲《たん》

一

冬十月の風とともに、

「曹操来る。曹軍来る」の声は、西平のほうから枯野を掃いて聞えてきた。

袁尚は愕いて、にわかに平原の囲みをとき、木の葉の如く鄴城へ退却しだした。

袁譚《えんたん》は城を出て、その後備えを追撃した。そして殿軍《しんがり》の大将呂曠《りょこう》と呂翔《りょしょう》のふたりをなだめて、味方に手《て》懐《なず》け、降人として、曹操の見参にいれた。

「君の武勇は父の名を恥かしめないものだ」と、曹操は甘いところを賞めておいた。

その後また、曹操は、自分の娘を、袁譚《えんたん》に娶《めあわ》せた。

都の深窓に育って、まだ十五、六になったばかりの花嫁を妻にもって、袁譚はすっかり喜悦していた。

郭図《かくと》はすこし将来を憂えた。ある時、袁譚に注意して、

「聞けば曹操は呂曠と呂翔のふたりさえ、列侯位《れっこうい》階《かい》を与え、ひどく優待している由で

す。思うにこれは、河北の諸将を釣らんためでしょう。――またあなたへ自身の愛娘《まなむすめ》を娶《めあわ》せたのも、深い下心あればこそで、その本心は、袁尚を亡ぼして後、冀北全州をわが物とせん遠計にちがいありません。ですから、呂曠、呂翔の二人には、あなたから密意を含ませておいて、いつでも変あれば、内応するように備えておかなければいけますまい」

「大きにそうだ。しかしいま、曹操は黎陽《れいよう》まで引揚げ、呂曠と呂翔もつれて行ってしまったが、何かよい工夫があるかの」

「二人を将軍に任じ、あなたから将軍の印を刻《きざ》んでお贈りになったらいいでしょう」

袁譚は、げにもとうなずいた。印匠に命じて早速、二顆《か》の将軍印を造らせた。

あどけない新妻は、彼が掌《て》にしている金印をうしろからのぞいて訊ねた。

「あなた、それは何ですの？」

「これかい――」と、袁譚は掌のうえにもてあそびながら、新妻に笑顔を振向けた。

「使いに待たせて、舅御《しゅうとご》の陣地まで贈るものだよ」

「翡翠《ひすい》か白玉《はくぎょく》なら、わたしの帯の珠に造らせるのに」

「冀州の城へ還れば、そんなものは山ほどあるよ」

「でも、冀州は、袁尚のお城でしょう」

「なあに、おれの物さ。父の遺産を、弟のやつが、横奪りしているのだ。いまに舅御が奪り返してくれるだろう」

将軍の金印は、ほどなく、黎陽にある呂曠《りよこう》、呂翔《りよしよう》の兄弟の手に届いた。

二人とも、すでに曹操に心服して、曹操を主と仰いでいたので、

「袁譚からこんな物を贈ってきましたが」と、彼へ披露してしまった。

曹操は、あざ笑って、

「贈ってきたものなら、黙って受けておくがいい。袁譚の肚《はら》は、見えすいている。折がきたら、其方たちに内応させて、この曹操を害さんとする下準備なのだ。……あははは、浅慮者《あさはかもの》がやりそうなことだろう」

この時から曹操も、心ひそかに、いずれ長くは生かしておけぬ者と、袁譚に対する殺意をかためていた。

冬のうち戦いもなく過ぎた。

しかし曹操はこの期間に、数万の人夫を動員して、淇水《きすい》の流れをひいて白溝《はつこう》へ通じる運河の開鑿《かいさく》を励ましていた。

翌、建安九年の春。

運河は開通し、おびただしい兵糧船は水に従って下ってきた。

その船に便乗して都からきた許攸《きよゆう》が、曹操に会うといった。

「丞相には、袁譚、袁尚が今に雷《かみなり》にでもうたれて、自然に死ぬのを待っているのですか」

「ははは、皮肉を申すな、これからだ」

二

袁尚は、いま鄴城《ぎょうじょう》にあった。

彼の輔佐たる審配《しんはい》は、たえず曹軍の動静に心していたが、淇水と白溝をつなぐ運河の成るに及んで、

「曹操の野望は大きい。彼は近く冀州全土を併呑《へいどん》せんという大行動を起すにちがいない」

と、察して、袁尚へ献言し、まず檄《げき》を武安の尹楷《いんかい》に送って、毛城《もうじょう》に兵を籠め、兵糧をよび寄せ、また沮授《そじゅ》の子の沮鵠《そこう》という者を大将として、邯鄲《かんたん》の野に大布陣をしいた。

一方、袁尚自身は、あとに審配をのこして本軍の精鋭をひきい、急に平原の袁譚へ攻めかけた。

袁譚から急援を乞うとの早打ちをうけると曹操は、許攸に向って、

「これからだと、いつか申したのは、こういう便りのくる日を待っていたのだ」

と、会心の笑みをもらした。

「曹洪は、鄴城へ出よ」

と、一軍を急派しておき、彼自身は毛城を攻めて、大将尹楷《いんかい》を討ち取った。

「降る者は助けん。いかなる敵であろうと、今日降《こう》を乞うものは、昨日の罪は問わない」

曹操一流の令は、敗走の兵に蘇生《そせい》の思いを与えて、ここでも大量な捕虜をえた。

大河の軍勢は戦うごとに、一水また一水を加えて幅をひろげて行った。

そして、邯鄲《かんたん》の敵とまみえて、大激戦は展開されたが、沮鵠《そこう》の大布陣も、ついに潰乱《かいらん》のほかはなかった。

「鄴城へ、鄴城へ」

逆捲く大軍の奔流は、さきにここを囲んでいた味方の曹洪軍と合して、勢いいやが上にもふるった。

総がかりに、城壁を朱《あけ》に染め、焔を投げ、万鼓《ばんこ》千喊《かん》、攻め立てること昼夜七日に及んだが、陥ちなかった。

地の下を掘りすすんで、一門を突破しようとしたが、それも敵の知るところとなって、軍兵千八百、地底で生き埋めにされてしまった。

「ああ、審配は名将かな」

と、攻めあぐみながらも曹操は敵の防戦ぶりに感嘆したほどだった。

平時の名臣で、乱世の棟梁《とうりょう》でもある雄才とは、彼の如きをいうのかも知れない。彼はまた、前線遠く敗れて、帰路を遮断されていた袁尚とその軍隊を、怪我なく城中へ迎え入れようという難問題にぶつかって、その成功に苦心していた。

その袁尚の軍隊はもう陽平《ようへい》という地点まで来て、通路のひらくのを待っていた。その通路は城内から切り開いてやらなければならなかった。

主簿《しゅぼ》の李孚《りふ》は、審配《しんはい》へ向って、こういう一案を呈した。

「この上、外にある味方の大兵が城内に入ると、たちまち兵糧が尽きます。けれども、城内には、何の役にも立たない百姓の老若男女が、何万とこもっています。それを外へ追いだして、曹操へ降らせ、そのあとからすぐ、城兵も奔出します。兵馬が出きったとたんに、城中の柴や薪《まき》を山と積んで、火の柱をあげ、陽平にある袁尚《えんしょう》様へ合図をなし、内外呼応して血路を開かれんには、難なくお迎えすることができましょう」

「そうだ、その一策しかない」

審配は直ちに用意にかかった。そして準備がなると、城内数万の女子どもや老人を追い立て、城門を開いて一度《いき》に追いだした。

白いぼろ布れ、白い旗など、手に手に持った百姓の老幼は、海嘯《つなみ》のように外へ溢れだした。

そして、曹丞相、曹丞相と、降《こう》をさけんで、彼の陣地へ雪崩《なだ》れこんできた。

曹操は、後陣を開かせて、

「予の立つ大地には、一人の餓死もさせぬぞ」と、すべてを容《い》れた。

数ヵ所の大釜に粥《かゆ》が煮てあった。餓鬼振舞《がきぶるま》いにあった飢民の大群は、そばへ矢が飛んできても前方で激戦のわめきが起っても、大釜のまわりを離れなかった。

三

曹操は審配の計《はかりごと》を観破していたので、数万の飢民が城門から押出されてくると、すぐ大兵を諸所に伏せて、飢民のあとをついて奔河《ほんが》の如く出てきた城兵を直ちに挟撃してこれに完全なる殲滅《せんめつ》を加えた。

城頭では合図の篝《かがり》を、天も焦がすばかり赤々とあげていたが、城門を出た兵はたちまち壕《ほり》を埋める死骸となり、生けるものは、狼狽をきわめて城中へ溢れ返ってきた。

「今だぞ。続けや」

曹操は、その図に乗って、逃げる城兵と一緒に、城門の内へはいってしまった。彼はその際盔《かぶと》のいただきへ、二条《ふたすじ》まで矢をうけて一度は落馬したが、すぐとび乗って、物ともせず将士の先頭に立った。

しかし、審配は毅然として、防禦の釆配を揮《ふる》った。ために、外城の門は陥ちたが内城の壁門は依然として固く、さしもの曹操をして、

「まだかつて、自分もこんな難攻の城に当ったことがない」と嘆ぜしめた。

「手をかえよう」

彼は、転機に敏《さと》い。――頭を壁にぶつけて押しくらするような愚をさけた。

一夜、彼の兵はまったく方向を転じて、滏水《ふすい》の境にある陽平の袁尚を攻めた。

まず弁才の士をやって、袁尚の先鋒たる馬延《ばえん》と張顗《ちょうぎ》のふたりを味方へ誘引した。二将

が裏切ったので、袁尚はひとたまりもなく敗走した。

濫口《らんこう》まで退去して、ここの要害に拠《よ》ろうと布陣していると、四方から焼打ちをうけて、またも進退きわまってしまったので、袁尚はついに、降伏して出た。曹操は快くゆるして、

「明日、会おう」と、全軍の武装を解かせ、降人の主従を一ヵ所に止めさせておいたが、その晩、徐晃と張遼の二将を向けて、袁尚を殺害してしまおうとした。

袁尚は、間一髪《かんいっぱつ》の危機を辛くものがれて、中山《ちゅうざん》（河北省保定）方面へ逃げ走った。その時印綬《いんじゅ》や旗幟《はたじるし》まで捨てて行ったので、曹操の将士からよい物笑いにされた。

一方を片づけると、大挙して、曹操はふたたび城攻めにかかった。こんどは内城の周囲四十里にわたって漳河《しょうが》の水を引き、城中を水攻めにした。

さきに袁譚の使いとして、曹操のところに止まっていた辛毘《しんぴ》は、袁尚の捨てて行った衣服、印綬、旗幟などを、槍の先にあげて、

「城中の人々よ、無益な抗戦はやめて、はやく降伏し給え」と、陣前に立ってすすめた。

審配は、それに答えて、城中へ人質としておいた辛毘の妻子一族四十人ほどを、櫓に引きだして首を斬り、一々それを投げ返して云った。

「汝、この国の恩を忘れたか」

辛毘は悶絶して、兵に抱えられたまま、後陣へひき退がった。

けれど彼は、その無念をはらすため、審配の甥にあたる審栄《しんえい》へ、矢文を送って、首尾よく内応の約をむすび、とうとう西門の一部を、審栄の手で中から開かせることに成功した。

冀州の本城は、ここに破れた。滔々《とうとう》、濁水《だくすい》をこえて、曹軍は内城にふみ入った。審配は最後まで善戦したが力尽き捕えられた。

曹操は、彼に苦しめられたことの大きかっただけに、彼の人物を惜しんで、

「予に仕えぬか」と、いった。

すると辛毘が、この者のために、自分の妻子一族四十何名が殺されている。ねがわくは、この者の首を自分に与えられたいと側からいった。

審配は、聞くと、その二人に対して、毅然とこう答えた。

「生きては袁氏《えんし》の臣、死しては袁氏の鬼たらんこそ、自分の本望である。阿諛《あゆ》軽薄《けいはく》の辛毘ごときと同視されるさえけがらわしい。すみやかに斬れッ」

云い放ちながら、歩むこと七歩――曹操の眼くばせに、刑刀を払った武士が飛びかかる。

「待て！」

と一喝し、静かに、袁氏の廟地《びょうち》を拝して後、従容《しょうよう》と首を授けた。

野《や》に真人《しんじん》あり

一

亡国の最後をかざる忠臣ほど、あわれにも悲壮なものはない。

審配の忠烈な死は、いたく曹操の心を打った。

「せめて、故主の城址《しろあと》に、その屍《かばね》でも葬ってやろう」

冀州の城北に、墳《つか》を建て、彼は手厚く祠《まつ》られた。

建安九年の秋七月、さしもの強大な河北もここに亡んだ。冀州の本城には、曹操の軍馬が充満した。

曹操の嫡子曹丕《そうひ》は、この時年十八で、父の戦に参加していたが、敵の本城が陥るとすぐ随身の兵をつれて城門の内へ入ろうとした。

当然、落城の直後とて、そこは遮断されている。番の兵卒が、

「待てっ、どこへ行くか。——丞相のご命令だ。まだ何者でも、ここを通ってはならん」

と、さえぎった。

すると曹丕《そうひ》の随臣は、「御曹司《おんぞうし》のお顔を知らんか」と、あべこべに叱りとばした。

城内はまだ余《よ》燼濛々《じんもうもう》と煙っている。曹丕は万一、残兵でも飛びだしたらと、剣を払って、片手にひっさげながら、物珍しげに、諸所くまなく見て歩いていた。

すると、後堂《こうどう》のほの暗い片隅に、一夫人がその娘らしい者を抱いてすくんでいた。紅の光が眼をかすめた。珠や金釵《きんさい》が泣きふるえているのである。

「——誰だっ？」

曹丕も足をすくめた。

かすかな声で、

「妾《わらわ》は、袁紹《えんしょう》の後室劉《こうしつりゅう》夫人です。むすめは、次男の袁熙《えんき》の妻……」

と、眸に、憐れを乞うように告げた。

なお問うと、袁熙は遠くへ逃げたという。——曹丕はつと寄って、むすめの前髪をあげて見た。そして自分の錦袍《ひたたれ》の袖で、娘の容顔《かんばせ》をふいてやった。

「ああ！　これは夜光の珠だ」

曹丕は、剣を拾いとって、舞わんばかりに狂喜した。そして自分は曹操の嫡男であると二女に明かして、

「助けてやる！　きっと一命は守ってやる！　もう慄えなくともいい」と云いわたした。

その時、父の曹操は、威武堂々、ここへ入城にかかっていた。すると、彼の郷里の旧友で、黄河の戦いから寝返りしてついていた例の許攸《きょゆう》が、いきなり前列へ躍りだして、

「いかに阿瞞《あまん》。もしこの許攸が、黄河で計《はかりごと》を授けなかったら、いくら君でも、今日この入城はできなかっただろう」

と、鼻高々、鞭をあげて、いいつけられもしないのに一鼓《こ》六足《そく》の指揮をした。

曹操は非常に笑って、

「そうだそうだ。君のいう通りである」と、彼の得意をなお煽《あお》った。

城門からやがて府門へ通るとき、曹操は何かで知ったとみえ、番兵に詰問した。

「予の前に、ここを通過した者は誰だ！　何奴か！」

番の将士は戦慄して、

「世子《せいし》でいらせられます」

と、ありのまま答えると、曹操は激色すさまじく、

「わが世子たりとも軍法をみだすにおいては、断乎《だんこ》免じ難い。荀攸《じゅんゆう》、郭嘉《かくか》、其方どもはすぐ曹丕《そうひ》を召捕ってこい。斬らねばならん」

郭嘉は諫めて、世子でなくて誰がよく城中を踏み鎮めましょうといった。曹操は救われたように、

「むむ、それも一理ある」

と不問に付して馬をおり、階を鳴らして閣内へ通った。

劉夫人は、彼の脚下に拝して、曹丕の温情を嬉し泣きしながら告げた。曹操はふと、娘の甄氏《しんし》を見て、その天麗の美質に愕《おど》きながら、

「なに。曹丕が。そんな優しい情を示したというか。それは怖らくこの娘が嫁に欲しいからだ。曹丕の恩賞には、これ一つで足りよう。他愛のないやつではある」

粋な父の丞相は、冀州陣の行賞として、甄氏を彼に賜わった。

二

冀州攻略もひとまず片づくと、曹操は第一着手に、袁紹と袁家累代《るいだい》の墳墓《ふんぼ》を祠《まつ》った。

その時、彼は亡家の墓に焚香《ふんこう》しながら、

「むかし洛陽で、共に快談をまじえた頃、袁紹は河北の富強に拠って、大いに南を図《はか》らんといい、自分は徒手空拳《としゅくうけん》をもって、天下の新人を糾合《きゅうごう》し、時代の革新を策さんといい、大いに笑ったこともあったが、それも今は昔語りとなってしまった……」と述懐して涙を流した。

勝者の手向けた一掬《きく》の涙は、またよく敵国の人心を収攬《しゅうらん》した。人民にはその年の年貢をゆるし、旧藩の文官や賢才は余さずこれを自己の陣営に用い、土木農田の復興に力をそそがせた。

府堂の出入りは日ごと頻繁を加えた。一日《あるひ》、許褚《きょちょ》は馬に乗って東門から入ろうとした。すると例の許攸《きょゆう》がそこに立っていて、

「おい、許褚。ばかに大きな面をして通るじゃないか。はばかりながらかくいう許攸がいなかったら、君らがこの城門を往来する日はなかったのだぜ。おれの姿を見たら礼儀ぐらいして通ったらどうだ」と、広言を吐いた。

いつぞや曹操が入城する時も、同様な高慢《かんしゃく》を云いちらして、諸将が顰蹙《ひんしゅく》していたのを思い出して、許褚はぐっと持ち前の癇癪を面上にみなぎらせた。

「匹夫《ひっぷ》っ。わきへ寄れ！」

「なに。おれを匹夫だと」

「小人の小功に誇るほど、小耳にうるさいものはない。往来の妨げなすと蹴ころすぞ」

「蹴ころしてみろ」

「造作もないことだ」

まさかとたかをくっていると、許褚はほんとに馬の蹄《ひづめ》をあげて、許攸の上へのしかかってきた。

それのみか、とっさに剣を抜いて、許攸の首を斬り飛ばし、すぐ府堂へ行って、この由を曹操へ訴えた。

曹操は、聞くと、瞑目《めいもく》して、しばらく黙っていたが、

「彼は、馭《ぎょ》しがたい小人にはちがいないが、自分とは幼少からの朋友だ。しかもたしかに功はある者。それを私憤にまかせてみだりに斬り殺したのは怪しからん」

と、許褚を叱って、七日の間、謹慎すべしと命じた。

許褚が退くと、入れ代りに、一名の高士が、礼篤く案内されてきた。河東武城《かとうぶじょう》の隠士、崔琰《さいえん》であった。

先頃から家へ使いを派して、曹操は再三この人を迎えていたのである。なぜならば、冀州国中の民数戸籍を正すには、どうしても崔琰《さいえん》に諮問《しもん》しなければ整理ができなかったからである。

崔琰は乱雑な民簿をよく統計整理して、曹操の軍政経済の資に供えた。

曹操は、彼を別駕従事《べつがじゅうじ》の官職に封じ、一面、袁紹の子息や冀州の残党が落ちのびて行った先の消息も怠らず探らせていた。

その後、長男の袁譚《えんたん》は、甘陵《かんりょう》、安平、渤海《ぼっかい》、河間《かかん》（河北省）などの諸地方を荒らして、追々、兵力をあつめ、三男袁尚《えんしょう》が中山《ちゅうざん》（河北省・保定）にいたのを攻めて、これを奪った。

袁尚は中山から逃げて、幽州へ去った。ここに二男袁熙《えんき》がいたので、二弟合流して長兄を防ぐ一面、

「亡父《ちち》の領地を奪《と》りかえさねば」と、弓矢を研《と》いで、冀州の曹操を遠くうかがっていた。

曹操は、それを知って、試みに袁譚《えんたん》を招いた。袁譚は気味悪がって、再三の招きにもかかわらず出向かずにいた。

口実ができた。——曹操はすぐ断交の書を送って、大軍をさし向けた。袁譚は怖れ

て、たちまち中山も捨て平原も捨て、ついに劉表へ使いを送って、

「急を救い給われ」と、彼の義心を仰いだ。

劉表は、使いを返してから、玄徳にこれを計った。玄徳は、袁兄弟がみな、日ならずして曹操に征伐される運命にある旨を予言して、

「まあ、見て見ぬ振りしておいでなさい。他人事よりは、ご自身の国防は大丈夫ですか」

と、注意をうながした。

三

荊州へ頼ろうとしたが、劉表から態《てい》よく拒否された袁譚は、ぜひなく南皮《なんぴ》（河北省南皮）へ落ちて行った。

建安十年の正月。曹操の大軍は氷河雪原を越えて、ここに迫った。

南皮城《なんぴじよう》の八門をとざし、壁上に弩弓《どきゆう》を植え並べ、濠には逆茂木《さかもぎ》を結《ゆ》って、城兵の守りはすこぶる堅かったが、襲《よ》せては返し、襲せては返し、昼夜新手を変えて猛攻する曹軍の根気よさに、袁譚《えんたん》は夜も眠られず、心身ともに疲れてしまった。

その上、大将彭安《ほうあん》が討たれたので、辛評《しんぴよう》を使いとして、降伏を申し出た。

曹操は、降使へいった。

「其方は、早くから予に仕えておる辛毘《しんぴ》の兄ではないか。予の陣中に留まって、弟と共

に勲《いさお》しを立て、将来、大いに家名をあげたらどうだ」

「古語にいう。――主貴《シュタット》ケレバ臣栄エ、主憂ウル時ハ臣辱メラルと。弟には弟の主君あり、私には私の主君がありますから」

辛評は空しく帰った。降をゆるすとも許さぬとも、曹操はそれに触れないのだ。いうまでもなく、曹操はすでに冀州《きしゅう》を奪ったので、袁譚を生かしておくことは好まないのである。

「和議は望めません。所詮、決戦のほかございますまい」

ありのままを、辛評が告げると、袁譚は彼の使いに不満を示して、

「ああそうか。そちの弟は、すでに曹操の身内だからな。その兄を講和の使いにやったのはわしのあやまりだったよ」

と、ひがみッぽく云った。

「こは、心外なおことばを！」

一声、気を激して、恨めしげに叫ぶと、辛評は、地に仆れて昏絶《こんぜつ》したまま、息が絶えてしまった。

袁譚はひどく後悔して、郭図《かくと》に善後策をはかった。郭図は強気で、

「なんの、彭安《ほうあん》が討たれても、なお名を惜しむ大将は数名います。それと南皮《なんぴ》の百姓をすべて徴兵し、死物狂いとなって、防ぎ戦えば、敵は極寒の天地にさらされている遠征の窮兵、勝てぬということがあるものですか」と、励まして、大決戦の用意にかかっ

た。

突如、城の全兵力は、四方を開いて攻勢に出てきた。雪にうずもれた曹軍の陣所を猛襲したのである。そして民家を焼き、柵門を焼き立て、あらゆる手段で、曹軍を掻きみだした。

飛雪を浴びて、駆けちがう万騎の蹄《ひづめ》、弩弓《どきゅう》のうなり、鉄箭《てっせん》のさけび、戛々《かっかっ》と鳴る戟《ほこ》、鏘々《しょうしょう》火を降らしあう剣また剣、槍はくだけ、旗は裂け、人畜一つ喚《おめ》きの中に、屍は山をなし、血は雪を割って河となした。

一時、曹軍はまったく潰乱《かいらん》に墜ちたが、曹洪、楽進などがよく戦って喰い止め、ついに大勢をもり返して、城兵をひた押しに濠ぎわまで追いつめた。

曹洪は、雑兵には目もくれず、乱軍を疾駆して、ひたすら袁譚の姿をさがしていたが、とうとう目的の一騎を見つけ、名乗りかけて、馬上のまま、重ね打ちに斬り下げた。

「袁譚の首を挙げたぞ。曹洪、袁譚の首を打ったり」

という声が、飈々《ひょうひょう》、吹雪《ふぶき》のように駆けめぐると、城兵はわっと戦意を失って、城門の橋を逃げ争って駆けこんだ。

その中に、郭図の姿があった。曹軍の楽進は、

「あれをこそ！」

と、目をつけ、近々、追いかけて呼びとめたが、雪崩《なだ》れ打つ敵味方の兵にさえぎられ

て寄りつけないので、腰の鉄弓をといて、やにわに一矢をつがえ、人波の上からぴゅっと弦《つる》を切った。

矢は、郭図の首すじをつらぬき、鞍の上からもんどり打って、五体は、濠の中へ落ち込んで行った。楽進は首を取って、槍先にかざし、

「郭図亡《な》し、袁譚《えんたん》亡し、城兵ども、何をあてに戦《い》うか」と声かぎりに叫んだ。

南皮一城もここに滅ぶと、やがて附近にある黒山《こくざん》の強盗張燕《ちょうえん》だとか、冀州の旧臣の焦触《しょうしょく》、張南などという輩《やから》も、それぞれ五千、一万と手下を連れて、続々、降伏を誓いに出てくる者が、毎日ひきもきらぬほどだった。

四

楽進、李典の二手に、降将の張燕《ちょうえん》を加えて、新たに十万騎の大隊が編制されると、

「并州《へいしゅう》へ入って、高幹《こうかん》に止めを刺せ」と、曹操はそれに命令を下した。

そして自身はなお幽州へ進攻して、袁熙《えんき》、袁尚《えんしょう》のふたりを誅伐《ちゅうばつ》すべく準備に怠りなかったが、その間にまず袁譚の首を、城の北門に梟《か》けて、

「これを見て歎く者があれば、その三族を罰すであろう」と、郡県にあまねく布令《ふれ》た。

ところが或る日、布冠《ぬのかんむり》をいただいて、黒い喪服を着た一処士が番の兵に捕まって、府堂へ引っ立てられてきた。

「丞相のお布令にもかかわらず、こやつは袁譚の首を拝し、獄門の下で慟哭《どうこく》しておりま

したというのである。

人品《じんぴん》の常ならぬのを見て、曹操は自身で糺《ただ》した。

「汝はどこの何者か」

「北海営陵《えいりよう》（山東省・濰県《いけん》）の生れ王修、字《あざな》を叔治《しゆくち》という者です」

「郡県の高札を見ていないのか」

「眼は病んでおりません」

「しからば、自身のみならず、罪三族に及ぶことも承知だろうな」

「歓びを歓び、悲しみを悲しむ、これ人間の自然で、どうにもなりません」

「汝の前身、何していたか」

「青州の別駕《べつが》を務め、故袁紹の大恩をうけた者です」

「わが前で口をはばからぬ奴。小気味のいい云い方だ。しかしその大恩をうけた袁紹となぜ離れていたか」

「諫言をすすめて、主君に容れられず、政務に忠ならんとして、朋人に讒《ざん》せられ、職を退いて、野に流れ住むこと三年になるが、何とて、故主の恩を忘れ得ましょうや。いま国亡んで、嫡子の御首を市に見、哭《な》くまいとしても、哭かずにはいられません。――もしこの上、あの首《こうべ》を私に賜わり、篤《あつ》く葬ることをお許し下さるなら、身の一命はおろか、三族を罪せられようとも、お恨みはつかまつりません」

王修ははばかる色なくそういった。

どんなに怒るかと思いのほか、曹操は堂中の諸士をかえりみて、嘆《たん》久しゅうした。

「この河北には、どうして、かくも忠義な士が多いのか。思うに袁紹は、こういう*真人《しんじん》を用いず、可惜《あたら》、野へ追いやって、ついに国を失ってしまったのだ」

即ち、彼は王修の乞いを許し、その上、司金中郎将《しきんちゅうろうしょう》に封じて、上賓《じょうひん》の礼を与えた。

幽州（冀東）の方面では、早くも、曹軍の襲来を伝えて、大混乱を起していた。

所詮、かなわぬ敵と怖れて、袁尚はいち早く、遼西《りょうせい》（熱河《ねっか》地方）へさして逃げのび、州の別駕、韓珩《かんこう》一族は、城を開いて、曹操に降った。

曹操は、降を容れ、韓珩《かんこう》を鎮北将軍に任じて、さらに、幷州《へいしゅう》面の戦況を案じ、みずから大兵を率いて、楽進、李典などの加勢におもむいた。

袁紹の甥《おい》高幹は、幷州の壺関《こかん》（河北省境）を死守して、なお陥ちずにあった。

すると、わずか数十騎をつれた二人の大将が、城門まぢかまで来て、

「高君、高君。開け給え」と、救いを呼んでいた。

高幹が櫓から見おろすと、旧友の呂曠《りょこう》と呂翔《りょしょう》だった。

ふたりが大声でいうには、

「一度は故主にそむいて、曹操に降ったが、やはり降人あつかいされて、ろくな待遇はしてくれない。*もと木に勝るうら木なしだ。今後は協力して曹操に当らん。旧誼を思い出し給え」

高幹は、なお疑って、兵は門外にとどめ、二人だけを城中に迎え入れた。

「曹操はたったいま幽州から着いたばかりだ。今夜、討って出ればまだ陣容もととのわず遠路の疲れもある。きっと勝てる」

浅慮にも、高幹は、二人の策に乗ってしまった。堅城壺関《こかん》も、その夜ついに陥落し、高幹は命からがら北狄《ほくてき》の境をこえて、胡《えびす》の左賢王《さけんおう》を頼って行ったが、途中家来の者に刺し殺されてしまった。

遼西《りょうせい》・遼東《りょうとう》

一

いまや曹操の勢いは旭日の如きものがあった。

北は、北狄《ほくてき》とよぶ蒙古《もうこ》に境し、東は、夷狄《いてき》と称する熱河の山東方面に隣するまで——旧袁紹治下の全土を完全に把握してしまった。彼らしい新味ある施政と威令とは、沈澱《ちんでん》久しかった旧態を一掃して、文化産業の社会面まで、その相貌《そうぼう》はまったく革《あらたま》ってきた。

しかも、曹操は、まだ、

「――これでいい」と、しなかった。

彼の胸中は、大地の広大のごとく、果てが知れなかった。

「いま、袁熙《えんき》、袁尚《えんしょう》の兄弟は、遼西《りょうせい》の烏丸《うがん》（熱河《ねっか》地方）におるという。この際、放棄しておいては、後日の禍いになろう。遼西、遼東の地をあわせ定めておかなければ、冀《き》北《ほく》、冀東の地も永久に治まるまい」

彼の壮図のもとに、ふたたび大軍備が命ぜられたが、もとよりこれには曹洪以下、だいぶ異論も多かった。

ここはすでに遠征の地である。遠征からまた遠征へ、そうした果てなき制覇《せいは》に邁進している間に、遠い都に変が起ったらどうするか。また荊州の劉表、玄徳などが、留守をうかがって、虚を衝いたらどうするか。

実に当然な憂いであった。

――が、ひとり郭嘉《かくか》は、曹操の大志を支持して、

「冒険には違いないが、千里の遠征も、制覇の大事も、そう二度三度はくり返されません。すでに都を去ってここまできたものを千里征《ゆ》くも、二千里征くも大差はない。ことに、袁紹《えんしょう》の遺子を流浪させておけば、連年、どこかで叛乱を起すにちがいありません」

議事は決した。

遼西、遼東は、夷狄《いてき》の地とされている。かつて体験のない外征であった。ために、軍の装備や糧食の計には万全が尽された。戦車、兵粮車だけでも数千輛という大輜重隊《だいしちょうたい》が

編制された。

そのほか、純戦闘隊数十万、騎馬あり徒歩《かち》あり、輿《こし》あり、また弩弓隊《どきゅうたい》あり軽弓隊あり、鉄槍隊あり、工具ばかり担ってゆく労兵隊などまで実に物々しいばかりな大行軍であった。

盧龍塞《ろりゅうさい》（河北省・劉家営《りゅうかえい》）まで進んだ。

すでに夷境へ近づくと、山川の気色も一変し、毎日狂風が吹き荒れて――いわゆる黄《こう》沙《さ》漠々《ばくばく》の天地が蟻のようなこの大行軍の蜿蜒《えんえん》をつつんだ。

そして易州《えきしゅう》まで来ると、曹操にとって、不慮の心配事ができた。それは彼を扶けて常に励ましてきた郭嘉《かくか》が、風土病にかかって、輿《こし》にも乗っているにたえなくなったことである。

郭嘉は、大熱をこらえながら、なお曹操に献策していた。

「どうも、行程がはかどらないようです。かくては、千里の遠征に、功は遂げても、年月を費やしましょう。また敵の備えも固まりましょう。――如《し》かじあなたは、軽騎の精猛のみを率い、道の速度を三倍して、夷狄の不意を衝きなさい。その余の軍勢は、不肖がお預りして病を養いながら、お待ちしております」

曹操は彼の言を容れて、初めの大軍を改編し、雷挺隊《らいていたい》と称する騎馬と車ばかりの大部隊をひいて、遮《しゃ》二無《む》二、遼西の境へ侵入した。

道の案内には、もと袁紹の部下だった田疇《でんちゅう》という者が立った。

泥河あり、湖沼あり、断崖あり——あらゆる難路が横たわっているので、もし田疇がいなかったら、地理の不案内だけでも、曹軍は立往生したかも知れなかった。

かくて、ようやく夷狄の大将冒頓《ぼくとつ》の柳城《りゅうじょう》（遼寧省）へ接近した。

時、建安の十一年、秋七月だった。

二

柳城の西、白狼山《はくろうざん》を陥し、曹操はこれに立って、敵を俯瞰《ふかん》した。そしていうには、

「おびただしい夷族の整備ではある。けれど悲しいかな、夷族はやはり夷族。あの配陣はまるで兵法を知らないものの児戯《じぎ》だ。一戦に蹴破ってよろしい」

すなわち張遼《ちょうりょう》を先鋒に、于《う》禁《きん》、許褚《きょちょ》、徐晃《じょこう》などを、三面から三手に分け、城外の敵を一塁一塁踏み破り、ついに夷将冒頓《いしょうぼくとつ》を討ち取って、七日のうちに柳城を占領してしまった。

袁熙《えんき》と袁尚《えんしょう》は、ここにひそんで督戦していたが、またも拠るところを失ったので、わずか数千の兵をつれて遼東のほうへ逃げ足早く落ちて行った。

そのほかの夷兵は全部、降参して出た。曹操は、田疇の功を賞して、柳亭侯に封《ほう》じたが、田疇はどうしても受けない。

「それがしは以前、袁紹に仕えて、なお生きている身なのに、旧主の遺子を追う戦陣の道案内に立って、爵禄《しゃくろく》を頂戴するなど、義において忍びません」というのである。

「苦衷《くちゅう》。もっともなことだ」

曹操は思いやって、代りに議郎の職を命じ、また柳城の守りをいいつけた。

律令正しい彼の軍隊と、文化的な装備やまた施政は、いちじるしく辺土の民を徳化した。近郡の夷族は続々と、貢ぎ物をもたらして、柳城市に群れをなし、みな曹操に恭順を示した。

なかには駿馬一万匹を献納した豪族もある。曹操の軍力はかくて大いに富強された。けれど彼は、日々、易州《えきしゅう》に残してきた愛臣郭嘉の病態を思うことを忘れなかった。

「……どうも捗々《はかばか》しくなく、九分まではむずかしいそうです」

易州の便りでそれを知った彼の秘書は憂わしげに告げた。曹操は急に、

「ここは田疇にまかせて還ろう」と、云いだした。

すでに冬にかかっていた。車騎大兵の行路は、困難を極めた。時には二百余里のあいだ一滴の水もなくて、地下三十丈を掘って求めなければならなかったし、青い物は一草もないので、馬を斃《たお》して喰い、病人は続出する有様だった。

ようやく、易州にかえり着いて、曹操はまずなにを第一になしたかというと、先に、夷境への遠征を諫言した大将たちに、

「よく、善言をいってくれた」と、恩賞をわけ与えたのである。そしてなお云うには、

「幸いに、勝つことを得、身も無事に還ってきたが、これはまったく奇蹟か天佑というほかはない。獲るところは少なく、危険は実に甚だしかった。この後、予に短所があれ

ば、舌に衣《きぬ》を着せず、万《よろず》、諫めてもらいたい」

次に彼は、郭嘉の病床を見舞った。郭嘉は彼の無事なすがたを見ると、安心したか、その日に息をひきとった。

「予の覇業は、まだ中道にあるのに、せっかく、ここまで艱苦《かんく》を共にして来た若い郭嘉に先立たれてしまった。彼は諸将の中でも、一番年下なのに」

と、彼は骨肉のひとりを失ったように、涙をながして悲しんだ。喨々《りょうりょう》、哀々、陣葬の角笛や鉦《かね》は、三日にわたって、冬空の雲を哭《な》かしめていた。

祭が終ると、郭嘉の病床に始終仕えていた一僕が、そっと、一封の書面を、曹操に呈した。

「これは、亡くなられたご主人のご遺言でした。死期を知ると、ご主人はみずから筆をとって認《したた》め、自分が死んだら、あとでご主君に渡してくれよ、ここに書いたようになされば、遼東の地は、自然に平定するであろうと仰っしゃいました」

曹操は、遺書を額《ひたい》に拝した。

数日の後には、早くも、諸将のあいだに、

「遼東をどうするか？」――が、紛々《ふんぷん》と私議論争されていた。

袁熙、袁尚の二名は、その後、遼東へ奔って、太守公孫康《こうそんこう》の勢力をたのみ、またた、禍いの兆《きざ》しが見えたからである。

「捨てておいても大事ない。やがて近いうちに、公孫康から、袁兄弟の首を送ってくるだろう」

曹操は今度に限ってひどく落着きこんでいた。

三

逃亡から逃亡へ、今は身のおき所もなく、遼東へ頼ってきた袁煕、袁尚の兄弟に対して、太守公孫康《こうそんこう》は、

「扶《たす》けたがいいか、いっそ、殺すべきだろうか」を、今なお迷っていた。

――というのは、一族の者から、扶ける必要はないと、異論が出たからである。

「彼らの父袁紹が在世中には、つねにこの遼東を攻略せんと計っていたものである。しかし実現に至らぬうち、自分が敗れ去ったのだ。怨みこそあれ恩顧《おんこ》はない」

そして、なおこう極言する者もあった。

「――鳩は、鵲《かささぎ》の巣を借りて、いつのまにか鵲を追って巣を自分の物にしてしまう。亡父《ちち》の遺志を思い出して、袁兄弟も、後には鳩に化けないこともない。むしろこの際、彼らの首を曹操へ送ってやれば、曹操は遼東を攻める口実を失い、遼東もこのまま安泰なるばかりでなく、翻然《ほんぜん》、ご当家を重んじないわけにゆかなくなる」

公孫康は、その儀もっともなり――と決心して、一方人を派して、曹操の動静をうかがわせ、曹軍の攻め入る様子もないと見極めると、一日《あるひ》、城下にある袁兄弟へ使いをやって、酒宴に迎えた。

袁煕と、袁尚は、

「さてはそろそろ出軍の相談かな？　何といっても曹操の脅威をうけている折だから、吾々の協力もなくてはかなうまい」

などと談じ合いながら登城してきた。

ところが、一閣の室に通されて見ると、この寒いのに、暖炉の備えもなく榻《とう》の上に裀《しとね》も敷いてなかった。

ふたりは面をふくらせて、

「われわれの席はどこですか」と、尊大ぶった。

公孫康は、大いに笑って、

「今から汝ら二つの首は、万里の遠くへ旅立つのに、なんで温き席がいろうや」

と、いうや否や、帳《とばり》の陰を振りかえって、それっと合図した。

十余名の力者《りきしゃ》は一斉におどり出して、二人へ組みつき、左右から脾腹《ひばら》に短剣を加え、袁煕、袁尚とともども無造作に首にしてしまった。

易州に陣取ったまま、曹軍は依然、動かずにあったが、夏侯惇《かこうじゅん》、張遼《ちょうりょう》などは、その間、しばしば曹操へ諫めた。

「もし、遼東へ攻め進むお心がないならば、はやく都へご凱旋あっては如何です。なすこともなく、こんな所に滞陣しているのは無意味でしょう」

すると曹操は、

「決して無為に過しているわけではない。今に遼東から、袁熙、袁尚の首を送ってくるであろうから、それを待っているのだ」と、答えた。

諸将は、彼の心事を怪しみ、また嘲笑を禁じ得なかった。ところが半月ほどすると、太守公孫康の使者は、ここに到着し、書を添えて、匣《はこ》に入れた塩漬の首二顆《か》を正式に献じた。

さきに嘲《あざ》けり笑っていた諸人は驚いた。曹操は限りなく笑い興じて、

「郭嘉《かくか》の 計《はかりごと》 にたがわず、故人の遺書の通りになった。彼も地下で満足したろう」

と、種明しをして聞かせた。

それによると、郭嘉は、遺書のうちに、「遼東ハ兵ヲ用イズシテ攻ムベシ。動カザレバ即チ、坐シテ袁二子ノ首級オノズカラ到ラン」と極力、進攻をいましめていた。

つまり彼は、遼東の君臣が、袁家の圧力に対して、多年伝統的に、反感や宿怨こそ持っているが、何の恩顧も好意も寄せていないことを、疾《と》くに洞察《どうさつ》していたからである。

こういう先見の明もありながら、ここ易州の軍旅のうちに病死した郭嘉は、年まだ三十八歳であった。

さて曹操は、遼東の使者を厚くねぎらい、公孫康へ報ゆるに襄平侯《じょうへいこう》左将軍の印を以てした。そして郭嘉の遺髪を手厚く都へ送り、やがて自身も、全軍を領して、冀州まで帰った。

食《しよっ》客《かく》

一

北方攻略の業はここにまず完成を見た。

次いで、曹操の胸に秘められているものは、いうまでもなく、南方討伐であろう。が、彼は、冀州城の地がよほど気に入ったとみえて、ここに逗留していること久しかった。

一年余の工を積んで、漳河《しょうが》の畔《ほと》りに銅雀台《どうじゃくだい》を築いた。その宏大な建物を中心に、楼台高閣をめぐらして、一座の閣を玉龍と名づけ、一座の楼を金鳳《きんほう》ととなえ、それらの勾欄《こうらん》から勾欄へ架するに虹のように七つの反橋《そりばし》をもってした。

「もし老後に、閑を得たら、ここに住んで詩でも作っていたい」

とは、父としての彼が、次男の曹子建《そうしけん》にもらした言葉だった。

曹操の一面性たる詩心——詩のわかる性情——をその血液からうけついだ者は、ほかに子も多いが、この次男だけだった。

で、曹操は、日ごろ特に、彼を愛していたが、自分はやがて都へ還らなければならない身なので、「よく兄に仕えて、父が北方平定の業を、空しくするなよ」と訓え、兄の曹丕《そうひ》と共に鄴城《ぎょうじょう》へとどめて、約三年にわたる破壊と建設の一切を完了し、兵雲悠々《ゆうゆう》と許都へひきあげた。

まず久しぶりに参内して、天子に表を捧げ、朝廟の変りない様をも見、つづいて大規模な論功行賞を発表した。また郭嘉の子郭奕《かくえき》を取り立てなどして、帰来、宰相としての彼は、陣中以上、政務に繁忙《はんぼう》であった。

×　　×　　×

食客は天下いたる処にいる。

主《あるじ》は好んで客を養い、客は卑下《ひげ》なく大家に蟠踞《ばんきょ》して、共に天下を談じ、後日を期するところあらんとする。——そうした風潮は、当時の社会の慣わしで、べつに異とするほどなことではなかった。

三千の兵、数十の将、二名の兄弟、そのほか妻子眷族《けんぞく》まで連れていても、国を失って、他国の庇護《ひご》のもとに養われれば、これもまた「大なる食客」であった。

いま荊州にある玄徳は、そうした境遇であった。けれど、食客もただ徒食してはいない。国も遊ばせてはおかない。

江夏《こうか》の地に、乱がおこった。張虎《ちょうこ》、陳生《ちんせい》という者が、掠奪、暴行から進んで叛乱の火をあげたのである。

玄徳は、自ら望んで、その討伐に向った。そして地方の乱を鎮定し、その戦で、賊将張虎が乗っていた一頭の名駿を手に入れて帰った。

張虎、陳生の首を献じて、

「もうあの地方には、当分、ご心配の必要はないでしょう」

と、報告をすました。劉表は彼の功を賞して、甚だしく歓んだが、幾日か過ぎると、また、

「憂いのたねは尽きないものだ」と、嘆息して、玄徳にはかった。

「ご辺のような雄才が、わが荊州にいる以上、大安心はしているが、漢中の張魯《ちょうろ》と、呉の孫権《そんけん》はいつも頭痛のたねだ。ことに南越の境には、のべつ敵の越境沙汰がたえない。この患いを除くにはどうしたものであろう？」

「さあ、人間の住む地には、万全というものはあり得ないものですが、やや安泰をお望みあるなら、私の部下の三名をお用いあって、張飛を南越の境に向け、関羽に固子城《こしじょう》を守らせて漢中に備えさせ、趙雲に兵船を支配させて、三江の守備を厳になされたら如何です。彼らはかならず死守して荊州の寸土も敵に踏ませることではありません」と、思うままのべた。

劉表は同意した。玄徳の雄将たちを、自国のためそこまで有効に使えれば――と、その歓びを大将蔡瑁《さいぼう》に語ったところが、

「ははあ、なるほど」と、いう程度で蔡瑁はあまり感服しない顔色だった。

彼は、劉表の夫人蔡氏の兄である。それかあらぬか、彼はさっそく後閣を訪ねて、何か夫人と囁きあっていた。もちろん問題は玄徳のことらしい。

二

主君の夫人たりまた自分の妹でもある彼女へ、蔡瑁《さいぼう》はこう囁いた。

「御身からそれとなく諫めたほうがよかろう。此方から申し上げれば、表立って、自然、角《かど》も立つからな」

蔡夫人はうなずいた。

その後、良人の劉表と、ただ二人きりの折、彼女は女性特有な細かい観察と、針をふくむ綿のような言葉で、

「すこしはご要心遊ばして下さいませ。あなたはあなたご自身のお心で、世間の者もみな潔白だと思って、すぐご信用になりますけれど、どうして、玄徳などという人には、油断も隙《すき》もありはしません。――あの人は以前沓《くつ》売りだったというじゃありませんか。義弟《おとうと》の張飛は、ついこの間まで、汝南の古城に籠って強盗をしていたというし。……何だか、あの人がご城下へきてから、とても藩中の風儀が悪くなったような気がします。ご譜代の家臣たちも、みな胸を傷《いた》めているそうでございますし」と、有ることないこと、さまざまに誹《そし》った。

それをみな真にうけるほど、劉表も妻に甘くはないが、なんとなく玄徳に対して、一

抹の不安を持ったことは否めない。

閲兵《えっぺい》のため、城外の馬場へ出た日である。劉表は、ふと、玄徳の乗っている駿壮の毛艶とそのたくましい馬格を見て、

「すばらしい逸足ではないか」と、嘆賞してやまなかった。

玄徳は、鞍からおりて、

「そんなにお気に召したものなら、献上いたしましょう」と自ら口輪をとって進めた。

劉表はよろこんで受けた。すぐ乗換えて城中へ帰ってくると、門側に立っていた蒯越《かいえつ》という者が、

「おやッ、的盧《てきろ》だ」と、つぶやいた。

劉表が聞きとがめて、

「蒯越《かいえつ》、なにをおどろくか」

と、たずねた。蒯越は拝伏して、理由をのべた。

「私の兄は、馬相を見ることの名人でした。ですから自然、馬相について教わっていましたが、四本の脚が、みな白いのを四白といい、これも凶馬とされていますが、額に白点のある的盧《てきろ》は、もっと凶《わる》いといわれています。それを乗用する者に、必ず祟《たた》りをなすと古来から忌まれているもので、ために、張虎もこの馬に乗って討死しました」

「……ふウむ？」

劉表はいやな顔してそのまま内門深く通ってしまった。

次の日。酒宴の席で、彼は玄徳に杯を与えながらいった。

「きのうは、心にもない無心をした。あの名馬は、ご辺に返そう。城中の厩《うまや》に置かれるよりは、君の如き雄材に、常に愛用されていたほうが、馬もきっと本望だろうから」

と、さり気なく、心の負担を返してから、彼はまた、

「――時にご辺も、館にいては市街に住み、出ては城中の宴に列し、こう無事退屈の中におられては、自然、武芸の志も薄らごう。わが河南の襄陽《じようよう》のそばに新野《しんや》（河南《かなん》省《しよう》・新野《しんや》）という所がある。ここには武具兵糧も籠めてあるから、ひとつ一族部下をつれて、新野城に行ってはどうか。あの地方をひとつ守ってくれんか」

もちろん否やはない。玄徳は即座に命を拝して、数日の後、新野へ旅立った。

劉表は城外まで見送った。一行は荊州の城下に別れを告げ、やがて数里を来ると、ひとりの高士が彼の馬前に長揖《ちようゆう》して告げた。

「先頃城内で、蒯越《かいえつ》が劉表に説いていました。――的盧《てきろ》は凶馬と――乗る人に祟《たた》りをなすと。――どうかそのご乗馬はお換えください」

何びとか？　と見ると、それは劉表の幕賓《ばくひん》で、伊《い》籍《せき》字《あざな》を機《き》伯《はく》という者だった。

玄徳は馬をおりて、

「先生、おことばは謝しますが、憂いはおやめ下さい。――死生命アリ、富貴天ニアリ――何の馬一匹が私の生涯をさまたげ得ましょう」

と、手を取って笑い、爽《さわ》やかに別れを告げて、ふたたび新野の道へ向った。

三

新野は一地方の田舎城《いなかじろ》である。

けれど、河南の春は平和に、ここへ来てから、玄徳に歓び事があった。

正室の甘夫人が、男児を産んだのである。

お産の暁方には、一羽の鶴が、県衙《けんが》の屋根にきて、四十余声啼いて西へ翔け去ったという。

また、妊娠中に夫人が、北斗星を呑んだ夢を見たというので、幼名を「阿斗《あと》」とつけ、すなわち劉禅阿斗《りゅうぜんあと》と称した。

時は、建安十二年の春だった。

ちょうどその前後、曹操の遠征は、冀州から遼西にまで及んで、許昌《きょしょう》の府は、ほとんど手薄とうかがわれたので、玄徳は再三再四、劉表に向って、

「今こそ、志を天下に成す時ですが」と、すすめたが、劉表の答えはきまってこうであった。

「いや自分は、荊州九郡を保ってさえいれば、家は富み国は栄えるばかりだ。この上に何を望もう」

玄徳は失望した。

むしろこの人は、天下の計よりも、内心の一私事にわずらっているのではないか。

かつて、劉表から打明けられた家庭上の問題を、玄徳は思い出してみた。

劉表には二子があった。

劉琦《りゅうき》は、前の妻陳《ちん》夫人の腹であり、次男劉琮《りゅうそう》は、蔡《さい》夫人の産《な》した子である。長男の琦《き》は、賢才の質だが柔弱だった。そこで次男の琮《そう》を立てようとしたが、長子を廃するのは国乱の始めなりと、俄然、紛論が起って、沙汰止みとされ、やむなく礼にしたがって、次男を除こうとしたところ、蔡夫人、蔡瑁などの勢力が隠然とものをいって、背後から彼を苦しめ惑わすのであった。

折々、登城しては、その劉表に向って、天下の機微や風雲を語ってみても、こんな女々《めめ》しい愚痴ばかり聞かされるので、玄徳もひそかに見限っていた。すると或る折、酒宴の半ばに、玄徳は厠《かわや》へ立って、座に帰ると、しばらくのあいだ黙然と興もなげにさしうつ向いていた。

劉表はいぶかって、

「どう召されたか。何ぞ、わしの話でも、気にさわられたか」と、たずねた。

玄徳は面を振って、

「いえいえご酒宴を賜りながら、愁然《しゅうぜん》とふさぎこみ、私こそ申しわけありません。仔細はこうです。ただ今、厠《かわや》へ参って、ふとわが身をかえりみると、久しく美衣美食に馴れたせいでしょう、髀《もも》の肉が肥えふくれて参りました。――かつては、常に身を馬上におき、艱苦《かんく》辛酸《しんさん》を日常としていた自分が――ああ、いつのまにこんな贅肉を生じさせたろうか。日月の去るは水の流るる如く、かくて自分もまた、なすこともなく空しく老いて行くのか……と、ふとそんなことを考えだしたものですから、思わずわれとわが身を恥じ、不覚な涙を催したわけでした。どうか、お心にかけないで下さい」と、詫びて、瞼をかろく指の腹で拭った。

劉表は、思い出したように、

「そうそう、ずっと以前、許昌の官府で、君と曹操と、青梅の実をとり酒を煮て、共に英雄を論じた時、どちらが云ったか知らないが、天下の群雄もいま恐れるに足るものはない、まず真の英雄とゆるされる者はご辺と我ぐらいなものであろう――と語ったそうだが、その一方の御身が、先頃からこの荊州に来ていてくれるので、この劉表もどんなに心強いか知れぬ」と、いった。

玄徳もその日は、いつになく感傷的になっていたので、

「曹操如き何かあらんです。もし私が貧しくも一国を持ち、それに相応する兵力さえ持てば……」

と、つい口をすべらせかけたが、ふと劉表の顔色が変ったのに気づいて、後は笑いにまぎらして、わざと杯をかさねて大酔したふりをしてそこに眠ってしまった。

四

横になると、手枕のまま、玄徳はもう大いびきをかき始めた。寝よだれを垂らして眠

っている。

「……？」

劉表は、猜疑《さいぎ》に囚われた眼で、その寝顔を見まもっていた。自分の住居の中に、巨大な龍が横たわっているような恐怖をおぼえたのである。

「やはり怖ろしい人間だ！」

彼もあわてて座を立った。

すると、衝立《ついたて》の陰にたたずんでいた妻の蔡夫人が、ふと寄り添って囁いた。

「あなた、いまの玄徳のことばを、何とお聞きになりましたか。常には慎んでおりましても、酔えば性根は隠せません。本性を見せたのです。わたしは、恐ろしさにぞくぞくしました」

「……ううむ」

劉表は、呻いたきり、黙然と奥の閣へかくれてしまった。

良人の煮えきらない容子に蔡夫人は焦々《いらいら》しく思った。だが、良人はもう充分、玄徳に疑いを抱いていることは確かなので、急に兄の蔡瑁《さいぼう》を呼んで、

「どうしたものであろう」と、はかった。

蔡瑁は自分の胸を叩いて、

「此方にお任せ下さい」と、あわてて退がった。

夕方までに、彼は極秘裡に一団の兵をととのえ、夜の更けるのを待っていた。翌日と

なれば、玄徳は新野へ帰る予定である。大事の決行は急を要したが、その客舎を襲撃するには、宵ではまずい。夜半か、夜明けか、寝込みを襲うが万全と考えていたのである。

——ところが。

日頃から玄徳に好意をもっている幕賓の伊籍《いせき》がちょうど城下に来ていて、ふとこのことを耳にはさんだので、

「これは、捨ててておけない」

と早速、彼の客舎へ贈り物として果物《くだもの》を届け、その中へ密封した一書をかくしておいた。

玄徳はそれを見ておどろいた。夜半に蔡瑁の兵がここを取囲むであろうとある。彼は、夕方の食事も半ばにして、客舎の裏から脱出した。従者もちりぢりに後から逃げて彼に追いついた。

蔡瑁は、そんなこととも知らず、五更の頃を見はからって、一斉に鉦《かね》を鳴らし、鼓を打ち、ここへ殺到した。

もちろん、藻抜《もぬ》けの殻《から》。彼は、

「不覚っ」と、地だんだを踏み、追手をかけてみたが、獲るところもなかった。

そこで彼は、一計を案じて、自分の作った詩を、部下のうちで偽筆の巧みな者に命じ、墨黒々、客舎の壁に書かせておいた。

そして、急遽、

「一大事でござる」と城へ行って、劉表に会い、真《まこと》しやかにこう告げた。

「常々、玄徳とその部下の者どもが、この荊州を奪わんとし、ご城下に参るたび、地形を測り攻め口を考究し、不穏な密会あると聞き及びおりますため、昨夜、小勢の兵をうかがわせ、様子をさぐらせておりましたところ、早くも事の発覚と見、一詩を壁に書き残したまま、風を喰らって新野へ逃げ失せましてございます。――ご当家のご恩もわすれて、まことに言語道断な振舞いで」

劉表はみなまで聞かないうち蒼白になっていた。急いで駒を命じ、自身、客舎へ行って、彼が書きのこして行ったという壁の詩を見つめた。

困《コン》シテ荊襄《ケイジョウ》ヲ守ルスデニ数年

眼前空《ムナ》シク旧山川ニ対ス

蛟龍《コウリョウ》豈《ア》コレ池中ノ物ナランヤ

臥《フ》シテ風雷《フウライ》ヲ聴キ飛ンデ天ニ上ル

「……？」

劉表の鬢髪《びんぱつ》はふるえを見せていた。蔡瑁は今こそと、馬をすすめて、

「兵の用意はできています。いざ新野へご出陣を」

と、云ったが、劉表はかぶりを振って、

「詩などは、戯れに作ることもある。もう少し彼の様子を見てからでも……」

と、そのまま城中へ戻ってしまった。

檀渓《だんけい》を跳《と》ぶ

一

蔡瑁《さいぼう》と蔡夫人の調略《ちょうりゃく》は、その後もやまなかった。一度の失敗は、却ってそれをつのらせた傾きさえある。

「どうしても、玄徳を除かなければ——」と、躍起になって考えた。

けれども肝腎《かんじん》な劉表《りゅうひょう》がそれを許さない。同じ漢室の裔《えい》ではあるし、親族にもあたる玄徳を殺したら、天下に外聞が悪いというのである。

まだ、口には出さないが、そのため、継嗣《けいし》の争いや閨閥《けいばつ》の内輪事が、世間へもれることも極力さけようと努めているらしい。総じて、彼の方針は、事勿《ことなか》れ主義をもって第一としていた。

蔡夫人は、良人のそうした態度にじりじりして、兄の蔡瑁に、事を急ぐことしきりだった。閨門と食客とは、いつも不和をかもすにきまったものだが、彼女が玄徳を忌み嫌うことは、実に執拗《しつよう》であった。

「まあ、おまかせあれ」

蔡瑁は、彼女をなだめて、しきりと機を測っていたらしかったが、或る時、劉表にまみえて、謹んで献言した。

「近年は五穀よく熟して、豊作が続いています。ことにことしの秋はよく実《みの》り、国中豊楽を唱えておりますれば、この際、各地の地頭官吏をはじめ、田吏《でんり》にいたるまでを、襄《じょう》陽《よう》にあつめて、慰労の猟《かり》を催し大宴を張り、もってご威勢を人民に示し、また諸官吏を賓客として、ご主君みずからねぎらい給えば荊州の富強はいよいよ万々歳と思われますが、ひとつお気晴らしに、お出ましあっては如何なもので」

劉表はすぐ顔を振った。左の髀《もも》をなでながら、顔をしかめて、

「案はいいが、わしは行かぬ。劉琦《りゅうき》か劉琮《りゅうそう》でも代理にやろう」といった。近頃、劉表は神経痛に悩んで、夜も睡眠不足であることを、蔡瑁は夫人から聞いてよく知っている筈だった。

「困りましたな。ご嫡子方は、まだご幼年ですから、ご名代としても、賓客に対して礼を欠きましょうし……」

「では、新野《しんや》におる玄徳は、同宗《どうそう》の裔《えい》だし、わしの外弟《おとうと》にもあたる者。彼を請じて、大宴の主人役とし、礼をとり行わせたらどんなものだろう」

「至極結構と存じます」

蔡瑁は、内心仕すましたりと歓んだ。早速「襄陽の会」の招待を各地へ触れるとともに、玄徳へ宛てて劉表の意なりと称し、主人役を命じた。

あれから後、玄徳は新野へ帰っても、怏々《おうおう》として楽しまない容子だったが、この飛状に接すると、ふたたび、

「ああ。また何かなければよいが」と、先頃の不愉快な思い出が胸に疼《うず》いてきた。

張飛は、仔細を知ると、「ご無用ご無用、そんな所へ行って、何の面白いことがあろう。断ってしまうに限る」と、無造作に止めた。

孫乾《そんけん》もほぼ同意見で、

「お見合わせがよいでしょう。おそらくは、蔡瑁の詐計《さけい》かも知れません」と、観破してしまった。

けれど関羽、趙雲のふたりは、

「いま命にそむけば、いよいよ劉表の疑心を買うであろう。如かず、ここは眼をつぶって、軽くお役目だけを勤めてすぐお立ち帰りあるほうが無事でしょう」

と、すすめた。玄徳もまた、

「いや、わしもそう思う」

と、三百余騎の供揃いを立て、趙雲一名を側に連れて、即日、襄陽の会へ出向いて行った。

襄陽は、新野《しんや》をさること遠かった。約八十里ほどくると、すでに蔡瑁以下、劉琦、劉

琮の兄弟だの、また王粲《おうさん》、文聘《ぶんぺい》、鄧義《とうぎ》、王威《おうい》などという荆州《けいしゅう》の諸大将まで、すべて旺《さかん》な列伍を敷いて、玄徳を出迎えるため立ち並んでいた。

二

この日、会するもの数万にのぼった。文官軍吏の賓客、みな盛装をこらし、礼館の式場を中心に、宛《えん》として秋天の星の如く埋まった。

喨々《りようりよう》たる奏楽裡、玄徳は国主の代理として、館中の主座に着席した。

この平和な空気に臨んで、玄徳は心にほっとしていたが、彼のうしろには、爛《らん》たる眼をくばり、大剣を佩《は》いて、

「わが主君に、一指でも触るる者あればゆるさんぞ」

と、いわんばかりな顔して侍立《じりつ》している趙雲子龍《ちょううんしりゅう》があり、またその部下三百人があって、かえって、玄徳の守備のほうが、物々しげに見え過ぎていた。

式は開かれた。玄徳は、劉表に代って、国主の「豊饒《ほうじょう》を共に慶賀するの文」を読みあげた。

それから諸賓をねぎらう大宴に移って、管鼓《かんこ》琴絃《きんげん》沸くばかりな音楽のうちに、料理や酒が洪水の如く人々の華卓に饗《きょう》された。

蔡瑁は、この間に、そっと席をはずして、

「君。ちょっと、顔を貸してくれぬか」と、大将蒯越《かいえつ》に耳打ちした。

ふたりは人なき一閣を閉め切って、首を寄せていた。

「蒯越。足下も玄徳の毒にあてられるな。あれが真の君子なら世の中に悪党はない。彼は腹ぐろい梟雄《きょうゆう》だ」

「……左様かなあ？」

「まず嫡男の劉琦《りゅうき》君をそそのかして、後日、荊州を横奪《おうだつ》せんと企んでおるのを知らんか。彼を生かしておくのは、われわれの国の災いだと思う」

「では貴君は、今日、彼を殺さんというお心なのか」

「襄陽の会は、実にそれを謀《はか》るために催したといってもよろしい。彼を除くことのほうが、一年の豊饒を歓ぶよりも、百年の安泰を祝すべきことだと信じる」

「でも、玄徳という人物には、不思議にも隠れた人望がある。この荊州にきてからまだ日も浅いが、しきりと彼の名声は巷間に伝えられておる。――それを罪もなく殺したら、諸人の輿望を失いはすまいか」

「討ち取ってしまいさえすれば、罪は何とでも後から称えられる。すべては、この蔡瑁《さいぼう》がご主君より任せられているのだから、ぜひ足下にも一臂の力を貸してもらわねばならん」

「主命とあれば黙止《もだし》がたい。ご念までもなく、助太刀いたすが、して、貴君にはどんな用意があるのか」

「実はすでに――東の方は峴山《けんざん》の道を、蔡和《さいか》の手勢五千余騎で塞がせ、南の外門路一帯には、蔡仲《さいちゅう》に三千騎をさずけて伏兵とさせてある。なお、北門には、蔡勲《さいくん》の数千騎が固めて蟻の這いでる隙もないようにしているが……ただ西の門は、一路檀渓《だんけい》の流れに行きあたり、舟でもなければ渡ることはできないから、ここはまず安心して、ざっと、以上の通り手配はすべてととのっておる」

「なるほど、必殺のご用意、この中に置かれては、いかな鬼神でも、遁れる術《すべ》はござるまい。――けれど、貴君は主命をおうけかも知らぬが、此方には直接おいいつけないことゆえ、後日に悔いのないよう、なるべく彼を生け擒《ど》りにして、荊州へひかれたほうがよろしくはあるまいか」

「それはいずれでもよいが」

「それと、注意すべき人間は、玄徳のそばに始終立っている趙雲という大剛な武将。あれが眼を光らしているうちは、うかつに手は下せませぬぞ」

「彼奴がいては、恐らく手にあまるかも知れぬ。その儀は、自分も思案中だが」

「趙雲を離す策を先にすべきでしょう。味方の大将、文聘《ぶんぺい》、王威《おうい》などに、彼を歓待させて、別席の宴楽へ誘い、その間に、玄徳もまた、州衙《しゅうが》主催の園遊会へのぞむ予定がありますから、そのほうへ連れだして討ち取れば、難なく処分ができましょう」

蒯越《かいえつ》の同意を得、また良策を聞いて、蔡瑁は、事成就《じょうじゅ》と歓んで、すぐ手筈にかかった。

三

州の主催にかかる官衙《かんが》の園遊会は、要するに、知事以下の官吏や州の有力者が、この日の答礼と歓迎の意を表したものである。

玄徳は迎えられて、そこへ臨んだ。

馬を後園につながせて、定められた堂中の席につくと、知事、州吏、民間の代表者など、こもごも、拝礼を行って満堂に列坐し、さまざまに酒をすすめて玄徳をもてなした。

酒三巡の頃にいたると、かねて肚《はら》に一物のある王威と文聘は、玄徳のうしろに屹《きっ》と侍立している趙雲の側へ寄って、

「いかがです、一献」と、杯をすすめ、「そう厳然と立ち通しでは大変です。今日は上下一体、和楽歓游《わらくかんゆう》の日で、はや公式の席はあちらで相済んだことでもありますから、足下もひとつくつろいで下さい。ひとつ別席へ参って、われわれ武骨者は武骨者同士で大いに飲《や》りましょう」と促した。

「いや、ご辞退申す」

趙雲はにべもない。

「――折角だが断る」とのみで、どう誘っても、そこから動こうとはしない。

けれど文聘《ぶんぺい》や王威が怒りもせず、あくまで根よく慫慂《しょうよう》している様子を、玄徳は見るに

見かねて、

「これこれ、趙雲」と、振向いて——

「そちはよかろうが、そちの侍立しているうちは、部下の者どもも動くことができまい。それに折角のおもてなしに対してあまり固辞するも礼を欠く。——諸君のおことばに甘え、しばし退がって休息いたすがよい」と、いった。

趙雲は、甚だぶっきら棒に、

「主命とあれば……」

是非がない！　といわんばかりな顔して、文聘や王威らと共に、別館へ退がった。

部下三百の者も、同時に、自由を与えられて、おのおの遠く散らかった。

蔡瑁《さいぼう》は、心のうちで、

「わが事成れり」と、早くも座中の空気を見廻していた。すると、大勢の中にあった伊《い》籍《せき》が、玄徳にそっと目くばせして、

「まだご正服のままではありませんか。衣をお着かえなされては如何」と、囁いた。

意を悟《さと》って、玄徳は、厠《かわや》へ立つふりをして後園に出て見ると、果たして、伊籍が先に廻って木陰に待っていた。

「今やあなたの一命は風前の燈火《ともしび》にも似ている。すぐお逃げなさい！　一瞬を争いますぞ」

伊籍のことばに、さてはと、玄徳も直観して、すぐ駒をといて引き寄せた。

伊籍はかさねて、

「東門、南門、北門、三方すべて殺地《さっち》。ただ西の門だけには、兵をまわしてないようです」

と、教えた。

「かたじけない、後日、生命あればまた」

云いのこしたまま、玄徳は後ろも見ずに走りだした。西門の番兵が、あッとなにか呶鳴ったようだが、飛馬の蹄《ひづめ》は、一塵《いちじん》のもとに彼の姿を遠くしてしまった。

鞭も折れよと、馳け跳ぶこと二里余り、道はそこで断たれていた。ただ見る檀渓《だんけい》（湖《こ》北省《ほくしょう》・襄陽《じょうよう》の西、漢水の一支流）の偉観が前に横たわっている。断層をなした激流の見渡すかぎりは、白波天にみなぎり奔濤《ほんとう》は渓潭《けいたん》を嚙み、岸に立つや否、馬いななき衣は颯々《さっさつ》の霧に濡れた。

玄徳は馬の平首を叩いて、

「的盧《てきろ》的盧。汝、今日われに祟りをなすか、またわれを救うや。――性あらば助けよ！」

と叫び、また心に天を念じながら、いきなり奔流へ馬を突っこんだ。激浪は人馬をつつみ、的盧は首をあげ首を振って濤《なみ》と闘う。そしてからくも中流を突き進むや、約三丈ばかり跳んで、対岸の一石へ水けむりと共に跳び上がった。

四

玄徳も、またその乗馬も、共に身ぶるいして、満身の水を切った。

「ああ！　我生きたり」

無事、大地に立って檀渓《だんけい》の奔流を振返ったとき、玄徳は叫ばずにはいられなかった。

そして、

「どうして越え得たろう？」と、後からの戦慄に襲われて、茫然《ぼうぜん》、なおも身を疑ってい
た。

すると渓《たに》をへだてて、おうーいっと、誰やら呼ぶ声がする。誰かと見れば、蔡瑁《さいぼう》であった。

蔡瑁は、玄徳が逃げたあとで、番兵から急を聞くと、すぐ悍馬《かんば》を励まして追いかけてきたが、すでに玄徳の姿は対岸にあって、眼前の檀渓にただ身を寒うするばかりだった。

「劉使君《りゅうしくん》。劉使君。何を怖れて、そのように逃げ走るか」

蔡瑁の呼ばわるに、玄徳も此方から高声で答えた。

「われと汝と、なんの怨恨《えんこん》かある。しかるに、汝はわれを害せんとする。逃ぐるは君子《くんし》の訓《おし》えに従うのみ」

「やあ、何ぞこの蔡瑁が御身に害意を抱こうや。疑いを去りたまえ」

と、云いながら、ひそかに弓をとって、馬上に矢をつがえている容子らしいので、玄徳はそのまま南漳《なんしょう》（湖北省・南漳）のほうをさして逃げ落ちて行った。

「ちぇっ……みすみす彼奴《きゃつ》を」

蔡瑁は歯ぎしりをかむだけだった。切って放った一矢も、檀渓の上を行くと、一すじの藁みたいに奔濤の霧風にもてあそばれて舞い落ちてしまうに過ぎない。

「残念。何とも無念な……」

幾度か悔やんだが、またひそかに思うには、この檀渓の嶮を、やすやすと無事に渡るなど、到底、凡人のよくなしあたう業ではない。玄徳には、おそらく神明の加護があるからだろう。神力には抗しがたし、——如《し》かずここは引っ返して他日を待とう。そう彼は自分をなだめて、空しく道をもどった。

と——彼方から馬煙《うまけむり》あげてこれへくる一陣の兵馬があった。見ると真っ先に趙雲子龍、あとには三百の部下が彼と共に眼のいろ変えて喘《あえ》ぎ喘ぎ馳け続いてくる。

「やっ、趙雲ではないか。どこへ参られる？」

蔡瑁は、先手を打ってとぼけた。

「——何処へといって、わが主君のお姿が見えぬ。そのためこうして、八方おさがし申しておる。足下はご存じないか」

「実は自分も、それを案じて、ここまで見に参ったが、いっこう見当らん。いったい、何処へ行かれたのやら？」

「不審だ！」

「まったく不思議だ」

「いや、汝の態度をいったのだ」

「此方に何の不審があるか」

「今日、襄陽の会に、何を目的に、あんなおびただしい軍兵を、諸門に備えたか」

「此方は、荆州九軍の大将軍、また明日は、大宴に続いて、国中の武士を寄せ、狩猟《かり》を催すことになっておる。大兵はその勢子《せこ》だ。何の不審があるか」

「ええ、こんな問答はしておられぬ！」

趙雲は、渓に沿って、馳け去った。部下を上流下流に分け、声も嗄れよと呼んでみたが、答えるものは奔潭《ほんたん》の波だけだった。

いつか日は暮れた。

趙雲はかさねて襄陽の城内へ戻ってみたが、そこにも玄徳の姿は見えない。――で、彼は悄然と、夜を傷みつつ、新野の道へ帰って行った。

琴《こと》を弾《ひ》く高士《こうし》

一

澄み暮れてゆく夕空の無辺は、天地の大と悠久を思わせる。白い星、淡い夕月——玄徳は黙々と広い野をひとりさまよってゆく。

「ああ、自分も早、四十七歳となるのに、この孤影、いつまで無為《むい》飄々《ひょうひょう》たるのか」

ふと、駒を止めた。

茫《ぼう》乎として、野末の夕霧を見まわした。そして過去と未来をつなぐ一すじの道に、果てなき迷いと嘆息を抱いた。

すると、彼方から笛の音が聞えた。やがて夕霧の裡《うち》から近づいてきたのは、牛の背にまたがった一童子である。玄徳はすれちがいながら童子の境遇をうらやましく思った。

——と、童子はふり返って、

「将軍将軍。もしやあなたは、そのむかし黄巾《こうきん》の賊を平げ、近頃は荆州にいるという噂の劉予州《りゅうよしゅう》様とちがいますか」と、いきなり訊ねた。

玄徳は驚きの目をみはって、

「はて、かく草深い里の童《わらべ》が、どうしてわが名を存じておるのか。いかにも自分は劉備玄徳であるが……」

「あっ、やはりそうでしたか。私の仕えている師父が、常に客と話すのを聞いていたので、劉予州とは、どんな人かと、日頃、胸に描いていましたところ、いまあなたの耳をみると、人並み優《すぐ》れて大きいので、さては、大耳子《だいじし》と綽名《あだな》のある玄徳様ではないかと思いついたんです」

「して、そちの師父とは、如何なる人か」

「――司馬徽《しばき》、字《あざな》は徳操《とくそう》。また道号を水鏡《すいきょう》先生と申されます。生れは潁川《えいせん》ですから黄巾の乱なども、よく見聞しておいでになります」

「平常、交わる友には、どんな人々があるか」

「襄陽《じょうよう》の名士はみな往来しております。就中《なかんずく》、襄陽の龐徳公《ほうとくこう》、龐統子《ほうとうし》などは特別親しくして、よくあれなる林の中に訪うて参ります」

童子の指さす方へ、玄徳も眼を放ちながら、

「――では、あれに見える一叢の林中に、そちの仕える師父の庵《いおり》があるとみえるな」

「はい」

「龐徳公、龐統子とは、よく知らぬが、どういう人物か」

「この二人は、叔父甥《おい》の間がらで、龐徳公は字《あざな》を山民《さんみん》といい、師父よりも十歳ほど年上

です。また龐統子は士元《しげん》と称し、この人は、私の師父よりまだ五歳ほど若く、この間もふたりして、先生の庵にやって来ました。――ちょうど師父は裏へ出て柴を採っていましたが、その柴を焚いて、茶を煎《に》、酒をあたためて、終日、世間の盛衰を語り、英雄を論じ、朝から晩まで倦《う》むことがありませんでした。よほど、話し好きな人とみえます」

「そうか。……そちの言葉を聞いて、儂《み》もどうやら先生の庵を訪うてみたくなった。童子、わしを案内して参らぬか」

「おやすいこと。師父もきっと思わぬ珍客とお歓びになるでしょう」

童子は牛をすすめて行く。導かれて、およそ二里ほど行くと、ちらと、林間の燈が見えた。幽雅《ゆうが》な草堂の屋根が奥のほうに望まれ、潺湲《せんかん》たる水音に耳を洗われながら小径《こみち》の柴門《さいもん》を入ると、内に琴を弾く音がもれ聞えた。

牛屋へ牛をつないで、

「大人。あなたの駒も、奥へつないでおきましたよ。さあ、こちらへおすすみ下さい」

「童子。まずその前に、先生にわしのきたことを取次いでくれ。無断で入っては悪《あ》しかろう」

草堂の前にたたずんで、彼が遠慮していると、はたと、琴の音がやんで、たちまちひとりの老人が、内から扉を排して外へとがめた。

「たれじゃ、それへ参ったのは。……いま琴を弾じておるに、幽玄清澄《ゆうげんせいちょう》の音いろ、にわかに乱れて、殺伐《さつばつ》な韻律《いんりつ》となった。かならず、窓外へきたものは、血なまぐさい戦場からさまようてきた落武者かなんぞであろう。……名を申せ。たれじゃ、何者じゃ……」

玄徳はおどろいて、ひそかにその人をうかがうに、年は五十余りとおぼしく、松姿鶴骨《しょうしかっこつ》、見るからに清々《すがすが》しい高士の風《ふう》を備えている。

二

ああさては――これが司馬徽《しばき》、道号を水鏡先生という人か。

玄徳は身をすすめて、

「お召仕えの童子の案内に従い、はからずご尊顔を拝す。私としては、歓びこの上もありませんが、ご静居をさわがせた罪は、どうぞおゆるし下さい」と、慇懃《いんぎん》、礼をほどこして詫びた。

すると、童子が傍らから、

「先生、この方が、いつも先生やお友達がよく噂しておいでになる劉玄徳というお人ですよ」

と、告げた。

司馬徽は非常におどろいた態《てい》である。うやうやしく礼を返して、草堂の内に迎え入れ、改めて賓主の席をわかち、さて、

「ふしぎなご対面ではある」と、こよいの縁をかこち合った。

塵外の住居とはこういうものかと、玄徳はそのあたりを見廻してそぞろ司馬徽の生活

を床《ゆか》しく思った。架上には万巻の詩書経書を積み、窓外には松竹を植え、一方の石床《せきしょう》には一鉢の秋蘭が薫り、また一面の琴がおいてある。

司馬徽は、玄徳の衣服が濡れているのを見て、やがて訊ねた。

「今日はまた、どうしたご災難にお遭いなされたのじゃ。おさしつかえなくば聞かせて下さい」

「実は檀渓《だんけい》を跳んで、九死のうちにのがれて来ましたので、衣服もこんなに湿《うるお》うてしまいました」

「あの檀渓を越えられたとすれば、よほどな危険に追いつめられたものでしょう。うわさ通り、今日の襄陽の会は、やはり単なる慶祝の意味ではなかったとみえますな」

「あなたのお耳にも、すでにそんな風説が入っておりましたか……実はこういう次第でした」

玄徳がつつまず物語ると、司馬徽は幾度かうなずいて——さもあらんといわぬばかりの面持であったが、

「ときに、将軍にはただ今、どういう官職におありですかな」

「左将軍宜城亭侯《ぎじょうていこう》、予州の牧を兼ねておりますが」

「さすれば、すでに立派な朝廷の藩屛《はんぺい》たる一人ではおざらぬか。しかるに、なんで区々たる他人の領に奔命し、つまらぬ小人の奸言に追われていたずらに心身を疲らせ、空しく大事なお年頃を過したもうか」

しみじみ、司馬徽はいって、

「……惜しいかな」と、あとは口うちで呟いた。

玄徳は、面目なげに、

「――時の運は如何ともいたし難い。事志と違うために」と、答えた。

すると司馬徽は、顔を振って打ち笑いながら、

「否々、運命のせいにしてはいけない。よくかえりみ給え。わしをして忌憚《きたん》なくいわしめるなら、将軍の左右に、良い人がいないためだと思う」

「これは意外な仰せです。玄徳は不肖の主ながら、生死を一つに誓う輩には、文に孫乾、糜《び》竺《じく》、簡雍《かんよう》あり、武には関羽、張飛、趙雲あり。決して人なしとは思われません」

「あなたは元来、家来思いなご主君じゃ。故に、家臣に人なしといわれると、すぐその通り家臣をかばう。君臣の情においてはまことにうるわしゅう見ゆるが、主君として、それのみで足るものではない。――箇々その文事や勇気の長を愛《め》でるに止まらず、自分自身も加えて、一団体としてよく自己をご覧ぜられよ。なお何らか、不足している力はないか」と、問いつめて、さらに、

「関羽、張飛、趙雲の輩《ともがら》は、一騎当千の勇ではあるが、*権変《けんぺん》の才はない。孫乾、糜竺、簡雍たちも、いわば白面の書生で、世を救う経綸の士ではない。かかる人々を擁して、覇王《あにおうは》の大業が成ろうか」と、極言した。

三

玄徳は、黙考していた。司馬徽の言に、服する如く、服せざるが如く、しばしさし俯《うつ》向《む》いていたが、やがて面をあげて、

「先生の言は至極ごもっともではありますが、要するに、あまりに先生の理想であって、現実を離れているきらいがありはしないでしょうか。不肖わたくしも、身を屈して、山野に賢人を求めること多年ですが、今の世に、張良、蕭何《しょうか》、韓信《かんしん》のような人物を望むほうが無理だと思います。そんな俊傑が隠れているはずはありませんから」と、真《しん》摯《し》な態度で酬いた。

すると、司馬徽は、聞きもあえず、面《おもて》を振って、

「否々。いつの時代でも、決して人物が皆無ではない、ただそれを真に用うる具眼者《ぐがんしゃ》がいないのじゃ。孔子もいっているではないか。――十室《シツ》ノ邑《ムラ》ニハ必ズ忠信ノ人アリ――と。何でこの広い諸国に俊傑がいないといえよう」

「不肖、愚昧《ぐまい》のせいか、それを識《し》る眼がありません。ねがわくば、ご教示を垂れたまえ」

「ちかごろ諸方でうたう小児の歌をお聞きにならぬか。童歌はこういっている……

八九年間ハジメテ衰《オトロ》エント欲ス
十三年ニ至ッテ孑遺《*ケツイ》無《ナ》ケン

到頭《トウトウ》天命帰ス所アリ
泥中《ディチュウ》ノ蟠龍《ハンリュウ》天ニ向ッテ飛ブ
これをあなたはどう判じられるか？　……」

「さあ、分りませんが」

「建安の八年、太守劉表《りゅうひょう》は、前の夫人を亡くされた。荊州の亡兆ここに起り、家はじめて乱れだしたのです。十三年に至って孑遺無けん——とあるのは、劉表の死去を予言しているものでしょう。そして天命帰する所ありです。——天命帰するところあり！」

司馬徽はくりかえして、玄徳の面を正視し、かさねて云った。

「——帰するところ何処《いずこ》？　すなわちあなたしかない。将軍、あなたは天命に選ばれた身であることを、自身、自覚されておいでかの？」

玄徳は大きな眼をしてさも驚いたように、

「滅相《めっそう》もない仰せ。いかでか私のような者が、そんな大事に当ることができましょう」

「そうでない。そうでない」

司馬徽《しばき》はおだやかに否定して、

「いま天下の英才は、ことごとくこの地に集まっておる。襄陽の名士また、ひそかに卿《きょう》の将来に期待しておる。この機運に処し、この人を用い、よろしく大業の基礎を計られたがよい」

「いかなる人がおりましょうか。その名を、お聞かせ下さい」

「臥龍《がりよう》か、鳳雛《ほうすう》か。そのうちの一人を得給えば、おそらく、天下は掌《たなごころ》にあろう」

「臥龍、鳳雛とは？」

思わず、身を前にのり出すと、司馬徽はふいに手を打って、

「好々《よしよし》、好々」と、いいながら笑った。

玄徳は、彼の唐突な奇言には、とまどいしたが、これはこの高士の癖であることを後で知った。

日常、善悪何事にかかわらず司馬徽は、きまって（好々《よしよし》）と、いうのが癖だった。

或る時、知人が来て、悲しげに、自分の子の死んだ由を告げると、司馬徽は相変らず、好々とのみ答えていた。知人の帰ったあとで、彼の妻が、

（いくらあなたのお癖とはいえ、お子さんを亡くした人にまで、好々とは、余りではございませんか）

と、たしなめた。すると司馬徽も、われながらおかしくなったとみえ、好々、おまえの意見も、大いに好々。

といったそうである。

四

童子がきて、質素な酒食を玄徳に供えた。司馬徽も、食事をともにし、やがて、

「お疲れであろう。まあ、こよいは臥房《ふしど》へ入っておやすみなさい」と、すすめた。

「では、おことばに甘えて」

と、玄徳は、別の部屋へはいったが、枕に頭《かしら》をつけても、なかなか寝つかれなかった。

そのうちに、深夜の静寂《しじま》を破って、馬のいななきが聞え、屋《いえ》の後ろのほうで人の気はいや戸の音がする。

「……はてな？」

風の音にも心をおく身である。思わず耳をすましていた。

屋は手ぜまなので、裏口から主《あるじ》の部屋へ入って行く沓音までよく聞える。

「やあ、徐元直《じよげんちょく》ではないか。いま頃、どうして来たのか」

主の司馬徽が声であった。

それに答えたのは、壮年らしいさびのある声色の持ち主で、

「いや先生。実は荊州へ行っていました。荊州の劉表は近頃の名主なりと、或る者から聞いたので、行って仕えていましたが、聞くとみるとは、大きな違い、から駄目な太守です。すぐ嫌気がさしてきましたから、邸へ遺書《かきおき》をのこして逃げてきたわけです。あはは。夜逃げですな」

磊落《らいらく》に笑ったが、しばらく間《ま》をおいて、また司馬徽の声がした。その壮気の持ち主を、厳格な語気で叱っているのである。

「なに、荊州へ参ったとか。さてさて、汝にも似げない浅慮《あさはか》な。――いまのような時代

には、賢愚混乱して、瓦が珠と化けて仕え、珠は瓦礫《がれき》の下にかくされ、掌《て》にのするも、人に識別なく、脚に踏むも、世はこれを見ないのが通例じゃ。――汝、王佐《おうさ》の才をいだきながら、深く今日の時流も認識せず、自然に出づべき時も待たず、劉表ごときへ身を売り込んで、かえって己れを辱め、仕官を途中にして逃げ去るなどとは何事だ。どう贔屓目に見ても褒められたことではない。もう少し自分を大事にせねばいかん」

「恐れ入りました。重々拙者の軽率に相違ございません」

「古人子貢《しこう》の言葉にもある――ココニ美玉アリ、匱《ヒツ》ニオサメテ蔵《カク》セリ、善価《ヨキアタイ》ヲ求メテ沽《ウ》ラン哉《カナ》――と」

「大事にします。これからは」

間もなく、客は帰ったらしい。

玄徳は夜の明けるのを待って、司馬徽にたずねた。

「昨夜の客は、何処の者ですか」

「むむ、あれか。――あれは多分、良い主君を求めるため、もう他国へ出かけたろう」

「そうですか。……時に、昨日先生の仰せられた臥龍鳳雛《がりようほうすう》とは一体どこの誰のことですか」

「いや、好々《よしよし》」

玄徳は、やにわに彼の脚下へひざまずいて、再拝しながら、

「玄徳、不才ではありますが、望むらくは、先生を請じ、新野へ伴《ともな》い参らせて、共に、

漢室を興し、万民を扶け、今日の禍乱を鎮めんと存じますが……」

云いもあえず、司馬徽はからからと笑って、

「愚叟《ぐそう》は山野の閑人《かんじん》に過ぎん。わしに十倍百倍もするような人物が、いまに必ず将軍を、お扶けするじゃろう。いや、そういう人物をばせいぜい尋ねられたがよい」

「では、天下の臥龍を？」

「好々」

「それとも鳳雛をですか？」

「好々」

玄徳は必死になって、その人の名と所在を訊きただそうとしたが、そのとき童子が馳けこんできて、

「数百人の兵をつれた大将が、家の外を取り囲みましたよ！」と、大声して告げた。

玄徳が出てみるとそれは趙雲の一隊だった。ようやく、主君玄徳の行方を知って、これへ迎えにきたものであった。

吟《ぎん》嘯《しよう》浪《ろう》士《し》

一

主従は相見て、狂喜し合った。

「おう、趙雲ではないか。どうして、わしがここにいるのが分った」

「ご無事なお姿を拝して、ほっと致しました。この村まで来ると、昨夜、見馴れぬ高官が、童子に誘われて、水鏡先生のお宅へ入ったと百姓から聞きましたので、さてはと、まっしぐらにお迎えにきたわけです」

主の司馬徽《しばき》も、そこへ来て、共に歓びながら、こう注意した。

「百姓たちの噂にのぼっては、ここに長居も危険です。部下の方々の迎えに見えられたこそ幸い、速やかに新野へお立ち帰りあれ」

実《げ》にもと、玄徳はすぐ暇を告げて、水鏡先生の草庵を去った。そして十数里ほどくると、飛ぶが如く一手の軍勢のくるのに出会った。

趙雲と同じように、夜来、玄徳の身を案じて、狂奔していた張飛と、関羽の一軍であった。

かくて、新野へ帰ると、玄徳は城中の将士を一堂に集めて、

「皆の者に、心配をかけてすまなかった。実は昨日、襄陽の会で、蔡瑁《さいぼう》のため、危うく謀殺されようとしたが、檀渓《だんけい》を跳んで、九死に一生を拾って帰ったような始末……」

と、ありし顚末《てんまつ》をつぶさに物語った。

愁眉《しゅうび》をひらいた彼の臣下は、同時に、蔡瑁を憎み憤った。

「おそらく、劉表は、何も知らないことに違いありません。あなたを殺す計画に失敗した蔡瑁は、自己の罪を蔽うために、こんどはいかなる讒訴《ざんそ》を劉表へするかも知れたものではない。こちらからも早く、ありし次第を、明白に訴えておかなければ、いよいよ彼奴の乗ずるところとなりましょう」

孫乾《そんけん》の説であった。

大いに理由がある。一同も彼の言を支持したので、玄徳は早速一書をしたため、孫乾にさずけて荊州へつかわした。

劉表は、玄徳の書簡を見て、襄陽の会が蔡瑁の陰謀に利用され終ったことを知り、もってのほかに立腹した。

「蔡瑁を呼べっ」

いつにない激色である。そして蔡瑁が階下に拝をなすや否、頭から襄陽の会の不埒《ふらち》をなじって武士たちに、彼を斬れと命じた。

蔡夫人は、兄の蔡瑁が召し呼ばれたと聞いて、後閣から馳け転ぶようにこれへ来た。そして良人の劉表へ極力、命乞いをした。妹の涙で蔡瑁は助けられた。孫乾もまた、「もし、ご夫人の兄たるお方を、お手討ちになどされたら、主君玄徳は、かえって二度と荊州へ参らないかも知れません」と、そばから口添えしたので、劉表も彼を免《ゆる》すに免しよかった。

けれど、劉表は、なお心がすまなかった。孫乾の帰るとき、嫡子の劉琦《りゅうき》を共に新野へやって、深く今度のことを謝罪した。

玄徳は、かえって痛み入るおことばと、劉琦に厚く答礼した。その折、劉琦はふと、日頃の煩悶《はんもん》を彼にもらした。

「継母の蔡夫人は、弟の琮を世継ぎに立てたいため、なんとかして、私を殺そうとしています。一体、どうしたらこの難をのがれることができましょうか」

「ただよく孝養をおつくしなさい。いかにご継母であろうと、あなたの至孝が通じれば、自然禍いは去りましょう」

あくる日、琦《き》が荊州へ帰る折、玄徳は駒をならべて、城外まで送って行った。琦は、荊州へ帰るのを、いかにも楽しまない容子であった。それを玄徳がやさしく慰めれば慰めるほど、涙ぐんでばかりいた。

琦を送って、その帰り途、玄徳が城中へ入ろうとして、町の辻まで来ると布の衣に、一剣を横たえ頭《かしら》に葛の頭巾をいただいた一人の浪士が白昼、高らかに何か吟じながら歩いてきた。

二

ふと、駒をとめて、市の騒音の中に、玄徳は耳を澄ましていた。孤剣葛巾《こけんかつきん》の浪士は、飄々乎《ひょうひょうこ》として辻を曲がってこなたへ歩いてくる。

その歌うのを聞けば、――

天地反覆《ハンプク》火殂《ヒソ》セント欲ス
大廈《タイカ》崩《クズ》レントシ一木扶《タス》ケガタシ
四海ニ賢《ケン》アリ明主ニ投ゼントス
聖主ハ賢《ケン》ヲ捜《サグ》ルモ却ッテ吾ヲ知ラズ

「……はてな？」

玄徳は何か自分の身を歌われているような気がした。そして、司馬徽《しばき》が云った、臥《が》龍《りよう》、鳳雛《ほうすう》の一人がもしやその浪士ではないかしらなどと思った。

彼は馬からおりて、浪士が側を通るのを待っていた。布衣草履《ほいぞうり》少しも身は飾っていないが、どこかに気概の凛たるものを備え、赭顔疎髯《しやがんそぜん》、まことに渋味のある人物だ。

「あいや、ご浪人」

玄徳は呼んで話しかけた。浪士は怪しんでじろじろ彼を視つめる。もの云えばさびのある声で、眼光はするどいが、底にたまらない情味をたたえていた。

「何ですか。——お呼びになったのは拙者のことで？」

「そうです。まことに唐突ですが、何ですか、あなたと私とは、路傍でこのまま相へだたってしまう間《あいだ》がらではないような気がしてなりません」

「ははあ……？」

「いかがでしょう。私と共に、城中へお越し下さるまいか。一献《いっこん》酌みわけて、さびのあるあなたの吟嘯《ぎんしょう》を、清夜、さらに心腸を澄まして伺いたいと思うが」

「ははは、拙者の駄吟などは、お耳を汚すには足りません。けれど路傍の人でない気がすると仰っしゃったお言葉に感謝する。——お伴《とも》しましょう」

浪士は気軽であった。

城中へ来てみると、小城ながら新野の城主と分って、気軽な彼もやや意外な顔をしていたが、玄徳は上賓の礼をもって、これを迎え、酒をすすめながら、さて名をたずねた。

「拙者は、潁上《えいじょう》（安徽省《あんきしょう》・潁上）の単福《たんふく》と申し、いささか道を問い、兵法を学び、諸国を遊歴している一介の浪人にすぎません」

単福は、それ以上、素姓も語らず、たちまち話題を一転して、こう求めた。

「さいぜん、あなたの乗っていた馬をもう一度、庭上へ曳きだして、拙者に見せて下さいませんか」

「おやすいことです」

玄徳は、直ちに、馬を庭上へひかせた。単福は、つぶさに馬相を眺めて、

「これは千里の駿足ですが、かならず主《あるじ》に祟《たた》りをなす駒です。よく今まで何事もありませんでしたな」

「されば、人からも、たびたび同じ注意をうけましたが、祟りどころか、先頃、檀渓の難をのがれ、九死に一生を得たのはまったくこの馬の力でした」

「それは、主を救うたともいえましょうが、馬が馬自身を救ったのだともいえましょう。ですから祟りは祟りとして、一度はきっと、飼主に禍いします。――が、その禍いを未然にのぞく方法も決してないではありません」

「そういう方法があるならば、是非、お教えを仰ぎたいが」

「お伝えいたそう。その方法とは、すなわちかの馬を、しばらくの間近習の士に貸しておくのです。そしてその者が祟りをうけて後、君の手に取り戻してご乗用あれば、まずもって心配はありません」

聞くと、玄徳は急に、不愉快な色を面にあらわして、家臣を呼び、

「湯を点《てん》ぜよ」

と、素っ気なくいいつけた。

湯を点ぜよ――ということは、ちょうど、酒客に対して茶を出せとか、飯にしろとか、主人が給仕の家族へ促すのと同じことである。つまり主人から酒の座を片づける意味を表示したことになる。

「お待ちなさい。わざわざ拙者を呼び迎えながら、湯を点ぜよとは、何事であるか、何

で急に客を追い立て給うか」

単福としてはなお、面白くないに違いない。杯を下において、こう開き直った。

三

――すると玄徳も、容《かたち》をあらためて単福《たんふく》へ云った。

「君を伴《ともな》って、ここへ客として迎えたのは、君を志操の高い人と見たからであった。しかるに今、汝の言を聞けば、仁義を教えず、かえって、不仁の佞智《ねいち》をわれにささやく。玄徳はそういう客へ礼遇はできない。早く立ち帰ったがよかろう」

「ははは、なるほど、劉玄徳は、うわさに違わぬ仁君だ……」と、単福はさも愉快そうに手を打って、

「お怒りあるな。実はわざと心にもない一言を呈して、あなたの心を試してみたまでです。どうか水に流して下さい」

「いや、それなら歓ばしい限りです。願わくは、真実の言を惜しまれず、玄徳のために、仁政を論じ、善き経綸をお聞かせたまわりたい」

「拙者が潁上《えいじょう》からこの地方へ遊歴してくる途中、百姓のうたうのを聞けば――新野《シンヤ》ノ牧《ボク》劉皇叔《リュウコウシュク》、ココニ到リテヨリ地ニ枯田《コデン》ナク天ニ暗日《アンジツ》ナシ――といっていました。故に、ひそかにお名を心に銘じ、あなたの徳を慕っていた拙者です。もし菲才《ひさい》をお用いくださるなら何で労を惜しみましょう」

「かたじけない。人生の長い歳月のうちでも、賢に会う一日は最大の吉日とかいう。今日は何という幸いな日だろう」

玄徳の歓びようといったらなかった。彼は今、新野にあるとはいえ、その兵力その軍備は、依然、徐州の小沛《しょうはい》にいた当時とすこしも変りない貧弱さであった。けれどその弱小も貧しさも嘆きはしなかった。ただ、絶えず心に求めてやまなかったものは「物」でなく、「人物」であった。司馬徽《しばき》に会ってからは、なおさら、その念を強うし、明けても暮れても、人材を求めていたことは、その日の彼の歓び方をもっても察することができる。

そうした玄徳であるから、

（この人物こそ）と見込むと、実に思いきった登用をした。すなわち単福をもって、一躍軍師に挙げ、これに指揮鞭《べん》を授けて、

（わが兵馬は、足下に預ける。足下の思うまま調練し給え）と、一任した。

そして黙って見ていると、単福は練兵調馬の指揮にあたるや、さながら自分の手足を動かすように自在で、しかも精神的にこれを鍛錬し、科学的に装備してゆくので、新野の軍隊は小勢ながら目立って良くなってきた。

この日頃――曹操《そうそう》はもう北征の業をひとまず終って、都へ帰っていたが、ひそかに次の備えとして、荊州《けいしゅう》方面をうかがっていた。

その瀬ぶみとして、一族の曹仁《そうじん》を大将とし、李典《りてん》、呂曠《りょこう》、呂翔《りょしょう》の三将をそえて、樊城《はんじょう》

へ進出を試み、——そこを拠点として、襄陽《じょうよう》、荊州地方へ、ぼつぼつ越境行為を敢てやらせていた。

「いま、新野に玄徳がいて、だいぶ兵馬を練っています。後日、強大にならない限りもないし、荊州へ攻め入るには、いずれにしても足手まとい。まず先に、新野を叩きつぶしておくのは無駄ではありますまい」

呂曠、呂翔が献策した。

曹仁は二人の希望にまかせて、兵五千を貸し与えた。呂軍はたちまち境を侵して、新野の領へ殺到した。

「単福、何とすべきか？」

玄徳は、軍師たる彼に計った。とうてい、まだ他と戦って勝てるほどな軍備はできていなかった。

「お案じ召さるな。弱小とはいえお味方をのこらず寄せれば、二千人はあります。敵は五千と聞きますから、手ごろな演習になりましょう」

実戦に立って、単福が軍配をとったのは、この合戦が初めてであった。

関羽、張飛、趙雲なども、よく力戦奮闘したが、単福の指揮こそ、まことに鮮やかなものだった。

敵を誘い、敵を分離させ、また個々に敵団を剿滅《そうめつ》して、はじめ五千といわれた越境軍も、やがて樊城《はんじょう》へ逃げ帰ったのは僅々二千にも足らなかったという。何しても、単福の用兵には、確乎《かっこ》たる学問から成る「法」があった。決して偶然な天佑や奇勝でないことは、誰にも認められたところであった。

軍師《ぐんし》の鞭《むち》

一

樊城《はんじょう》へ逃げ帰った残兵は、口々に敗戦の始末を訴えた。しかも呂曠《りょこう》、呂翔《りょしょう》の二大将は、いくら待っても城へ帰ってこなかった。

するとと程経てから、

「二大将は、残りの敗軍をひきいて帰る途中、山間の狭道に待ち伏せていた燕人《えんじん》張飛と名乗る者や、雲長関羽と呼ばわる敵に捕捉されて、各〻、斬って捨てられ、そのほかの者もみなごろしになりました」との実相《じっそう》がようやく聞えてきた。

曹仁は、大いに怒って、小癪《こしゃく》なる玄徳が輩、ただちに新野へ押し寄せて、部下の怨みをそそぎ、眼にもの見せてくれんといきり立ったが、その出兵に当って、李典にはかると、李典は断じて反対を称えた。

「新野は小城であるし彼の軍隊は少数なので、つい敵をあなどったため、呂曠、呂翔も惨敗をうけたものです。――何でまた、貴殿まで同じ轍《てつ》を踏もうとなさるか」

「李典。ご辺はそれがしもまた、彼らに敗北するものと思っておるのか」

「玄徳は尋常《よのつね》の人物ではない。軽々しく見ては間違いでござる」

「必勝の信念なくしては戦に勝てぬ。ご辺は戦わぬうちから臆病風に吹かれておるな」

「敵を知る者は勝つ。怖るべき敵を怖るるは決して怯気《きょうき》ではない。よろしく、都へ人を上せて、曹丞相《そうじょうしょう》より精猛の大軍を乞い、充分戦法を練って攻めかかるべきであろう」

「鶏を割《さ》くに牛刀を用いんや。そんな使いを出したら、汝らは藁人形かと、丞相からお嗤《わら》いをうけるだろう」

「強《た》って、進撃あるなら、貴殿は貴殿の考えで進まれるがよい。李典にはそんな盲戦はできぬ。城に残って、留守をかためていよう」

「さては、二心を抱いたな」

「なに、それがしに二心あると？」

李典は、勃然《ぼつぜん》といったが、曹仁にそう疑われてみると、あとに残っているわけにも行かなかった。

やむなく、彼も参加して、総勢二万五千――先の呂曠、呂翔の勢より五倍する兵力をもって、樊城を発した。

まず白河に兵船をそろえ、糧食軍馬をおびただしく積みこんだ。檣頭《しょうとう》船尾には幡旗《はんき》林立して、千櫓いっせいに河流を切りながら、堂々、新野《しんや》へ向って下江してきた。

戦勝の祝杯をあげているいとまもなく、危急を告げる早馬はひんぴん新野の陣門をたたいた。

軍師単福《たんふく》は立ちさわぐ人々を制して、静かに玄徳に会っていった。

「これはむしろ、待っていたものが自ら来たようなもので、あわてるには及びません。曹仁自身、二万五千余騎をひきいて、寄するとあれば、必定、樊城はがら空《て》きでしょう。たとえ白河をへだてた地勢に不利はあろうとも、それを取るのは、掌のうちにあります」

「この弱小な兵力をもって、新野を守るのすら疑われるのに、どうして樊城など攻め取れようか」

「戦略の妙諦《みょうてい》、用兵のおもしろさ、勝ち難きを勝ち、成らざるを成す、すべてこういう場合にあります。人間生涯の貧苦、逆境、不時の難に当っても、道理は同じものでしょう。かならず克服し、かならず勝つと、まず信念なさい。暴策を用いて自滅を急ぐのとは、その信念はちがうものです」

悠々たる単福の態度である。その後で彼は何やら玄徳に一策をささやいた。玄徳の眉は明るくなった。

新野をへだたるわずか十里の地点まで、曹仁、李典の兵は押してきた。これ、わが待つところの象《かたち》――と、単福は初めて味方をあやつり、進め、城を出て対陣した。

先鋒の李典と、先鋒の趙雲のあいだにまず戦いの口火は切られた。両軍の戦死傷はたちまち数百、戦いはまず互角と見られたがそのうち趙雲自身深く敵中へはいって李典を見つけ、これを追って、さんざんに馳け立てたため、李典の陣形は潰乱《かいらん》を来し、曹仁の中軍まで皆なだれこんで来た。

曹仁は、赫怒《かくど》して、

「李典には戦意がないのだ。首を刎ねて陣門に梟《か》け、士気をあらためねばならん」

と、左右へ罵ったが、諸人になだめられてようやくゆるした。

二

曹仁は次の日、根本的に陣形を改めてしまった。自身は中軍にあって、旗列を八荒《こう》に布《し》き、李典の軍勢は、これを後陣において、

「いざ、来い」と、いわぬばかり気負い立って見えた。

新野軍の単福は、その日、玄徳を丘の上に導き、軍師鞭《ぐんしべん》をもって指しながら、

「ご覧あれ、あの物々しさを。わが君には、今日、敵が布《し》いた陣形を、何の備えというか、ご存じですか」

「いや、知らぬ」

「八門金鎖《きんさ》の陣です。——なかなか手ぎわよく布陣してありますが、惜しむらくは、中軍の主持《しゅじ》に欠けているところがある」

「八門とは」

「名づけて休《きゅう》、生《せい》、傷《しょう》、杜《と》、景《けい》、死《し》、驚《きょう》、開《かい》の八部をいい、生門、景門、開門から入るときは吉なれど、傷、休、驚の三門を知らずして入るときは、かならず傷害をこうむり、杜門、死門を侵すときは、かならず滅亡すといわれています。――いま諸部の陣相を観るに、各〻よく兵路を綾なし、ほとんど完備していますが、ただ中軍に重鎮の気なく、曹仁ひとりあって李典は後陣にひかえている象《かたち》――ここそ乗ずべき虚でありますす」

「――が、その中軍の陣を乱すには」

「生門より突入して、西の景門へ出るときは全陣糸を抜かれてほころぶごとく乱れるに相違ありません」

理論を明かし、実際を示し、単福が用兵の妙を説くこと、実につまびらかであった。

「御身の一言は、百万騎の加勢に値する」

と玄徳は非常な信念を与えられて直ちに趙雲をまねき、授けるに手兵五百騎をもって し、

「東南《たつみ》の一角から突撃して、西へ西へと敵を馳けちらし、また、東南へ返せ」

と命じた。

蹄雲《ていうん》一陣、金鼓、喊声《かんせい》をつつんで、たちまち敵の八陣の一部生門へ喚きかかった。いうまでもなく趙雲子龍を先頭とする五百騎であった。

同時に、玄徳の本軍も遠くから潮のような諸声や鉦鼓《しょうこ》の音をあげて威勢を助けていた。

全陣の真只中を趙雲の五百騎に突破されて、曹仁の備えは、たちまち混乱を来した。崩れ立つ足なみは中軍にまで波及し、曹仁自身、陣地を移すほどなあわて方だったが、趙雲は、鉄騎を引いて、その側をすれすれに馳け抜けながら敢て大将曹仁を追わなかった。

西の景門まで、驀走《ばくそう》をつづけ、さえぎる敵を蹴ちらすと、またすぐ、

「元の東南《たつみ》へ向って返れ」と、蹂躙《じゅうりん》また蹂躙をほしいままにしながら、元の方向へ逆突破を敢行した。

八門金鎖の陣もほとんど何の役にも立たなかった。ために、総崩れとなって陣形も何も失った時、

「今です」と、単福は玄徳に向って、総がかりの令をうながした。待ちかまえていた新野軍は、小勢ながら機をつかんだ。よく善戦敵の大兵を屠《ほふ》り、存分に勝軍《かちいくさ》の快を満喫した。

醜態なのは、曹仁である。莫大な損傷をうけて、李典にすこしも合わせる顔もない立場だったが、なお、瘦意地《やせいじ》を張って、

「よし、今度は夜討ちをかけて、度々の恥辱をそそいでみせる」と、豪語をやめなかった。

李典は、苦笑をゆがめて、

「無用無用。八門金鎖の陣さえ、見事それと観破して、破る法を知っている敵ですぞ。玄徳の帷幕《いばく》には、かならず有能の士がいて、軍配をとっているにちがいない。何でそんな常套手段に乗りましょうや」

忠言すると、曹仁はいよいよ意地になって、

「ご辺のように、そういちいち物怯《ものお》じしたり疑いにとらわれるくらいなら、初めから軍《いくさ》はしないに限る。ご辺も武将の職をやめたらどうだ」と、痛烈に皮肉った。

三

彼の揶揄《やゆ》に、李典は一言、

「自分がおそれるのは、敵が背後へまわって、樊城《はんじょう》の留守を衝くことだ。ただ、それだけだ」

と、あとは口を緘《かん》して、何もいわなかった。

曹仁は、その晩、夜襲を敢行した。けれど、李典の予察にたがわず、敵には備えがあった。

敵の陣営深く、討ち入ったかと思うと、帰途は断たれ、四面は炎の墻《かき》になっていた。まんまと、自らすすんで火殺《かさつ》の罠《わな》に陥ちたのである。

さんざんに討ち破られて、北河の岸まで逃げてくると忽然、河濤《かとう》は岸をうち、蘆荻《ろてき》は

上がった。

みな蕭々《しょうしょう》と死声を呼び、曹仁の前後、見るまに屍山血河《しざんけつが》と化した。

「燕人張飛、ここに待ちうけたり、ひとりも河を渡すな」と、伏勢の中で声がする。

曹仁は立往生して、すでに死にかかったが、李典に救われて、からくも向う岸に這い上がった。

そして樊城まで、一散に逃げてくると、城の門扉《もんぴ》を八文字に開いて、

「敗将曹仁、いざ入り給え。劉皇叔が弟臣、雲長関羽がお迎え申さん」

と、金鼓《きんこ》を打ち鳴らして、五百余騎の敵が、さっと駈けだしてきた。

「あっ？」

仰天した曹仁は、疲れた馬に鞭打ち、山にかくれ、河を泳ぎ、赤裸同様な姿で都へ逃げ上ったという。その醜態を時人《じじん》みな「見苦しかりける有様なり」とわらった。

三戦三勝の意気たかく、やがて玄徳以下、樊城へ入った。県令の劉泌《りゅうひつ》は出迎えた。

玄徳はまず民を安んじ、一日城内を巡視して劉泌の邸へ入った。

県令の劉泌は、もと長沙の人で玄徳とは、同じ劉姓であった。漢室の宗親《そうしん》、同宗《どうそう》の誼《よし》みという気もちから特に休息に立ち寄ったものである。

「こんな光栄はございません」

と、劉家の家族は、総出でもてなした。

酒宴の席に、劉泌《りゅうひつ》はひとりの美少年をつれていた。玄徳がふと見ると、人品尋常《よのつね》でなく、才華玉の如きものがある。で、劉泌にそっと訊ねてみた。

「お宅のご子息ですか」

「いえ、甥ですよ――」

と、劉泌はいささか自慢そうに語った。

「もと寇氏《こうし》の子で、寇封《こうほう》といいます。幼少から父母をうしなったので、わが子同様に養ってきたものです」

よほど寇封を見込んだものとみえて、玄徳はその席で、

「どうだろう、わしの養子にくれないか」と、云いだした。

劉泌は、非常な歓びかたで、

「願うてもない倖せです。どうかお連れ帰り下さい」

と、当人にも話した。寇封《こうほう》の歓びはいうまでもない。その場で、姓も劉《りゅう》に改め、すなわち劉封《りゅうほう》と改め、以後、玄徳を父として拝すことになった。

関羽と張飛は、ひそかに眼を見あわせていたが、後玄徳へ直言して、

「家兄《このかみ》には、実子の嫡男もおありなのに、なんで*螟蛉《めいれい》を養い、後日の禍いを強《し》いてお求めになるのですか。……どうもあなたにも似合わないことだ」と諫めた。

けれど父子の誓約は固めてしまったことだし、玄徳が劉封を可愛がることも非常なので、そのままに過ぎているうちに、

「樊城は守るに適さない」

という単福の説もあって、そこは趙雲の手勢にあずけ、玄徳はふたたび新野へかえった。

徐庶《じょしょ》とその母

一

河北の広大をあわせ、遼東《りょうとう》や遼西《りょうせい》からも貢《みつ》ぎせられ、王城の府許都《きょと》の街は、年々の殷《いん》賑《しん》に拍車をかけて、名実ともに今や中央の府たる偉観と規模の大を具備してきた。

いわゆる華《はな》の都である。人目高いその都門へ、赤裸同然な態《てい》たらくで逃げ帰ってきた曹仁《そうじん》といい、またわずかな残兵と共にのがれ帰った李典といい、不面目なことはおびただしい。

「呂曠《りょこう》、呂翔《りょしょう》の二将軍は帰らぬ」

「みな討死したそうだ」

「三万の兵馬が、いったい何騎帰ってきたか」

「あまりな惨敗ではないか」

「丞相のご威光を汚《けが》すもの」

「よろしくふたりの敗将を馘《くび》って街門に曝《さら》すべしだ」

などと都雀《みやこすずめ》は口やかましい。

ましてや丞相の激怒はどんなであろうと、人々はひそかに語らっていたが、やがて曹仁、李典のふたりが、相府の地に拝伏して、数度の合戦に打ち負けた報告をつぶさに耳《じ》達《たっ》する当日となると、曹操は聞き終ってから、一笑のもとにこういった。

「勝敗は兵家の常だ。——よろしい！」

それきり敗戦の責任については、なにも問わないし、咎めもしなかった。

ただ一つ、彼の腑《ふ》に落ちなかったことは、曹仁という戦巧者《いくさこうしゃ》な大将の画策をことごとく撃砕して、鮮やかにその裏をかいた敵の手並のいつにも似ない戦略ぶりにあった。

「こんどの戦には、始終玄徳を扶けてきた従来の帷幕《いばく》のほかに、何者か、新たに彼を助けて、計《はかりごと》を授けていたような形跡はなかったか」

彼の問いに曹仁が答えて、

「されば、ご名察のとおり、単福《たんふく》と申すものが、新野の軍師として、参加していたとやら聞き及びました」

「なに、単福？」

曹操は小首を傾けて、

「天下に智者は多いが、予はまだ、単福などという人間を聞いたことがない。汝らのうちで誰かそれを知る者はいるか」

扈従の群星を見まわして訊ねると、程昱《ていいく》がひとり呵々《かか》と笑いだした。

曹操は視線を彼に向けて、

「程昱。そちは知っておるのか」

「よく知っています」

「いかなる縁故で」

「すなわち潁上《えいじょう》の産ですから」

「その為人《ひととなり》は？」

「義胆直心《ぎたんちょくしん》」

「学は？」

「六韜《りくとう》をそらんじ、よく経書を読んでいました」

「能《のう》は？」

「この人若年から好んで剣を使い、中平年間の末、人にたのまれて、その仇を討ち、ために詮議にあって、面《おもて》に炭の粉をぬり、わざと髪を振り乱し、狂者の真似して町を奔《はし》っていましたが、ついに奉行所の手に捕わるるも、名を答えず、ために、車の上に縛られて、市に引きだされ――知る者はなきか――と曝《さら》し廻るも、みな彼の義心をあわれんで、一人として奉行に訴える者がなかったといわれております」

「うむ、うむ……」

曹操は、聞き入った。非常な興味をもったらしく、程昱のくちもとを見つめていた。

「――しかもまた、日ごろ交わる彼の朋友たちは、一夜、結束して獄中から彼を助けだして、縄をといて、遠くへ逃がしてやったのです。これによって、以後苗字《みようじ》をあらため、一層志を磨き、疎巾単衣《そきんたんい》、ただ一剣を帯びて諸国をあるき、識者につき、先輩に学び、浪々幾年かのあげく、司馬徽《しばき》の門を叩き、司馬徽をめぐる風流研学の徒と交わっているものと聞きおよんでおりました。――その人は、すなわち潁上の産れ徐庶字《じよしよあざな》は元《げん》直《ちよく》――単福とは、世をしのぶ一時の変名にすぎません」

二

徐庶《じよしよ》の生い立ちを物語って、程昱のはなしは、まことにつまびらかであった。曹操は、それの終るのを待ちかねていたように、すぐ畳みかけて質問した。

「では、単福というのは、徐庶の仮名《けみよう》であったか」

「そうです、潁上の徐庶といえば、知る人も多いでしょうが、単福では、知る者もありますまい」

「聞けば聞くほど、ゆかしいもの。士道――借問《しやもん》するが、程昱、そちの才智と徐庶とを比較したら、どういえるか」

「到底、それがしの如きは、徐庶の足もとにも及びません」

「謙遜ではないのか」

「徐庶の人物、才識、その修業を十のものとして、たとえるならば、それがしの天稟《てんぴん》はその二ぐらいにしか当りますまい」

「ウーム。そちがそれほどまで称《たた》えるところを見れば、よほどな人物に違いない。曹仁、李典が敗れて帰ってきたのはむしろ道理である。……ああ」と、曹操は嘆声を発して、「惜しい哉、惜しい哉、そういう人物を今日まで知らず、玄徳の帷幕に抱えられてしまったことは。かならずや、後に大功を立てるであろう」

「丞相。そのご嘆声はまだ早いかと存ぜられます」

「なぜか」

「徐庶が玄徳に随身したのは、ごく最近のことと思われますから」

「それにしても、すでに軍師の任をうけたとあれば」

「かれが、玄徳のために大功をあらわさぬうちに、その意《こころ》を一転させることは、さして、至難ではありません」

「ほ。その理由《わけ》は？」

「徐庶は、幼少のとき、早く父をうしない、ひとりの老母しかおりません。その老母は、彼の弟徐康《じょこう》の家におりましたが、その弟も、近ごろ夭折《わかじに》したので、朝夕親しく老母に孝養する者がいないわけです。――ところが徐庶その人は、幼少より親孝行で評判だったくらいですから、彼の胸中は、今、旦暮《たんぼ》、老母を想うの情がいっぱいだろうと推察されます」

「なるほど――」

「故にいま、人をつかわして、ねんごろに老母をこれへ呼びよせ、丞相より親しくおさとしあって、老母をして子の徐庶を迎えさせるようになすったら、孝子徐庶は、夜を日についで都へ駈けて参るでしょう」

「むむ。いかにも、おもしろい考えだ。さっそく、老母へ書簡をつかわしてみよう」

日を経て、徐庶の母は、都へ迎えとられて来た。使者の鄭重、府門の案内、下へも置かない扱いである。

けれど、見たところ、それは平凡な田舎の一老婆でしかない。まことに質朴そのものの姿である。幾人もの子を生んだ小柄な体は、腰が曲りかけているため、よけい小さく見える。人に馴れない山鳩のような眼をして、おどおどと、貴賓閣に上がり、あまりに豪壮絢爛《ごうそうけんらん》な四壁の中におかれて、すこし頭痛でも覚えてきたように迷惑顔をしていた。

やがてのこと、曹操は群臣を従えて、これへ現れたが、老母を見ると、まるでわが母を拝するようにねぎらって、

「ときに、おっ母さん、あなたの子、徐元直《じょげんちょく》はいま、単福と変名して、新野の劉玄徳に仕えておるそうですな。どうしてあんな一定の領地も持たない漂泊《ひょうはく》の賊党などに組しておるのですか。――可惜《あたら》、天下の奇才を抱きながら」

と、ことばもわざと俗に嚙みくだいて、やんわりと問いかけた。

三

老母は、答を知らない。相かわらず、山鳩のような小さい眼を、しょぼしょぼさせ

て、曹操の顔を仰いでいるだけだった。

無理もない——

曹操は、充分に察しながら、なおもやさしく、こういった。

「のう、そうではないか、徐庶ほどな人物が、何を好んで、玄徳などに仕えたものか。まさか、おっ母さんの同意ではあるまいが。——しかも玄徳は、やがて征伐される運命にある逆臣ですぞ」

「…………」

「もし、あなたまでが同意で奉公に出したなら、それは掌中の珠をわざわざ泥のうちへ落したようなものだ」

「…………」

「どうじゃな、おっ母さん。あんたから徐庶へ手紙を一通書かれたら？……。わしは深くあなたの子の天質を惜しんでおる。もしあなたが我が子をこれへ招きよせて、よき大将にしたいというなら、この曹操から、天子へ奏聞《そうもん》いたして、かならず栄職を授け、またこの都の内に、宏壮な庭園や美しい邸宅に、多くの召使いをつけて住まわせるが……」

すると、——老母は初めて唇《くち》をひらいた。何かいおうとするらしい容子に、曹操はすぐ唇をとじて、いたわるようにその面を見まもった。

「丞相さま。この媼《おうな》は、ごらんの通りな田舎者、世のことは、何もわきまえませぬが、ただ劉玄徳というお方のうわさは、木《き》を伐る山樵《やまがつ》でも、田に牛を追う爺でも、よう口にして申しておりまするが」

「ほ。……何というているか」

「劉皇叔《りゅうこうしゅく》こそ、民のために生れ出て下された当世の英雄じゃ、まことの仁君じゃと」

「ははは」――曹操はわざと高く笑って、

「田野《でんや》の黄童《こうどう》や白叟《はくそう》が何を知ろうぞ。あれは沛郡《はいぐん》の匹夫《ひっぷ》に生れ、若くして沓《くつ》を売り、莚《むしろ》を織り、たまたま、乱に乗じては無頼者《あぶれもの》をあつめて無名の旗をかざし、うわべは君子の如く装って内に悪逆を企《たくら》む不逞《ふてい》な人物。地方民をだましては、地方民を苦しめて歩く流賊の類《たぐい》にすぎん」

「……はてのう。媼が聞いている世評とは、たいそう違いすぎまする。劉玄徳さまこそ、漢の景帝が玄孫におわし、堯舜《*ぎょうしゅん》の風を学び、禹湯《うとう》の徳を抱くお方。身を屈して貴をまねき、己を粗にして人を貴ぶ。……そうたたえぬものはありませぬがの」

「みな玄徳の詐術《さじゅつ》というもの。彼ほど巧みな偽《ぎ》君子はない。そんな者にあざむかれて、万代に悪名を残さんよりは、今もいうた通り、徐庶へ手紙を書いたがよかろう。のう老母、ひと筆書け」

「さあ？……それは」

「何を迷う。わが子のため、また、そなた自身の老後のために。……筆、硯《すずり》もそこにある。ちょっと認《したた》めたがいい」

「いえ。いえ」

老母は、にわかにきつくかぶりを振った。

「わが子のためじゃ。——たといここに生命《いのち》を落そうと、母たるこの媼は、決して筆はとりませぬ」

「なに。嫌じゃと」

「いかに草家の媼とて、順逆の道ぐらいは知っておりまする。漢の逆臣とは、すなわち、丞相さま、あなた自身ではないか。——何でわが子を、盟主から去らせて、暗きに向わせられようか」

「うむ、婆！　この曹操を逆臣というたな」

「云いました。たとい痩《やせ》浪人の母として、世を細々としのごうとも、お許のごとき悪逆の手先にわが子を仕えさすことはなりませぬ」

きっぱりと云いきった。そして、さっきから目の前に押しつけられていた筆を取るやいな、やにわに庭へ投げ捨ててしまった。当然曹操が激怒して、このくそ婆を斬れと、吼号して突っ立つと、とたんに、老母の手はまた硯《すずり》をつかんで、はっしと、曹操にそれを投げつけた。

四

「斬れっ、婆の細首をねじ切って取り捨てろっ」

曹操の呶号に、武士たちは、どっと寄って、老母の両手を高く拉《らっ》した。

老母は自若《じじゃく》としてさわがない。曹操はいよいよ業《ごう》を煮やして、自ら剣を握った。

「丞相、大人げないではありませんか」

程昱《ていいく》は、間に立って、なだめた。

彼はいう。

「ごらんなさい。この老母の自若たる態を。――老母が丞相をののしったのは、自分から死を求めている証拠です。丞相のお手にかかって殺されたら、子の徐庶は、母の敵と、いよいよ心を磨いて、玄徳に仕えましょうし、丞相は、かよわき老母を殺せりと、世上の同情を失われましょう。――そこに老母は自分の一命を価値づけ、ここで死ぬこそ願いなれと、心のうちでホホ笑んでいるにちがいありません」

「ううム、そうか。――しからばこの婆をどう処分するか」

「大切に養っておくに限ります。――さすれば徐庶も、身は玄徳に寄せていても、心は老母の所にあって、思うまま丞相に敵対はなりますまい」

「程昱、よいように計らえ」

「承知しました。老母の身は、私が大切に預かりましょう。……なお一策がありますが、それはまた後で」

彼は自分の邸へ、徐庶の母をつれて帰った。

「むかし同門の頃、徐庶と私とは兄弟のようにしていたものです。偶然あなたを家に迎えて、何だか自分の母が還ってきたような気がします」

程昱は、そういって朝夕の世話も実の母に仕えるようだった。

けれど、徐庶の母は、贅美《ぜいび》をきらい、家族にも遠慮がちに見えるので、別に近くの閑静な一屋へ移して、安らかに住まわせた。

そして折々に珍しい食物とか衣服など持たせてやるので、徐庶の母も、程昱《ていいく》の親切にほだされて、たびたび、礼の文など返してきた。

程昱は、その手紙を丹念に保存して、老母の筆ぐせを手習いしていた。そしてひそかに主君曹操としめし合い、ついに巧妙なる老母の偽《にせ》手紙を作った。いうまでもなく、新野にある老母の子徐庶へ宛てて認めた文章である。

単福《たんふく》――実は徐元直《じょげんちょく》はその後、新野にあって、士大夫*らしい質朴な一邸を構え、召使いなども至って少なく、閑居の日は、もっぱら読書などに親しんで暮していた。

すると或る日の夕べ、門辺を叩く男がある。母の使いと、耳に聞えたので、徐庶は自身走り出て、

「母上に、何ぞ、お変りでもあったのか」と、訊ねると、使いの男は、

「お文にて候や」と、すぐ一通の手紙を出して徐庶の手にわたし、

「てまえは他家の下僕《しもべ》ですから、何事も存じません」と、立ち去ってしまった。

自分の居間にもどるやいな、徐庶は燈火《ともしび》をかきたてて、母の文をひらいた。孝心のあつい彼は母の筆を見るともう母のすがたを見る心地がして、眼には涙が溜ってくる――

庶《しょ》よ、庶よ。つつがないか。わが身も無事ではいるが、弟の康は亡くなってしもうたし、孤独の侘しさといってはない。そこへまた、曹丞相の命で、わが身は許都へさし立てられた。子が逆臣に与《くみ》したという科《とが》で、母にも*縲紲《るいせつ》の責めが降りかかった。が、幸いにも程昱の情けに扶けられ安楽にはしているが、どうぞ、そなたも一日も早く母の側に来てたもれ。母に顔を見せて下され――

ここまで読むと徐庶は、潸然《さんぜん》と流涕《りゅうてい》して燭も滅《めっ》すばかり独り泣いた。

立つ鳥の声

一

次の日の朝まだき。

徐庶は小鳥の声とともに邸を出ていた。ゆうべは夜もすがら寝もやらずに明かしたらしい瞼《まぶた》である。今朝、新野の城門を通った者では、彼が一番早かった。

「単福ではないか。いつにない早い出仕。何事が起ったのか」

玄徳は、彼をみて、その冴《さ》えない顔色に、まず、憂いをともにした。

徐庶は、面を沈めたまま、黙拝また黙拝して、ようやく眉をあげた。

「ご主君。あらためて、今日、お詫びしなければならないことがございます」

「どうしたのか」

「実は、単福と申す名は、故郷の難をのがれてきたときの仮名《かりな》です。まこと私は、潁上《えいじょう》の生れ徐庶《じょしょ》、字《あざな》を元直《げんちょく》と申すものです。初め、荆州《けいしゅう》の劉表は当代の賢者なりと聞いて、仕官に赴きましたが、ともに道を論じても、実際の政治を見ても、無用の凡君なりと知りました。で、一書をのこして、同地を去り、悶々《もんもん》、司馬徽《しばき》が山荘に行って、事の次第を語りましたところ、水鏡《すいきょう》先生には、拙者を叱って、――汝、眼をそなえながら、人を見るに何たる不明ぞや。いま新野に劉予州あり、行いて予州に仕えよ――とのおことばでした」

「…………」

玄徳は心のうちで、さてはと、過ぐる夜の水鏡山荘を思いうかべ、その折、主と奥で語っていた深夜の客をも思い合わせていた。

「――で、拙者は、狂喜しました。さっそく新野に行きましたが、なんの手づるとてない素浪人、折もあれば、拝姿の機会あるべしと、日々、戯歌《ぎか》をうたって、町をさまよておりました。そのうちに、念願が届いて、ついにわが君に随身の機縁を得、なお素姓も定かならぬそれがしを、深くお信じ下されて、軍師の鞭《べん》を賜わるなど、過分なご恩は忘れんとしても忘れることはできません。――*士は己を知る者の為に死す、以来、心ひそかに誓っていた心は、それ以外にないのでした」

「………」

「ところが。……これ、ご覧下さりませ」と、徐庶は母の文を取りだして、玄徳に示しながら、

「かくの如く、昨夜、老母より手紙が参りました。愚痴には似たれど、この老母ほど、世に薄命なものはございません。良人には早く別れ、やさしき子には先立たれ、いまは拙者ひとりを、杖とも力ともしておるのでした。しかるに、この文面によれば、許都《きょと》に囚《とら》われて、明け暮れ悲嘆にくれておるらしゅうございます。元来、自分は幼年から武芸が好きで、郷里におれば郷党と喧嘩ばかりし、罪を得ては流浪するなど、母親に心配ばかりかけてきました。――それ故つねに心のうちでは、不孝を詫びておりまする。母を思うといても立ってもいられないのです。……実に実に……申し上げにくい儀にはござりますが、どうぞ拙者に、しばらくのお暇をおつかわし下さい。許都へ行って母をなぐさめたいのです。母に老後の安心を与え、母の行く末を見終りましたら、かならず再び帰ってきます。――わが君さえ棄て給わずば、きっと帰参いたしますゆえ、それまでのお暇をいただきたいのでございまする」

「ああ、よいとも……」

玄徳は快く承諾した。彼ももらい泣きして、眼には涙をいっぱいたたえていた。

玄徳にもかつては母があった。世の母を思うとき、今は亡きわが母を憶わずにいられ

ない。

「なんで御身の孝養を止めよう。母います日こそ尊い。くれぐれ恩愛の道にそむき給うな」

終日、ふたりは尽きぬ名残を語り暮していた。

夜に入っては、幕将すべてを集めて、彼のために餞行《せんこう》の宴《えん》を盛んにした。餞行の宴――つまり送別会である。

二

一杯また一杯、別れを惜しんで、宴は夜半に及んだ。

けれど徐庶は、酔わない。

時折、杯をわすれて、こう嘆じた。

「ひとりの母が、許都に囚われたと知ってからは、粟《あわ》にも粟の味わいなく、酒にも酒の香りはありません。金波玉液《きんぱぎょくえき》も喉にむなしです。人間、恩愛の情には、つくづく弱いものだと思いました」

「いや、無理もない。まだ主従の日も浅いのに、いまご辺と別れるにのぞんで、この玄徳ですら、左右の手を失うような心地がする。龍肝《りゅうかん》、鳳髄《ほうずい》も舌に甘からずです……」

いつか、夜が白みかけた。

諸大将も、惜別《せきべつ》のことばを繰返しながら、最後の別杯をあげて、各〻、休息に退がった。

まどろむほどの間もないが、牀《しょう》に寄って、玄徳もひとり居眠っていると、孫乾《そんけん》がそっと訪ねて、

「わが君。どう考えても、徐庶を許都へやるのは、大きな不利です。あのような大才を、曹操の所へわざわざ送ってやるなど、愚の至りです。何とか彼をお引きとめになったら、如何ですか。今のうちなら、いかなる策も施せましょう」と、囁いた。

玄徳は、黙然としていた。

孫乾は、なお語を強めて、

「それのみならず、徐庶は、味方の兵数、内状、すべてに精通していますから、その智を得て、曹操の大軍が襲《よ》せてきたら、如何とも防ぎはつきますまい」

「…………」

「禍《か》を転じて、福となすには、徐庶をこの地に引きとどめ、益〻、防備を固めるにあります。必然、曹操は、徐庶に見切りをつけて、その母を殺すでしょう。しかる時には、徐庶にとって、曹操は母の仇となりますから、いよいよ敵意を励まして、彼を打ち敗ることに、生涯を賭けるにちがいありません」

「だまれ」

玄徳は、胸を正した。

「いけない。そんな不仁なことは自分にはできない。――思うてもみよ。人にその母を

殺させて、その子を、自分の利に用いるなど、君たるもののすることか。たとい、玄徳が、この一事のため、亡ぶ日を招くとも、そんな不義なことは断じてできぬ」

彼は、身支度して、早くも帳裡《ちょうり》から出て行った。馬をひけ、と侍臣へ命じる。小禽は朝晴を歌っていた。けれど玄徳の面は決して今朝の空のようではない。

関羽、張飛などが騎従した。玄徳は城外まで、徐庶の出発を見送るつもりらしい。

人々はその深情に感じもし、また徐庶の光栄をうらやみもした。

郊外の長亭まで来た。徐庶は恐縮のあまり、

「もう、どうぞここで」と、送行を辞した。

「では、ここで別れの中食をとろう」と、一亭のうちで、また別杯を酌んだ。

玄徳は、しみじみと、

「御身と別になっては、もう御身から明らかな道を訊くこともできなくなった。けれど、誰に仕えても、道に変りはない。どうか新しい主君にまみえても、よく忠節を尽されよ、よく孝行をして、士道の本分を完うされるように」と、繰返していった。

徐庶はなみだを流して、

「おことば有難う存じます。才浅く、智乏しい身をもって、君の重恩をこうむりながら、不幸、半途でお別れのやむなきに至り、慚愧《ざんき》にたえません。母を養うねがいは切々にありますが、曹操にまみえて、どう臣節を保てましょうか、自信は持ち得ません」

「自分も、ご辺という者を失っては、何か、大きな気落ちを、どうしようもない。いっ

そ、現世の望みを断って、山林にでも隠れたい気がする」

「かいなきことを仰せられますな、それがし如き菲才《ひさい》を捨てて、より良き賢士をお招きあれば、ご武運はさらに赫々《かっかく》たるものです」

「ご辺に優《まさ》る賢士など、おそらく当代には求められまい。絶対に、ないといえよう」

玄徳は沈痛な語気でいった。――それくらいなら何もこのように落胆はしないという風に。

三

亭の外にひかえていた関羽、張飛、趙雲などの諸将も、みな一面は多感の士である。涙を抑えてことごとくうつ向いていた。

徐庶は、亭上からその人々を顧みて、

「拙者の去った後は、諸公におかれても、今日以上、一倍結束して、互いに忠義を磨き、名を末代におのこしあるよう、許都の空より禱《いの》っておりますぞ」と、いった。

玄徳はついに嗚咽《おえつ》し、しばしは涙雨の如くだった。そしてなお、ここでも別れるに忍びないで、

「……もう四、五里ほど」と、ともに轡《くつわ》をならべて徐庶を送って行った。

「もう、この辺で……」

徐庶は、固辞したが、

「いや、もう少し送ろう。互いに天の一方にわかれては、またいつの日か会えよう」

と、思わず十里ほどきてしまった。

徐庶の馬もつい進まず、

「ご縁だにあれば、これも一時のお別れになりましょう。お体をお大事にして、徐庶が再び帰る日をお待ちあそばし下さい」と、なぐさめた。

かくてまた、いつか七、八里もきていた。城外をへだつことかなり遠い田舎である。

諸将は帰途を案じて、

「いくら行っても、お名残は尽きますまい。もはやここで」と、一同して馬を控えた。

玄徳は馬上から手をさしのべた。徐庶もまた手を伸ばした。かたく握りあって、ふたりの眸はしばし無言の熱涙を見交わしていた。

「……では、健《すこ》やかに」

「あなた様にも」

「おさらば」

しかも玄徳の手はなお、徐庶の手をかたく握っていてはなさなかった。

滂沱《ぼうだ》たる涙とともに、手もまたふるえ哭《な》くかのようだった。

「――おさらばです」

ついに、徐庶はもぎはなして、駒のたてがみに、面を沈めながら馳け去った。

諸将は、一斉に、手を振って、そのうしろ影へ、

「さらば」

「さらば――」

を告げながらどやどや、駒をかえし始めた。そして玄徳を包んで元の道へ忙がわしく引っ返した。

未練な玄徳は、なお時々、駒をたたずませて、徐庶の影を遠く振り向き、

「おお、あの林の陰にかくれ去った。徐庶の影をへだてる林の憎さよ。ままになるならあの林の木々をみな伐《き》り捨てたい！……」と、声を放って泣いた。

いかに君臣の情の切なる溢れにせよ、あまりな愚痴をと思ったか、諸将は声を励まして、

「いつまで、詮なきお嘆きを。――いざいざ疾《と》くお帰りあれ」と、促した。

そして六、七里ほど引っ返してきた頃である。後ろのほうから、

「おうーい。おういっ」と、呼ぶ声がする。

見れば、こはいかに、彼方から馬に鞭打って追いかけてくるのは、徐庶ではないか。

徐庶が帰ってきたではないか。

（さては彼も、別れ切るに忍びず、ついに志を変えて戻ってきたか）

人々は、直感して、どよめき迎えた。

すると徐庶は、そこへ近づいてくるやいな、玄徳の鞍わきへ寄って、早口にこう告げた。

「夜来、心みだれて麻のごとく、つい、大事な一言をお告げしておくことを忘れました。――彼方、襄陽《じょうよう》の街を西へへだつこと二十里、隆中《りゅうちゅう》という一村落があります。そこに一人の大賢人がいます。――君よ。いたずらなお嘆きをやめて、ぜひぜひこの人をお訪ねなさい。これこそ、徐庶がお別れの置き土産です」

云い終ると、徐庶はふたたび元の道へ、駒を急がせた。

四

隆中。

襄陽の西二十里の小村落。

そんな近いところに？

玄徳は、疑った。

茫然――つい茫然と聞き惑っていた。

そのまに、徐庶の姿はもう先へ遠ざかりかけていた。

玄徳は、はっと、われに返って、思わず手とともに大声をあげた。

「徐庶っ、徐庶っ。もうしばし待て。待ってくれい」

徐庶はまた、駒を返してきた。玄徳のほうからも馬をすすめて、

「隆中に、賢人ありとは、かつてまだ聞いていなかった。それは真実《ほんと》のことか」と、念を押した。

徐庶は答えて、

「その人は、極めて、名利に超越し、交わる人たちも、限られていますから、彼の賢を知るものは、ごく少数しかないわけです。――それに、君には、新野《しんや》の地にもまだ日浅く、周囲には荊州の武弁《ぶべん》、都県の俗吏しか近づいていませんから、ご存じないのは当然です」

「その人と、ご辺との縁故は」

「年来の道友です」

「経綸済世の才、ご辺みずから、その人と比しては？」

「拙者ごときの類ではありません。――それを今日の人物と比較することは困難で、古人に求めれば、周の＊太公望《たいこうぼう》、漢の張子房《ちょうしぼう》などなら、彼と比肩《ひけん》できるかもしれませぬ」

「ご辺と友人のあいだならば、願うてもないこと、旅途を一日のばして、玄徳のために、その人を新野へ伴《ともの》うてはくれまいか」

「いけません」

にべもなく、徐庶は、顔を横に振った。

「どうして、彼が、拙者の迎えぐらいで出て参るものですか。――君ご自身、彼の柴門《さいもん》をたたいて、親しくお召し遊ばさねばだめでしょう」

聞くとなお、玄徳は喜色をたたえて云った。

「ねがわくば、その人の名を聞こう。――徐庶、もっとつまびらかに語り給え」

「その人の生地は瑯琊《ろうや》陽都《ようと》（山東省《さんとうしょう》・泰山南方）と聞き及んでおります。漢の司隷校尉《しれいこうい》、諸葛豊《しょかつほう》が後胤《こういん》で、父を諸葛珪《しょかつけい》といい、泰山の郡丞《ぐんじょう》を勤めていたそうですが、早世されたので、叔父の諸葛玄《しょかつげん》にしたがって、兄弟らみなこの地方に移住し、後、一弟と共に、隆中に草廬《そうろ》をむすび、時に耕し、時に書をひらき、好んで梁父《りょうほ》の詩をよく吟じます。家のあるところ、一つの岡をなしているので里人これを臥龍岡《がりゅうこう》とよび、またその人をさして臥龍先生とも称しています。――すなわち、諸葛亮《しょかつりょう》字《あざな》は孔明《こうめい》。まず当代の大才といっては、拙者の知る限りにおいて、彼をおいては、ほかに人はありません」

「……ああ。いま思い出した」

玄徳は肚の底から長息を吐いて、さらにこう訊ねた。

「それで思い当ることがある。いつか司馬徽《しばき》の山荘に一夜を送った時、司馬徽のいうには、いま伏龍鳳雛《ふくりゅうほうすう》、二人のうちその一人を得れば、天下を定めるに足らんと。――で、自分が幾度か、その名を訊ねてみたが、ただ好々《よしよし》とばかり答えられて、明かされなかった。――もしや、諸葛孔明《しょかつこうめい》とはその人ではあるまいか」

「そうです。伏龍《ふくりゅう》、それがすなわち孔明のことです」

「では、鳳雛《ほうすう》とは、ご辺のことか」

「否！　否！」

徐庶はあわてて、手を振っていった。

「鳳雛とは襄陽の龐統《ほうとう》、字《あざな》を士元《しげん》という者のこと。われらごときの綽名《あだな》ではありません」

「それではじめて、伏龍、鳳雛の疑いも晴れた。ああ知らなかった！　現在、自分も共に住むこの山河や市村の間に、そんな大賢人が隠れていようとは」

「では、かならず孔明の廬《ろ》をお訪ねあそばすように」

徐庶は、最後の拝をして、一鞭《べん》、飛ぶが如く、許都の空へと馳け去った。

諸葛氏一家《しよかつしか》

一

孔明《こうめい》の家、諸葛氏《しよかつし》の子弟や一族は、のちに三国の蜀《しよく》、呉《ご》、魏《ぎ》――それぞれの国にわかれて、おのおの重要な地位をしめ、また時代の一方をうごかしている関係上、ここでまず諸葛家の人々と、孔明そのものの為人《ひととなり》を知っておくのも、決してむだではなかろうと思う。

が、何ぶんにも、千七百余年も前のことである。孔明の家系やその周囲については、正確にわからない点も多分にある。

ほぼ明瞭なのは、さきに徐庶《じよしよ》が玄徳へも告げているように、その祖先に、諸葛豊《しよかつほう》という人があったということ。

また、その諸葛豊は、前漢の元帝の頃、時の司隷校尉《しれいこうい》の役にあり、非常に剛直な性で、法律にしたがわない輩は、どんな特権階級でも、容赦《ようしや》しなかった警視総監らしい。

それを証するに足るこんなはなしがある。

元帝の外戚《がいせき》にあたる者で、許章《きよしよう》という寵臣《ちようしん》があった。これが国法の外の振舞いをしてしかたがない。諸葛豊は、その不法行為をにらんで、

「いつかは」と、法の威厳を示すべく誓っていたところ、或る折、またまた、国法をみだして、恬《てん》としてかえりみないような一事件があった。ちょうど許

「断じて、縛る」と、警視総監みずから、部下をひきつれて捕縛に向った。ちょうど許章は宮門から出てきたところだったが、豊総監のすがたを見て、あわてて禁門の中へかくれこんでしまった。

そして、彼は、天子の寵をたのみ、衰龍《こんりゆう》の袖にかくれて哀訴《あいそ》した。しかも、豊は国法の曲ぐべからざることを説いてゆるさなかったので、天子はかえって彼を憎み、彼の官職をとり上げて、城門の校尉という一警手に左遷《させん》してしまった。

それでも、彼はなお、しばしば怪しからぬ大官の罪をただして仮借《かしやく》しなかったため、ついにそういう大官連から排撃されて、やがて免職をいい渡され、ぜひなく郷土に老骨をさげて、一庶民に帰してしまった人だとある。

その祖先の帰郷した地が、瑯琊《ろうや》であったかどうか明瞭でないが——孔明の父、諸葛珪《しよかつけい》

のいた頃は、正しく今の山東省――瑯琊郡の諸城県から陽都（沂水の南）に移って一家をかためていた。

諸葛という姓は初めは「葛《かつ》」という一字姓だったかも知れない。諸国を通じての漢人中にも、二字姓は至ってまれである。

もとは単に「葛氏」であったが、諸城県から陽都へ家を移した時、陽都の城中にはばかる同姓の家がらがあったので、前の住地の諸城県の諸をかぶせ、以来「諸葛」という二字姓に改めたという説などもある。

孔明の父珪《けい》は、泰山の郡丞をつとめ、叔父の玄《げん》は、予章《よしよう》の太守であった。まずその頃も、家庭は相当に良かったといっていい。

兄妹《きようだい》は四人あった。

三人は男で、ひとりは女子である。孔明はその男のうちの二番目――次男であった。

兄の瑾《きん》は、早くから洛陽の大学へ入って、遊学していた。

そのあいだに彼の生母はこの世を去った。父には後妻がきた。

ところが、その後妻をのこして、こんどは彼らの父の珪が死去したのである。孔明はまだ十四歳になるかならない頃であった。

「どうしよう？」

腹ちがいの子三人の幼い者を擁して、後妻の章氏《しようし》も途方にくれていた。

ところへ、大学をほぼ卒業した長男の瑾《きん》が、洛陽から帰ってきた。

そして洛陽の大乱を告げた。

「これから先、世の中はまだまだどんなに混乱するかわかりません。黄巾《こうきん》の乱は諸州の乱となり、とうとう洛陽まで火は移ってきました。この北支の天地も、やがて戦乱の巷でしょう。ひとまず南のほうへ逃げましょう。江東《こうとう》（揚子江流域《ようすこうりゆういき》、上海《シャンハイ》、南京《ナンキン》地方）の叔父さんを頼って行きましょう」

瑾は義母《はは》を励ました。

この長男も世の秀才型に似あわず至って謹直で、よく継母に仕えその孝養ぶりは、生みの母に仕えるのと少しも変りはないと、世間の褒められ者であった。

二

戦乱があれば、戦乱のない地方へ、洪水や飢饉があれば、災害のなかった地方へ——大陸の広さにまかせて、大陸の民は、流離漂泊《りゆうりひようはく》に馴れている。

「南へ行きましょう」と、諸葛氏の一家が、北支から避難したときも、黄巾の乱後の社会混乱が、どこまでつづくか見通しもつかなかった頃なので、

「南へ」

「南の国へ」と、北支や山東の農民は、水の低きへつくように、各〻、世帯道具や足弱を負って、江東地方（揚子江の下流域、南京、上海）へ逃散して行くものが大変な数にのぼっていた。

まだ十三、四歳でしかない孔明の眼にも、このあわれな流離の群れ、飢民の群れの生活が、ふかく少年の清純なたましいに、

（――あわれな人々）として烙《や》きついていたにちがいない。

（どうして、人間の群れは、こんなにみじめなのか。苦しむために生れたのか。……もっと、生を楽しめないのか）

そんなことも考えたであろう。

いや、もう十三、四歳といえば、史書、経書も読んでいたであろうから、

（こんなはずではない。この世の中のうえに、ひとりの偉人が出れば、この無数の民は、こんなおどおどした眼や、痩せこけた顔を持たないでもいいのだ。――天に日月があるように、人の中にも日月がなければならないのに、そういう大きな人があらわれないから、小人同士が、人間の悪い性質ばかり出しあって、世の中を混乱させているのだ。――かわいそうなのは、何も知らないで果てなく大陸をうろうろしている何億という百姓だ）

と、いう程度の考えは、もう少年孔明の胸に、人知れず醱酵《はっこう》していたにちがいない。

なぜならば、彼の一家も、大学を卒業したばかりの兄の瑾《きん》ひとりを杖とも柱とも頼み、家財道具と継母とを車に乗せて、孔明の弟の均《きん》や妹たちを励ましながら――わずかな奴僕《ぬぼく》らに守られつつ、それらの飢民の群れにまじって、毎日毎日曠野や河ばかりの果てなき旅をつづけている境遇にあったからである。

旅は苦しい。つらい。

いやしばしば生命《いのち》の危険すらあった。また大自然の暴威——大陸の砂塵や豪雨や炎熱にも虐《しいた》げられ、野獣、毒虫の恐怖にも襲われた。

二十歳《はたち》だいの長男。まだ十三、四歳の孔明。その下の弟妹たちは、このあいだにこそ、たしかに大きな「生きぬく力」を学んだにちがいない。

それは、流離の土民の子も、同じように通ってきた錬成の道場だったが、出す素質がなければ艱難《かんなん》はただ意味なき艱難でしかない。——幸いにも、諸葛家《しょかつけ》の子たちには、天与の艱難を後に生かす質があった。

——かくて、ようやく。

叔父の諸葛玄《しょかつげん》を頼って、そこへたどりついたのが、初平四年の秋——ちょうど長安の都で、董卓が殺された大乱の翌年であった。

そこへ、半年ほどいるうち、叔父の玄は、劉表の縁故があるので、荊州《けいしゅう》へゆくことになった。

孔明と、弟の均とは、叔父の家族とともに、荊州へ移住したが——それを機に、長男瑾《きん》は別れを告げて、

「わたくしも何か、一家の計を立てますから」

と、継母の章氏を伴って、暮帆遠く、江を南に下って、呉の地方へ、志を求めて行った。

三

当時すでに、想いを将来に馳《は》する若人にも、南方支那の開発こそ、好個の題目として、理想の瞳に燃え映《うつ》っていたにちがいない。

北支の戦禍を避けて、南へ南へ移住してくる漢民族は、その天産と広い沃地へわかれて、たちまち新しい営みをし始めていた。

流民の大部分は、もとより奴婢《ぬひ》土民が主であったが、その中には、諸葛氏一家のような士大夫や学者などの知識階級もたくさんいた。彼らは、おのおの、選ぶ土地に居を求めて、そこで必然、新しい社会を形成し、新しい文化を建設して行った。

その分布は。

南方の沿海、江蘇方面から、安徽《あんき》、浙江《せっこう》におよび、江岸の荆州（湖南、湖北）より、さらにさかのぼって益州《えきしゅう》（四川省《しせんしょう》）にまでちらかった。

継母《はは》をつれた諸葛瑾《しょかつきん》が、呉の将来に嘱目《しょくもく》して、江を南へ下ったのは、さすがに知識ある青年の選んだ方向といっていい。

そして、やがてそれから七年目。

呉の孫策《そんさく》が没した年、継いで呉主として立った孫権に見出されて、それに仕える身となったことはさきに書いたとおりである。

けれど一方――叔父の玄やその家族につれられて荆州へ移った孔明と末弟の均《きん》の方

は、そのときこそ、保護者の手で安全な方向を選ばれたかのように思われたが、以後の運命は、兄の瑾と相反していた。世路の波瀾は、はやくも少年孔明を鍛えるべく、試すべくあらゆる形で襲ってきた。

「荊州は、大きな都だよ。おまえたちの見たこともない物がたくさんにある。叔父さまは荊州の劉表さまとお友だちで、ぜひ来てくれとお招きをうけて今度行くんだから、都の中に、お城のようなお住居を持つんだよ。おまえ達も、大勢の家来から、若さまといわれるのだから、品行をよくしなければいけませんよ」

叔母や叔父の身寄りから、そんな前ぶれを聞かされて、少年孔明の胸はどんなにおどったことだろう。

そして、荊州の文化に、如何に眼をみはったことか。

ところが、居ることわずか一年足らずで、叔父の玄はまた、劉表の命で、

「予章《よしよう》を治めてくれ。いままでやっておった周術《しゆうじゆつ》が病死したから」

と、その後任に、転任をいい渡された。

こんどは、太守の格である。栄転にはちがいないが、任地の南昌《なんしよう》へ行ってみると、ずっと文化は低いし、土地には、新任の太守に服さない勢力が交錯《こうさく》しているし——もっと困った問題は、

「彼は、漢の朝廷から任命された太守ではないんだ。われわれはそういう朦朧《もうろう》地方官に服する理由をもたない」と、弾劾《だんがい》する声の日にまして高くなってきたことである。事

実、中央からは、漢朝の辞令をおびた朱皓《しゅこう》というものが、公然任地へ向ってきたが、もう先に、べつな太守がきて坐っているため、城内へ入ることができなかった。

当然、戦争になった。

（おれが予章の太守だ）

（いや、おれのほうこそ正当な太守だ）

という変った戦いである。

朱皓《しゅこう》のほうには、笮融《さくゆう》だの劉繇《りゅうよう》などという豪族が尻押しについたので、玄はたちまち敗戦に陥り、南昌の城から追いだされてしまった。

少年の孔明や弟の均は、このとき初めて、戦争を身に知った。

叔父の一家とともに、乱軍のなかを落ちて、城外遠くに屯《たむろ》して、再起を計っていたが、或る夜、土民の反乱に襲われて、叔父の玄は、武運つたなく、土民たちの手にかかって首を取られてしまった。

孔明は、弟の均《きん》を励ましつつ、みじめな敗兵と一緒に逃げあるいた。――叔母も身寄りもみな殺されて知らない顔の兵ばかりだった。

四

その頃、潁川《えいせん》の大儒石韜《たいじゅせきとう》は、諸州を遊歴して荊州にきていた。

由来、荊州《けいしゅう》襄陽《じょうよう》の地には、好学の風が高く、古い儒学に対して、新しい解義が追求され、現下の軍事、法律、文化などの政治上に学説の実現を計ろうとする意図が旺《さかん》であった。

林泉《りんせん》あるところ百禽集まるで、自然、この地方に風を慕ってくる学徒や名士が多かった。潁上《えいじょう》の徐庶《じょしょ》、汝南の孟建《もうけん》なども、その輩《ともがら》だった。

叔父の玄を亡《うしな》い、頼る者とてなく、年少早くも世路の辛酸をなめつつあった孔明が初めて、石韜《せきとう》の門をくぐって、

「学僕にして下さい」と、訪れたのは、彼が十七の頃だった。

石韜は翌年、近国へ遊学にあるいた。その時、師に従って行った弟子のなかに、白面十八の孔明があり、一剣天下を治むの概をもつ徐庶があり、また温厚篤学な孟建《もうけん》がいた。

だから孟建や徐庶は、孔明より年もずっと上だし、学問の上でも先輩であったが、ふたりとも決して、孔明をあなどらなかった。

「あれは将来、ひとかどになる秀才だ」

と、早くも属目していたのである。ところがそれは二人の大きな認識不足だった。なぜならば、その後の孔明というものは、ひとかどどころではなかった。石韜《せきとう》をめぐる多くの学徒の中にあって、断然群を抜いていたし、その人物も、年とるほど、天質をあらわして、いわゆる世間なみの秀才などとは、まったく型がちがっていた。

だが彼は、二十歳を出るか出ないうちに、もう学府を去っていた。学問のためにのみ

学問する学徒の無能や、論議のために論議のみして日を暮している曲学阿世《＊きよくがくあせい》の仲間から逃げたのである。

では、それからの彼は、どうしていたかというと、襄陽の西郊にかくれて、弟の均《きん》と共に、半農半学者的な生活に入ってしまったのだった。

晴耕雨読《せいこううどく》――その文字どおりに。

「いやに、老成ぶったやつではないか」

「いまから隠棲《いんせい》生活を気どるなんて」

「彼は、形式主義者だ」

「衒《てら》いに過ぎん」

学友はみな嘲笑した。多少彼を認め彼を尊敬していた者まで、月日とともにことごとく彼を離れた。

ただ、その後も相かわらず、彼の草廬へよく往来していたのは、徐庶《じよしよ》、孟建《もうけん》ぐらいなものだった。

襄陽の市街から孔明の家のある隆中《りゆうちゆう》へ行くには、郊外の道をわずか二十里（わが二里）ぐらいしかない。

隆中は山紫水明《さんしすいめい》の別天地といっていい。遠く湖北省の高地からくる漢水の流れが、桐柏《とうはく》山脈に折れ、淯水《いくすい》に合し、中部支那の平原をうねって、名も沔水《べんすい》と変ってくると、その西南の岸に、襄陽を中心とした古い都市がある。

孔明の家から、晴れた日は、その流れ、その市街がひと目に見えた。彼の宅地は隆中の小高い丘陵の中腹にあり、家のうしろには、楽山《らくざん》とよぶ山があった。

――歩みて斉《せい》の城門を出《い》づ
遥かにのぞむ蕩陰里《とういんり》
里中、三墳《ふん》、塁として相似たり
問うこれ、誰が家の塚ぞ
田疆《でんきょう》・古冶氏《こやし》
力はよく南山を排し
文はよく地紀《ちき》を絶《た》つ

畑の中で、真昼、よくこんな歌が聞える。

歌はこの辺の民謡でなく、山東地方の古い昔語りをうたうものだった。

孔明の故郷《ふるさと》――斉国《せいこく》の史歌である。

声の主は、鍬をもって畑を打つ孔明か、豆を苅《か》って、莢《さや》を莚《むしろ》に叩く弟の均であった。

五

隆中の彼の住居へ、或る日、友人の孟建《もうけん》が、ぶらりと訪ねてきて云った。

「近日、故郷《くに》へ帰ろうと思う。きょうはお別れにやって来た」

孔明は、そういう先輩の面《おもて》を、しばらく無言で見まもっていたが、

「なぜ帰るのです？」と、さも不審そうに訊いた。

「なぜということもないが、襄陽はあまりに平和すぎて、名門名族の士が、学問に遊んだり政治批評を楽しんで生活しておるにはいいかも知れんが、われわれ書生には適さない所だ。そのせいか、近頃しきりと故郷の汝南が恋しくなった。退屈病を癒しに帰ろうと思うのさ」

聞くと、孔明は、静かに顔を横に振って、

「こんな短い人生を、まだ半途も歩まないうちに、君はもう退屈しているのか。襄陽は平和すぎるといわれるが、いったいこの無事が百年も続くと思っているのかしら？――ことに、君の郷里たる中国（北支）こそ、旧来の門閥《もんばつ》は多いし、官吏士大夫の候補者はうようよしているから、何の背景もない新人を容れる余地は少ない。むしろ南方の新天地に悠々《ゆうゆう》時を待つべきではないかな」

と、いって止めた。

孟建は孔明よりも年上だし、学問の先輩でもあったが大いに啓蒙《けいもう》されて、

「いや、思い止まろう。なるほど君のいう通りだ。人間はすぐ眼前の状態だけにとらわれるからいかんな。――閑に居て動を観、無事に居て変に備えるのは難かしいね」と、述懐《じゅつかい》して帰った。

孟建などが噂するせいか、襄陽の名士のあいだには、いつか、孔明の存在とその人物は、無言のうちに認められていた。

いわゆる襄陽名士なる知識階級の一群には、崔州平《さいしゅうへい》、司馬徽《しばき》、龐徳公《ほうとくこう》などという大先輩がいたし、中でも河南の名士黄承彦《こうしょうげん》はすっかり孔明を見込んで、

「自分にも娘があるが、もし自分が女だったら隆中の一青年に嫁ぐだろう」とまでいっていた。

するとまた、ぜひ媒酌《ばいしゃく》しようという者が出てきて、黄承彦のことばは、ついに実現した。——といっても、勿論、黄承彦が嫁入りするわけはない。孔明へ嫁いだのは、その娘である。

ところが花嫁は、父の黄承彦の顔を、もう少し可愛らしくした程度の不美人であった。貞淑温雅《ていしゅくおんが》で、名門の子女としての教養は申し分なくあるが、天賦の容姿は至って恵まれていなかった。

「瓜田《かでん》の変屈子《へんくつし》には、お似合いの花嫁さま——」

と、孔明を無能の青年としか見ていない仲間は、ひどく興がってよろこんだ。

しかし、孔明とその新妻とは、実にぴったりしていた。相性というか、＊琴瑟《きんしつ》相和して

という文字どおり仲がよい。

かくて彼の隆中における生活もここ数年を実に平和に過してきた。

六

彼の身丈《みのたけ》は、人なみすぐれていた。肉はうすく、漢人特有な白皙《はくせき》長身であった。

その長い膝を抱えて、居眠るごとく、或る日、孔明は友達の中にいた。

彼をめぐる道友たちは、各〻、時局を談じ、将来の志を語りあっていた。

孔明は、微笑しながら、黙々とそれを聞いていたが、

「そうだ、君がたが、こぞって官界へ出て行けば、きっと刺史《しし》（州の知事）か郡守《ぐんしゅ》（郡の長官、即ち太守《たいしゅ》）ぐらいには登れるだろう」と、いった。

友の一名が、すぐ反問した。

「じゃあ、君は。――君はどんなところまでなれるつもりか」

「僕か」

笑而不答《わらってこたえず》――孔明はにやにやしていたきりであった。

彼の志は、そんな所にあるのではなかった。官吏、学者、栄達の門、みな彼の志を入れるにはせまかった。

春秋の宰相管仲《かんちゅう》、戦国の名将軍楽毅《がっき》、こうふたりを心に併せ持って、ひそかに、

（わが文武の才幹は、まさにこの二人に比すべし）

と、独り矜持《きょうじ》を高くもっていたのである。

楽毅は春秋戦国の世に、燕《えん》の昭王《しょうおう》をたすけて、五国の兵馬を指揮し、斉《せい》の七十余城を陥したという武人。――また管仲《かんちゅう》は、斉の桓公を輔佐して、富国強兵政策をとり、春秋列国のなかに、ついに覇を称《とな》えしめて、その主君桓公から、一にも仲父《ちゅうほ》（管仲の称）二にも仲父とたのまれたほどな大政治家である。

いまは、時あたかも、春秋戦国の頃にも劣らぬ乱世ではないか。

若い孔明は、そう観ている。

管仲、楽毅、いま何処にありや！　と。

また彼は想う。

「自分をおいてはない。不敏《ふびん》といえども、それに比すものは自分以外の誰がいよう」

世を愛するために、身を愛した。世を思うために、自分を励ました。

不断の修養を怠らなかった。

口にこそ出さないが、膝を抱えて、黙然、うそぶいている若い孔明の眸にはそういう気概が、ひそんでいた。

時にまた、彼は、家の裏の楽山へ登って行って、渺々《びょうびょう》際涯《さいがい》なき大陸を終日ながめていた。

すでに、兄の瑾《きん》は呉に仕え、その呉主孫権《そんけん》の勢いは、南方に赫々《かっかく》たるものがある。

北雲の天は、相かわらず晦《くら》い。袁紹《えんしょう》は死し、曹操《そうそう》の威は震雷《しんらい》している。――が、果たして、旧土の亡民は、心からその威に服しているかどうか。

益州――巴蜀《はしょく》の奥地は、なおまだ颱風《たいふう》の圏外《そと》にあるかのごとく、茫々《ぼうぼう》の密雲にとざされているが、長江の水は、そこから流れてくるものである。

水源、いつまで、無事でいよう。かならずや、群魚の銀鱗が、そこへさかのぼる日の近いことは、分りきっている。

「ああ、こう観ていると、自分のいる位置は、まさに呉、蜀《しよく》、魏の三つに分れた地線の交叉《こうさ》している真ん中にいる。荊州はまさに大陸の中央である……が、ここにいま誰が時代の中枢をつかんでいるか。劉表はすでに、次代の人物ではないし、学林官海、ともに大器と見ゆるひともない。……突としてここに宇宙からおり立つ神人はないか。忽として、地から湧いて立つ英傑はないか」

やがて、日が暮れると、若い孔明は、梁父《りようほ》の歌を微吟《びぎん》しながら、わが家の灯を見ながら山をおりて行く――。

歳月のながれは早い。いつか建安十二年、孔明は二十七歳となっていた。

劉備玄徳《りゆうびげんとく》が、徐庶《じよしよ》から彼のうわさを聞いて、その草廬を訪う日を心がけていたのは、実に、この年の秋もはや暮れなんとしている頃であったのである。

臥《が》龍《りよう》の岡《おか》

一

さて。

ここで再び、時と場所とは前にもどって、玄徳と徐庶《じよしよ》とが、別離を告げた道へ還るとする。

「骨肉の別れ、相思の仲の別れ。いずれも悲しいのは当然だが、男子としては、君臣の別れもまた断腸の一つだ。……ああ、きょうばかりは、何度思い止まろうかと迷ったか知れぬ」

×　　×　　×

徐庶《じよしよ》は、駒を早めていた。

今なお、玄徳の恩に、情に、うしろ髪を引かれながら——。

だが、都に囚《とら》われている母の身へも、心は惹《ひ》かれる。矢のように急がれる。

徐庶の心は忙《せわ》しかった。

また、そんな中でも、後に案じられるもう一つのことは、別れぎわに自分から玄徳へ推薦しておいた諸葛孔明《しよかつこうめい》のことである。かならず主君玄徳は、近日、孔明を訪れるであろうが、果たして、孔明が請いを容れるかどうか？

「彼のことだ、恐らく、容易にはうごくまい」

徐庶は、責任を感じた。また、玄徳のために、途々、苦念した。

「そうだ……隆中《りゆうちゆう》へ立寄っても、さして廻り道にはならぬ。——別辞かたがた孔明にもちょっと会って行こう。そして主君玄徳の懇望があったら、ぜひ召しに応じてくれるよう、自分からもよく頼んでおこう」

そう考えつくと、彼は、にわかに道をかえて、襄陽《じょうよう》の西郊へ廻って行った。

臥龍《がりょう》の岡は、やがて彼方に見えてくる。龍が寝ているような岡というのでその名がある。

徐庶の馬は、やがてそこの岡をのぼって行く。久しく無沙汰していたので、そこらの木々も石もみな旧友の如くなつかしく見える。

折から晩秋なので、満山は紅葉していた。めったに訪う人もない孔明の家の屋根は、落葉の中に埋まっていた。門前に馬をおりて、徐庶はその柴門《さいもん》を叩く。訪れの声をかける――。

が、園内は寂《せき》として、木の葉の落ちる音ばかりだ。

しばらくたたずんでいると、童子の歌う声がする。

　蒼天は円蓋《えんがい》の如し
　陸地、碁局《ききょく》に似たり
　世人黒白《こくびゃく》して分れ
　往来に栄辱《えいじょく》を争う

「おうい、童子。ここを開けてくれ。先生はいらっしゃるか。――わしだよ。徐庶が来たと取次いでくれ」

外の客は、しきりと訪れていたが、童子はなお気づかないものの如く、

栄《さか》うる者は自ら安々《あんあん》

辱《はずかし》めらるる者は定めて碌々《ろくろく》
南陽に隠君《いんくん》有り
高眠臥《ふ》して足らず

と、歌いながら、梢の鳥の巣を仰いでいた。

すると、どこやらで、童子童子と呼ぶ声がして、門外に客のあることを教えていた。

「え。誰か来たのかい」

童子は、飛んできた。——そして内から柴門をあけて、客のすがたを見ると、

「ああ、元直《げんちょく》さまか」と、馴々しく云った。

徐庶は、傍らの木へ、駒をつないで、

「先生はいられるかね？」

「おいでになります」

「お書斎か」

「ええ」

「おまえはなかなか歌がうまいな」

「元直さまは、急にこの頃、美々しくなりましたね。剣も、着物も、お馬の鞍まで」

園の小径《こみち》を、奥へ歩いてゆく徐庶のあとから、童子は口達者にそういった。——徐庶は、
そういわれて、心にかえりみた。——かつての破衣孤剣《はいこけん》の貧しい自分のすがたを。

そしてここの簡素な家の主《あるじ》に対して、何か、会わないうちから気恥かしい心地をおぼえ

た。

童子は、茶を煮る。

客と主は、書斎のうちに、対話していた。

二

「秋も暮れますなあ」

徐庶がいう。

孔明は、膝を抱いて、

「冬を待つばかりだ。すっかり薪《まき》も割ってある」

と、いった。

徐庶は、いつまでも、云いだせずにいた。すると孔明のほうから、訊ねた。

「徐兄。きょうのお越しは、何か用ありげらしいが、そも、なんのために、孔明の廬《いおり》へお立ち寄りか」

「されば」と、ようやく、緒口《いとぐち》を得て、

「――実はまだ、先生にもお告げしてないが、拙者は先頃から、新野《しんや》の劉玄徳《りゅうげんとく》に仕えていました」

「はあ。そうでしたか」

「ところが、田舎にのこしておいた老母が、曹操の部下にひかれて、いまはひとり都に囚われの身となっている。……その老母より綿々《めんめん》とわびしさを便りして参ったので、やむなく、主君にお暇をねがい、これより許都《きよと》へ上ろうという途中なのです」

「それは、よいことではないですか。身の仕官など、いつでもできる。ご老母をなぐさめておあげなさい」

「ついてはです。――お別れにのぞんで、この徐庶から折入って、おねがいしておきたい儀があります。お聞き入れ賜わらぬか」

「まあ、仰っしゃってごらんなさい」

「ほかではありませんが、今日、ご主君自身、遠く途中まで見送って下されたが、その別れぎわに、実は、平素から心服しているため、隆中の岡に、かかる大賢人ありと、口を極めて、先生の大方を、ご推薦しておいたわけです。――で、まことにご迷惑でしょうが、やがて玄徳公からお沙汰のあった節は、枉《ま》げても、召しに応じていただきたい。かならず、ご辞退なきように、旧友の誼《よしみ》にすがっておねがい申し上げる」

徐庶は、学歴や年齢からも、はるかに孔明よりは先輩だったが、今では孔明を先生と称して、心から尊敬を払っているのである。しかもこの事たるや、容易ならぬ問題でもあるし、一朝一夕に孔明が承諾しようとも考えられないので、衷情《ちゆうじよう》を面にあらわして、なお縷々《るる》その間《かん》の経緯《いきさつ》やら自己の意見をも併せのべた。

すると、終始、半眼に睫毛《まつげ》をふさいで、静かに聞いていた孔明は、語気勃然《ぼつぜん》と起って、

「徐兄。——ご辺はこの孔明を、祭の犠牲《にえ》に供えようというおつもりか」

そう云い捨てるやいな、袖を払って、奥の室へかくれてしまった。

徐庶は、はっと、色を変じた。

祭りの犠牲——

思い当ることがある。

むかし、某君《あるきみ》が、荘子《そうし》を召抱えたいと思って、使者をさしむけたところ、荘子は、その使いに答えていったという。

（子《し》よ、犠牲になる牛を見ずや。首に錦鈴《きんれい》を飾り、美食を飼わしているが、曳いて大廟《たいびょう》の祭壇に供えられるときは、血をしぼられ、骨を解かれるではないか）

徐庶は、孔明のことばに、慚愧《ざんき》した。もとより畏敬《いけい》する友を牛として売る気などは、毛頭もないが、折角の交友に、ふと、気まずいものを醸しただけでも、すくなからず後悔させられた。

「いつか詫びる日もあろう」

彼はぜひなく席を去った。外に出て見れば、黄昏《たそがれ》の空に落葉飄々《ひょうひょう》と舞って、はや冬近いことを想わせる。

泊りを重ねて、徐庶が、都へ着いたときは、まったく冬になっていた。——建安十二年の十一月だった。

すぐ相府に出て、着京の由を届けると、曹操は、荀彧《じゅんいく》、程昱《ていいく》のふたりをして、鄭重《ていちょう》に迎えさせ、翌日、曹操自身、彼を引いて対面した。

「ご辺が、徐庶元直《じよしよげんちよく》か。老母は息災であるから、まずその儀は安心したがよいぞ」

三

「ご恩をふかく謝します――」と徐庶はまず拝礼して、

「して、母はどこにおりましょうか。願わくは、一刻も早く、遠路より来た愚子に対面をおゆるし下さい」と、いった。

曹操は、幾度もうなずいて見せたが、

「お身の老母は、つねに程昱に守らせて、朝夕、何不自由なくさせてあるが、今日はご辺がこれに参るとのことに、彼方の一堂に迎えてある。後刻ゆるりと会うもよし、またこれからは、長く側に仕えて、子たるの道をつくせ。予もまたそちの側に在って、日々、有義な教えを聞きたい」

「丞相の慈念《じねん》をこうむり、徐庶は愧感《きかん》にたえません」

「だが、ご辺のような、孝心に篤い、そして達見高明の士が、なんで身を屈して玄徳などに仕えたのか」

「偶然なる一朝の縁でございましょう。放浪のうち、ふと新野で拾い上げられたに過ぎません」

さりげなく、二、三の雑談を交わして後、やがて、徐庶は曹操のゆるしを得て、奥の一堂にいる老母のところへ会いに行った。

「あの内においでなされる」

と、案内の者は、指さしてすぐ戻って行く。――徐庶は清らかな園の一方に見える一棟を見るよりもう胸がいっぱいになっていた。彼は、そこの堂下にぬかずいて、

「母上！　徐庶です。徐庶が参りました」と、声をかけた。

すると、彼の老母は、さも意外そうに、わが子のすがたを見まもって訊ねた。

「おやっ？　元直ではないか。そなたは近頃、新野にあって、劉玄徳さまに仕えておると聞き、よそながら歓んでいたものを。……なんでこれへ来やったか？」

「えっ。不審《いぶか》しいことを仰っしゃいます。母上よりのお手紙に接し、主君よりおいとまを乞うて夜を日についでこれへ駈けつけて参りましたものを」

「何をうろたえて。……この母の胎《はら》から生れ出ながら、年三十有余にもなって、まだこの母が、そのような文を子に書く母か否かわからぬか」

「でも、……このお手紙は」と、出発の前に、新野で受け取った書簡を出してみせると、老母は、もってのほか怒って、顔の色まで変じ、

「これ！　元直」と、身を正して叱った。

「そなたは、幼《いとけな》き頃から儒学をおさめ、長じては世上を流浪しやることも十数年、世上の艱苦《かんく》、人なかの辛苦も、みな生ける学びぞと、常にこの母は、身の孤独も思わず、ただただそなたの修業の積むことのみ、陰で楽しみにしていたに――、このような偽文《にせぶみ》

を受け取って、その真偽も正さず、大切なご主君を捨てて来るとは何ごとか」

「あっ……では……それは母上のお筆ではありませんでしたか」

「孝に眼をあけているつもりでも、忠には盲目《めしい》。そちの修業は片目とみゆる。いま玄徳さまは、帝室の冑《ちゅう》たり、英才すぐれておわすのみか、民みなお慕い申しあげておる。そのような君に召しつかわれ、そちの大幸、母も誉れぞと、ひそかに忠義を祈っていたものを……ええ……匹夫のような」

と身をふるわせて、よよと泣いていたが、やがて黙然と、帳《とばり》の陰へかくれたきり姿も見せなかった。

徐庶も、慚愧《ざんき》に打たれて、母の厳戒を心に嚙み、自身の不覚を悔い悩んで、ともに泣き伏したまま悩乱《のうらん》の面も上げずうっ伏していたが、ふと帳のうしろで、異様な声がしたので、愕然、駈け寄ってみると、老母はすでに自害して死んでいた。

「母上っ……。母上っ」

徐庶は、冷たい母の空骸《なきがら》をかかえて、男泣きにさけびながら、その場に昏絶してしまった。

はや冬風のすさぶ中、許都郊外の南原《なんげん》に、立派な棺槨《かんかく》（墓地《ぼち》）が築かれた——。老母の死後、曹操が徐庶をなぐさめて贈ったものの一つである。

孔明を訪う

一

徐庶に別れて後、玄徳は一時、なんとなく空虚《うつろ》だった。

茫然《ぼうぜん》と、幾日かを過したが、

「そうだ。孔明。——彼が別れる際に云いのこした孔明を訪ねてみよう」

と、側臣を集めて、急に、そのことについて、人々の意見を徴していた。

ところへ、城門の番兵から、取次がきた。

「玄徳に会いにきたと、その翁《おきな》は、ひどく気軽にいうのですが……？」

と、取次は怪しむのであった。

「どんな風采《ふうさい》の老翁か」と、訊くと、

「峩《たか》い冠をいただいて、手に藜《あかざ》の杖をついています。眉白く、皮膚は桃花のごとく、容貌なんとなく常人とも思われません」と、ある。

「さては、孔明ではないか」と、推量する者があった。——玄徳もそんな気がしたので、自身、内門まで出迎えに行ってみると、何ぞはからん、それは水鏡《すいきょう》先生司馬徽《しばき》であった。

「おう、先生でしたか」

玄徳は歓んで、堂上に請《しょう》じ、その折の恩を謝したり、以後の無沙汰を詫びて、

「いちど、軍務のひまを見て、仙顔を拝したいと存じていたところ、さきにお訪ねをたまわっては、恐縮にたえません」と、繰返していった。

司馬徽は、顔を振って、

「なんの、わしの訪問《おとずれ》は、礼儀ではない。気まぐれじゃ。近頃、この所に、徐庶《じょしょ》が仕えておると聞き、一見せんと、町まで来たついでに立ち寄ったのじゃが」

「ああ、徐庶ですか。——実は数日前に、この所を去りました」

「なに、また去ったと」

「田舎の老母が、曹操の手に囚《とら》われ、その母より招きの手紙が参ったので」

「何、何。……囚われの母から書簡がきたと。……それは解《げ》せん」

「先生、何を疑いますか」

「徐庶の母なら、わしも知っとる。あの婦人は、世にいう賢母じゃ。愚痴な手紙などよこして子を呼ぶような母ではない」

「では、偽書でしたろうか」

「おそらくは然らん——。ああ惜しいことをした。もし徐庶が行きさえしなければ、老

母も無事だったろうに、徐庶が行っては、老母もかならず生きておるまい」

「実は、その徐庶が、暇を乞うて去る折に、隆中《りゆうちゆう》の諸葛孔明《しよかつこうめい》なる人物をすすめて行きましたが、何分、途上の別れぎわに、詳《つぶ》さなことも訊くいとまがありませんでしたが……先生には、よくご存じでしょうか」

「は、は、は」と、司馬徽《しばき》は笑いだして――

「己れは他国へ去るくせに、無用な言葉を吐いて、他人に迷惑をのこして行かなくてもよさそうなものじゃ。やくたいもない男かな」

「迷惑とは？」

「孔明にとってじゃよ。また、わしらの道友にとっても、彼が仲間から抜けてはさびしい」

「お仲間の道友とは、いかなる方々ですか」

「博陵《はくりよう》の崔州平《さいしゆうへい》、潁州《えいしゆう》の石広元《せきこうげん》、汝南《じよなん》の孟公威《もうこうい》、徐庶《じよしよ》そのほか、十指に足らん」

「おのおの知名の士ですが、かつて孔明の名だけは、聞いておりません」

「あれほど、名を出すのをきらう男はない。名を惜しむこと、貧者が珠を持ったようじゃ」

「道友がたのお仲間で、孔明の学識は、高いほうですか、中くらいですか」

「彼の学問は、高いも低いもない。ただ大略を得ておる。――すべてにわたって、彼はよく大略をつかみ、よく通ぜざるはない」と、云いながら、杖を立てて、「どれ……帰ろうか」と、つぶやいた。

玄徳はなお引きとめて、何かと話題を切らさなかった。

「この荊州襄陽を中心として、どうしてこの地方には、多くの名士や賢人が集まったものでしょうか」

二

司馬徽は、杖を上げて、起ちかけたが、つい彼の向ける話題につりこまれて、

「それは偶然ではありますまい。むかし殷馗《いんき》というて、よく天文に通じていた者が、群星の分野を卜《ぼく》して、この地かならず賢人《けんじん》の淵叢《えんそう》たらん――と予言したことは、今も土地の故老がよく覚えていることだが、要するに、ここは大江の中流に位し、蜀、魏《ぎ》、呉の三大陸の境界と、その中枢に位置しているため、時代の流れは自らここに人材を寄せ、その人材は、過去と未来のあいだに静観して、静かに学ぶもあり、大いに期するもあり、各〻現在に処しているというのが実相に近いところであろう」

「なるほど、おことばによって、自分のいる所も、明らかになった気がします」

「――そうじゃ、自分のいる所――それを明らかに知ることが、次へ踏みだす何より先の要意でなければならぬ。御身をこの地へ運んできたものは、御身自体が意志したものでもなく、また他人が努めたものでもない。大きな自然の力――時の流れにただよわされてきた一漂泊者に過ぎん。けれどお身の止った所には、天意か、偶然か、陽《ひ》に会って

開花を競わんとする陽春の気が鬱勃《うつぼつ》としておる。ここの土壌にひそむそういうものの生命力を、ご辺は目に見ぬか、鼻に嗅《か》がぬか、血に感じられぬか」

「──感じます。それを感じると、脈々、自分の五体は、ものに疼《うず》いて、居ても立ってもいられなくなります」

「好々《よしよし》」

司馬徽は、呵々《かか》と笑って、

「それさえ覚っておいであれば、あとは余事のみ──やれ、長居いたした」

「先生、もう暫時、お説き下さい。実は近いうちに隆中の孔明を訪れたいと思っていますが──聞説《きくならく》、彼はみずから、自分を管仲楽毅《かんちゅうがつき》に擬して、甚だ自重していると聞きますが、やや過分な矜持《きょうじ》ではないでしょうか。実際、彼にそれほどな素質がありましょうか」

「否々。あの孔明が何でみだりに自己を過分に評価しよう。わしからいわせれば、周の世八百年を興した太公望《たいこうぼう》、或いは、漢の創業四百年の基礎をたてた張子房《ちょうしぼう》にくらべても決して劣るものではない」

司馬徽はそう云いながらおもむろに階をおりて一礼し、なお玄徳がとどめるのを一笑して、天を仰ぎ、

「──ああ、臥龍《がりょう》先生、その主《しゅ》を得たりといえども、惜しい哉、その時を得ず！　その時を得ず！」

と、ふたたび呵々《かか》大笑しながら、飄然《ひょうぜん》と立ち去ってしまった。

玄徳は深く嘆じて、あの高士があれほどに激賞するからには、まさしく深淵《しんえん》の蛟龍《こうりゅう》。まことの隠君子にちがいない。一日もはやく孔明を尋ね、親しくその眉目に接したいと、左右の人々へくり返して喞《かこ》った。

一日、ようやく閑を得たので、玄徳は、関羽、張飛のほか、従者もわずか従え、行装も質素に、諸事美々しからぬを旨として、隆中へおもむいた。

静かな冬日和だった。

道すがら田園の風景を愛《め》で、恵まれた閑日を吟愛し、ようやく郊外の村道を幾里か歩いてゆくと、冬田の畦《あぜ》や、菜園のほとりで、百姓の男女が平和にうたっていた。

蒼天《おおぞら》は円《まる》い、まん円い
地上は狭い、碁盤《ごばん》の目のように。
世間はちょうど、黒い石、白い石
栄辱《えいじょく》を争い、往来して戦う。
さかえる者は、安々たり
敗《やぶ》るるものは、碌々《ろくろく》とあえぐ。
ここ南陽はべつの天地
高眠《こうみん》して臥《が》すは誰ぞ
誰ぞ、臥してまだ足らない

顔をしているのは。

玄徳は馬をとめて、試みに、一農夫にたずねてみた。その謡《うた》は、誰の作かと。

「はい、臥龍《がりよう》先生の謡でがす」と、百姓はすぐ答えた。

三

「先生の作と申すか」

「へい。先生の作った謡《うた》じゃと申しまする」

「その臥龍先生のお住居は、どの辺にあたるか」

「あれに見える山の南の、帯のような岡を、臥龍《がりよう》の岡と申しますだ。そこから少し低いところに、一叢《ひとむら》の林があって、林の中に、柴の門、茅葺《かやぶき》の廬《いおり》がありますだよ」

農夫は、答えるだけを答えてしまうと、わき目もふらず、畑にかがんで働いている。

「この辺の民は、百姓にいたるまで、どこか違っている……」

玄徳は、左右の者に語りながら、また駒をすすめて三、四里ほど来た。道はすでに、岡の裾にかかっていた。

冬の梢は、青空を透かして見せ、百禽《ももどり》の声もよく澄みとおる。淙々《そうそう》とどこかに小さい滝の音がするかと思えば、颯々《さつさつ》と奏《かな》でている一幹の巨松に出会う。――坂道となり山陰となり渓橋《けいきよう》となり、遠方此方《おちこち》の風景は迎接《げいせつ》に遑《いとま》なく、かなり長い登りだが道の疲れも忘れてしまう。

「おお、あれらしい」

関羽は、指さして、玄徳をふり向いた。玄徳はうなずいて、はや駒をおりかけている。

清楚な編竹《あみだけ》の垣をめぐらした柴門《さいもん》のほとりに、ひとりの童子が猿と戯れていた。小猿は見つけない人馬を見て、にわかに声を放ち、墻《かき》の上から樹の枝へ攀《よ》じて、なおもキイキイ叫びつづける。

玄徳は、歩み寄って、

「童子。孔明先生のお住居はこちらであるか」と、たずねた。

童子は不愛想に、

「うん」と、一つうなずいたきり、後ろに続く関羽、張飛などの姿へ、棗《なつめ》のような眼をみはっている。

「大儀ながら、廬中へ取次いでもらいたい。自分は、漢の左将軍、宜城亭侯《ぎじょうていこう》、領《りょう》は予州の牧《ぼく》、新野皇叔劉備《しんやこうしゅくりゅうび》、字《あざな》は玄徳《げんとく》というもの。先生にまみえんため、みずからこれへ参ったのであるが」

「待っておくれ」

童子は、ふいにさえぎって云った。

「──そんな長い名は、おぼえきれやしない。もう一度いってください」

「なるほど。これはわしが悪かった。ただ、新野の劉備が来ました──と、そう伝えてくれればよい」

「おあいにくさま。先生は今朝早天に出たまま、まだ帰っておりません」

「いずこへお出でなされたか」

「どこへお出かけやら、ちっとも分りません。――行雲踪蹟不定《こううんそうせきさだまらず》――で」

「いつ頃、お帰りであろうか」

「さあ。時によると三、五日。あるいは十数日。これもはかり難しですね」

「…………」

玄徳は、落胆して、いかにも力を失ったように、*惆悵《ちゅうちょう》久しゅうして、なおたたずんでいたが、そう聞くと、そばから張飛が、

「いないものは仕方がない。早々帰ろうじゃありませんか」といった。

関羽も共に、

「また他日、使いでも立てて、在否を訊かせた上、改めてお越しあってはいかがです」

と、駒を寄せてうながした。

孔明の帰ってくるまでは、そこにたたずんででもいたいような玄徳であったが、是非なく、童子に言伝《ことづ》てを頼んで悄然《しょうぜん》、岡の道を降りて行った。

秀雅《しゅうが》にして高からぬ山、清澄にして深からぬ水、茂盛した松や竹林には、猿や鶴が遊んでいる。玄徳は、ここの山紫水明にも、うしろ髪を引かれてならなかった。

すると、岡のふもとから身に青衣《せい》をまとい、頭に逍遥頭巾《しょうようずきん》をいただいた人影が、杖を

ひいて登ってきた。

近づいてみると、眉目清秀な高士である。どこか幽谷《ゆうこく》の薫蘭《くんらん》といった感じがする。玄徳は心のうちで、

（これなん、諸葛亮《しょかつりょう》その人であろう）

と、思い、急に馬からおりて、五、六歩あるいた。

四

ふいに馬をおりてきて、自分へ慇懃《いんぎん》に礼をする玄徳を見て――烏巾《うきん》青衣のその高士は、

「なんです？　どなたですか、いったい？」

と、さもうろたえ顔に、杖をとめて、訊ね返した。

玄徳は、謹んで、

「いま先生の廬《いおり》をお訪ねして、むなしく戻ってきたところです。計らずもここでお目にかかり、大幸、この上もありません」と、いった。

青衣の高士は、なお愕《おど》いて、

「何か、人違いではありませんか。いったい将軍は、いずこの御人《ごじん》ですか」

「新野の劉備玄徳ですが」

「えっ、あなたが？」

「孔明先生は、其許《そこもと》でしょう」

「ちがいます！　ちがいます！　……霊鳥と鴉《からす》ほど違います」

「では、何びとでおわすか」

「孔明の友人、博陵《はくりょう》の崔州平《さいしゅうへい》ともうす者です」

「おう、ご友人か」

「将軍のお名まえも、夙《つと》に伺っておりますが、かくはご軽装で、にわかに彼の廬《いおり》をお訪いになるとは、そも、いかなる理ですか」

「いや、それについては、大いにおはなし申したい。まず、そこらの岩へでもおかけなさい。予も、席をいただく」と、路傍の岩に腰をおろして、

「――自分が、孔明を尋ねてきたのは、国を治め民を安んずる道を問わんがためで、そのほかには何もない」と、いった。

すると、崔州平は、大いに笑って、

「善いことですな。けれど、あなたは治乱の道理を知らないとみえる」

「或いは――然らん。ねがわくは治乱の道を、説いて聞かせたまえ」

「山村の一儒生《じゅせい》が烏滸《おこ》なる言とお怒りなくば、一言申してみましょう。――一体、治乱とは、この世の二つの相《そう》かまた一相か。古《いにしえ》から観るに、治《ち》きわまれば乱を生じ、乱きわまるとき治に入ること、申すもおろかでありますが、現代はいかにというに、光武の治より今にいたるまで二百余年、平和をつづけて、近頃ようやく、地に干戈《かんか》の音、雲に

戦鼓《せんこ》の響き、いわゆる乱に入り始めたものではありませんか」

「そうです。……乱兆が見え始めてからここ二十年にわたるでしょう」

「人の一生からいえば、二十年の乱は長しと思えましょうが、悠久なる歴史の上からみれば、実はほんの一瞬です。大颱風《だいたいふう》を知らせる冷風が、そよめきだしてきた程度にすぎますまい」

「ゆえに、真の賢人を求め、万民の災害を、未然に防ぐこと、或いは、最小最短になすべく努めることを以て、劉備は自分の使命なりと信じているわけですが」

「善い哉《かな》、理想は。——けれど、天生天殺いつの日か終らんです。ごらんなさい、黄土の人族《じんぞく》起って以来の流れを。また秦漢《しんかん》の政体や国々の制が立って以来の転変を。——歴史は窮《きわ》まりなくくり返してゆくらしい。——万生万殺——一殺多生——いずれも天理の常でしょう。自然の天心からこれを観れば、青々と生じ、翻々《へんぺん》と落葉する——それを見るのとなんの変りもない平凡事にすぎますまい」

「われわれは凡俗です。高士のごとく、冷観はできません。ひとしく生き、ひとしく人たる万民が、塗炭《とたん》の苦しみにあえぐを見ては。また、果てなき流血の宿命をよそには」

「英雄の悩みはそこにありましょう。——けれど、あなたが孔明を尋ねて、いかに孔明をお用いあろうと、宇宙の天理を如何になし得ましょうか。たとい孔明に、天地を廻旋《かいせん》するの才ありとも、乾坤《けんこん》を捏造《ねつぞう》するほど力があろうとも、到底、その道理を変じて、この世から戦をなくすることはできないにきまっている。いわんや、あの人も、そう丈夫な体でもないし、限りのある生命と知れている人間ではありませんか。……ははは」

五

玄徳は終始、つつしんで聞いていたが、崔州平《さいしゅうへい》のことばが終ると、

「ご高教、まことにかたじけない」と、ふかく謝して、

「――時に、今日は思いがけないお教えをうけ、一つの幸いであったが、ただ孔明に会えずに帰ることだけは、何とも残念に心得る。もしや、彼の行く先を、ご存じあるまいか」

と、話を戻してたずねた。

「いや実は、私もこれから孔明の家を訪ねようと思って、これまで来たところです。留守とあれば、自分も帰るしかありません」と、崔州平《さいしゅうへい》は腰をあげた。

玄徳も共に起ち上がりながら、

「如何です、玄徳と共に、新野へ来ませんか。なおいろいろ貴公について、善言を伺いたいと思うが」と、誘った。

崔州平は、かぶりを振って、

「山野の一儒生、もとより世上に名利を求める気はありません。ご縁があればまた会いましょう」

と、長揖《ちょうゆう》して立ち去った。

玄徳も馬に乗って、やがて臥龍の岡をうしろに帰った。

途中、関羽は、玄徳のそばへ駒を寄せてそっと訊ねた。

「最前の隠士がいった治乱の説を君には真理と思し召すか?」

「――否」

玄徳は、にことして答えた。

「彼のいうところは、彼らの中の真理であって、万民俗衆の真理ではない。この地上の全面を占めるものは億兆の民衆で、隠士高士のごときは、何人と数えられるほどしかおるまい。そういう少数の中だけでもてあそぶ真理なら、どんな理想でも唱えていられよう」

「それほど、治乱の理を、明らかにご承知でいながら、なんで長々と、崔州平の言などをつつしんで聞いておられたのですか」

「もしや?……一言半句でも、そのうちに、世を救い万民の苦悩に通じることばでもあろうかと、あくまで語らせておいたのだが」

「ついに、ありませんでしたな」

「ない。……なかった。……それを聞かせてくれる人にわしは渇《かつ》している。まだ見ぬ孔明に自分が求めてやまないのも、その声だ。その真理だ」

かくて、その日は、むなしく暮れたが、新野に帰城してから、数日の後、玄徳はまた人をやって、孔明の在否をうかがわせていた。

やがて、その者から報らせてきた。ここ一両日は、たしかに孔明は家に帰っているようです。すぐお出ましあれば、こんどこそ草廬《そうろ》に籠っておりましょう——と。

「さらば、今日にも」と、玄徳は急に、馬の具《そな》えや供の支度を命じた。

張飛は、馬の側へきて、やや不平そうに、鞍上《あんじょう》の玄徳へいった。

「いやしい田夫の家へ、ご自身で何度も出かけるなどは、領民のてまえも、変なものでしょう。使いをやって、孔明を城へ呼び寄せてはどんなものですか」

「礼に欠ける。そんなことで、どうして、彼の如き稀世《きせい》の賢人を、わが門へ迎えられよう」

「孔明とやら、いかに学者か賢人か知らぬが、多寡《たか》が狭隘《きょうあい》な書斎と十畝《せ》の畑しか知らない奴、実社会はまたちがう。もしお高くとまって、来るの来ないのといったら、張飛がひっさげて参るとも、なんの造作はあるまいに」

「みずから門を閉じるものだ。書物をひらいて、すこし孟子《もうし》の言葉でも嚙みしめてみるがいい」

この前と同じぐらいな供の数だった。城門を出て、新野の郊外へかかる頃から、霏々《ひひ》として、灰色の空から雪が降りだしてきた。

ちょうど十二月の中旬《なかば》である。朔風《さくふう》は肌をさし、道はたちまちおおわれ、雪は烈しくなるばかりだった。

雪《ゆき》千《せん》丈《じょう》

一

一行が、隆中の村落に近づいたころは、天地の物、ことごとく真白になっていた。歩一歩と、供の者の藁沓《わらぐつ》は重くなり、馬の蹄《ひづめ》を埋めた。

白風《びゃくふう》は衣をなげうち、馬の息は凍り、人々の睫毛《まつげ》はみな氷柱《つらら》になった。

「ああ、途方もない寒さだ。――馬鹿げているわい」

張飛は、顔をしかめながら、雪風の中で聞えよがしに呟いていたが、玄徳のそばへ寄って、またこういった。

「家兄《このかみ》、家兄。いい加減にしようじゃありませんか、軍《いくさ》もせず、こんな思いを忍んで、無益な人間を尋ねて一体どうするんです？　しばしそこらの民家へ立ち寄って寒気をしのぎ、新野へ引き返されては如何ですか」

聞くと、玄徳は、

「ばかなことを申せ」と、叱って、

「おまえは、厭《いや》か、寒いか」

と、常になく烈しい眉を雪風にさらしながら云った。張飛も負けずに、赤い面をふくらせて、

「戦をするなら、死ぬのも厭《いと》いはしないが、こんな苦労は意味がない。なんのために、こんな馬鹿げた苦労をしてゆくのか、誰にだって分りやしません」

「予の訪う孔明に対し、予の熱情と慇懃《いんぎん》を知らしめんためである」

「それは、家兄《このかみ》だけの独り合点というものでさ。冗談でしょう。こんな大雪の日に、どやどや客に来られたひにには、先だって大迷惑する」

「——誰か知らん千丈の雪。おまえは黙ってついて来い。また、歩くのが嫌なら一人で新野へ帰れっ」

もう村の中らしい。道の両側、ところどころに家が見える。雪に埋もれた土の窓から、土民の女房が眼をまろくして一行をながめていた。また貧しい煙の這う壁の奥から嬰児《あかご》の声が道へ聞えてくる。

こういう寒村の窮民を見ると、玄徳は、自分の故郷涿県《たくけん》の田舎と、その頃の貧乏生活を思い出す……。同時に、この地上に満ち満ちている幾億の貧乏人の宿命を思いやらずにいられない。

彼はそこに、自分の志に大きな意義と信念を見出すのであった。きょうばかりではない。二十年来のことである。

壮士の高名、尚いまだ成らず
ああ久しく、陽春に遇《あ》わず
君見ずや
東海の老叟《ろうそう》荆榛《けいしん》を辞す
石橋《せっきょう》の壮士誰かよく伸びん
広施《こうし》三百六十釣《ちょう》
風雅遂に文王と親し
八百の諸侯、期せずして会す
黄龍舟《こうりゅうふね》を負うて孟津《もうしん》を渉《わた》る……
何処だろう？
何者が歌うのであろう？
凛々《りんりん》、心腸をしぼるばかり、高唱してやまない者がある。
「はて。あの声は」
玄徳は思わず駒をとめた。
道の雪、降る雪、そこらの屋根の雪が、白毫《びゃくごう》の旋風《つむじかぜ》となって眼をさえぎる。――ふと、かたわらを見ると、傾いた土の家の門《かど》に、一詩を書いた聯《れん》と、居酒屋のしるしの小旗が立っていた。
歌う声は、その中から聞えてくるのだった。さびのある声調と、血のかよっている意気が聞きとれる。

牧野《ぼくや》の一戦、血、杵《きね》を漂《ただよ》わす
朝歌一旦、紂君《ちゅうくん》を誅《ちゅう》す
また見ずや
高陽《こうよう》の酒徒、草中に起こる
長揖山中《ちょうゆうさんちゅう》 隆準公《りゅうせつこう》
高く大覇《たいは》を談じて人耳《じんじ》を驚かす
二女足を濯《あろ》うて何れの賢《けん》に逢わん……

玄徳は、そのまま、雪に埋もれかけてゆくのも忘れて、じっと、聞き惚《ほ》れていた。

二

するとまた、別人の声が、卓をたたいて高吟しだした。ひとりは、それに合わせて、箸で鉢をたたく。

漢皇剣をひっさげて寰宇《かんう》を清め
一たび強秦《きょうしん》を定む四百載《さい》
桓霊《かんれい》いまだ久しからず火徳衰《おとろ》う
乱臣賊子鼎鼐《ていだい》を調え
群盗四方にあつまる蟻の如し

　万里の奸雄みな鷹揚《おうよう》
　吾ら大嘯《たいしょう》、空しく手を拍つのみ
　悶《もだ》え来って村店《そんてん》に村酒を飲む……

　歌い終ると、

「あははは」

「わははは」

　梁《うつばり》の塵《ちり》も落すような笑い声である。

「さては、――」と、玄徳は、歌の意味から察して、

「どちらか一方は、かならず孔明にちがいあるまい」

と、急に馬をおりて、居酒屋のうちへずかずかはいって行った。

ただの板を打った、細長い卓《つくえ》によって、二人の処士が飲んでいた。ふいに門口からはいってきた、玄徳のすがたを見――唖然として――どっちも眼をまろくする。

向う側の老人は、木瓜《ぼけ》の花みたいに真っ赤な顔はしているが、容貌は奇古《きこ》清潔で、どこか風格がある。

　幅のある背を向けて、老人と対しているのは、白皙黒鬢《はくせきこくびん》の壮士で、親子か友人か、よほど親しい仲らしい。

　玄徳は慇懃《いんぎん》に、酒興を醒ました無礼をわびて、

「それに在《おわ》すは、臥龍先生とはちがいますか」と、老人へ向って云った。

「ちがう……」

老人は顔を振って苦笑する。

玄徳はさらに、若いほうの人物にむかって、

「もしや孔明先生は、其許《そこもと》ではありませんか」と、訊いてみた。

「ちがいます」と、若いほうも、明晰《めいせき》に否定する。

老人はいぶかしげに、次に自分のほうから訊ねた。

「かかる雪中、臥龍《がりゆう》をおたずねあるは、そも、何事ですか。また将軍こそ、如何なるお人か？」

「申しおくれた。自分は漢の左将軍、予州の牧《ぼく》、劉玄徳というもの。――孔明先生を訪うわけは、乱世の現状を治め、済民《さいみん》の道を問わんがためです」

「えっ、では新野のご城主ではありませんか」

「そうです。今、戸外《おもて》を通るに、旺《さかん》な声をして、慷慨《こうがい》の歌を吟ずる声がしました。察するに必ず先生ならんと――われを忘れてこれへはいって来たわけですが」

「それはどうも」

二人は、顔を見合わせて、

「折角でしたが、われわれはいずれも、孔明ではありません。ただ臥龍の友だちどもです。それがしは、潁州《えいしゆう》の石広元《せきこうげん》と申し、てまえの前におる壮士《わかもの》は、汝南《じよなん》の孟公威《もうこうい》という者でござる」

玄徳は、失望しなかった。なぜなら石広元といい、孟公威といい、いずれも襄陽《じょうよう》の学界で著名な人士である。ここで会ったのは何よりの幸せ、相伴って臥龍先生の廬《いおり》を訪おうではないか——と彼がすすめると、石広元は、かぶりをふって、

「いやいや、われらは山林に高臥《こうが》し、懶惰《らんだ》になれた隠者ですから、いかで治国安民の経策になどかかわれましょう。資格のない人間どもです。まずまず、臥龍をお訪ねあるが何よりでしょう」

と、巧みに避けた。

やむなく玄徳は二人にわかれて、居酒屋の戸外《そと》へ出た。雪は相変らずひょうひょうと降りしきっている。供の関羽、張飛たちも、きょうばかりは黙々と雪を冒《おか》してゆくばかりだった。

やがて岡の家——孔明の廬たる柴門《さいもん》へようやくたどりついた。柴を叩いて、先生ありやと、先日の童子に在否を訊ねると、

「はい、何だか、きょうは書堂の内にいるようです。あの堂です。行ってごらんなさい」

と、奥を指した。

三

供や馬を柴門の陰に残して、関羽、張飛のふたりだけを連れ、玄徳は雪ふみ分けて、

園《えん》の奥へ通って行った。

書斎らしい一堂がある。

縁も廂《ひさし》も、雪に埋もれ、堂中はひそとしている。

破れ芭蕉の大きな葉が、雪の窓をおおっていた。玄徳はひとり階下へ寄って、そっと室内をうかがってみた。

——と、そこに。

寂然《せきぜん》と膝を抱いて、炉によっている若者がある。若者は眉目秀明であった。堂外にたたずむ人のありとも知らぬ容子で、独り口のうちで微吟していた。

鳳凰《おおとり》は、千里を翔《か》けても
珠《たま》なき樹には棲《す》まずという
われ困《こう》じて一方を守り
英主にあらねば依らじとし
自ら隴畝《ろうほ》を耕して
いささか琴書《きんしょ》に心をなぐさめ
詩を詠じて鬱《うつ》を放ち
以て天の時を待つ
一朝明主に逢うあらば
何の遅きことやあらん……

玄徳はそっと階をのぼって、廊の端にたたずんでいた。だが、興《きよう》をさまたげるも心ない業と、なおしばらく耳をすましていたが、微吟の声はそれきり聞えない。

おそるおそる堂中をうかがってみた。炉によったまま、その人は膝を抱いて居眠っているのである。さながら邪心のない嬰児《あかご》のように。

「先生。お眠りですか」

試みに、玄徳がこう声をかけてみると、若者は、ぱっと眼をみひらいて、

「あっ。……どなたですか」と、おどろきながらも、静かにたずねた。

玄徳は、それへうずくまって、礼を施しながら、

「久しく先生の尊名を慕っていた者です。実はさきに徐庶《じよしよ》のすすめにより、幾たびか仙荘へきましたが、いつも拝会の縁にめぐまれず、空しく立ち帰っておりましたが、今日、風雪を冒《おか》して参ったかいあって、親しく尊顔を拝し、こんな歓びはありません」

――すると、彼の若者は、急にあわてて、身を正し、答礼していった。

「将軍は新野の劉皇叔《りゆうこうしゆく》でしょう。きょうもまた、私の兄をばお訪ね下すったのですか」

玄徳は、色を失って、

「では、あなたもまた、臥龍先生ではないのですか」

「はい。私は臥龍の弟です。――われらには同腹の兄弟が三人あります。長兄は諸葛瑾《しよかつきん》と申し、呉に仕えて孫権の幕賓《ばくひん》たり。二番目の兄が、諸葛亮《しよかつりよう》、すなわち孔明で――私は

臥龍の次にあたる三番目の弟、諸葛均《しょかつきん》でございます」

「ああ、そうでしたか」

「いつもいつも遠路をお訪ねたまわりながら失礼ばかり……」

「して、臥龍先生には」

「あいにく、今日も不在です」

「何処へお出かけでしょう？」

「今朝ほど、博陵の崔州平《さいしゅうへい》が参って、どこかへ誘い、飄然と出て行きましたが」

「お行き先は分りませんか」

「或る日は、江湖に小舟をうかべて遊び、或る夜は、山寺へ登って僧門をたたき、また、僻村《へきそん》の友など訪ねて琴棋《きんき》をもてあそび、詩画に興じ、まったく往来のはかり難い兄のことですから……今日も何処へ行きましたことやら？」と、均は気の毒そうに、外の雪を見ながら答えた。

玄徳は、長嘆して、

「どうしてこう先生と自分とは、お目にかかる縁が薄いのだろう」と、思わず呟いた。

均は黙って、次の室へ立って行った。小さな土炉へ火を入れて、客のために茶を煎《に》るのであった。

「家兄《このかみ》、家兄、孔明が留守とあれば、仕方がないでしょう。さあ、帰ろうじゃありませんか」

堂外《そと》はひどい吹雪。張飛は階下から、こう喚《わめ》いてせきたてた。

四

茶が煮えると、諸葛均《しょかつきん》は、うやうやしく玄徳に、一碗の薫湯《くんとう》を献じて、

「そこは雪が吹きこみます。少しこちらの席でご休息を」と、すすめた。

しきりに帰りをうながす張飛の声をうしろに、玄徳は、落着きこんで、茶をすすりながら、

「孔明先生には、よく六韜《りくとう》を諳《そら》んじ、三略に通ずと、かねがね伺っていますが、日々、兵書をお読みですか」

などと雑談を向け始めた。

均は、つつましく、

「存じません」と、答えるのみ。

「兵馬の修練はなされておいでですか」

「知りません」

「ご舎弟のほか、ご門人は」

「ありません」

吹雪の中で、張飛は、さもさも焦《じ》れ切っているように、

「家兄《このかみ》っ。無用の長問答は、もうよい程にして下さい。雪も風もつのるばかり、日が暮

れますぞ、ぐずぐずしていると」

玄徳は、振り向いて、

「野人。静かにせい」と、叱った。

そして、均にむかい、

「かく、お妨《さまた》げ申していても、この吹雪では、今日のお帰りは期し難いでしょう。他日、あらためてまた、推参することにします」

「いえ、いえ。たびたび駕《が》を枉《ま》げ給うては、恐縮の至りです。そのうち気が向けば、兄のほうからお伺いするでしょう」

「なんぞ先生の回礼を待たん。また日をおいて、自身おたずねするであろう。ねがわくは、紙筆を貸したまえ。せめて先生に一筆のこして参りたく思う」

「おやすいこと」

諸葛均は、立って、几上《きじょう》の文房四具を取り揃え、玄徳の前にそなえた。

筆の穂も凍っている。玄徳は雲箋《うんせん》を手にして、次の一文を認めた。

漢の左将軍宜城《ぎじょう》の亭侯司《ていこうし》隷校尉《れいこうい》領予州の牧劉備《ぼくりゅうび》。歳両番《としりょうばん》を経て相謁《あいえつ》して遇《あ》わず、空しく回《かえ》っては惆悵怏々《ちゅうちょうおうおう》として云うべからざるものあり。切に念《おも》う、備や漢室の苗裔《びょうえい》に生れ忝《かたじ》けなくも皇叔に居、みだりに典郡の階に当り、職将軍の列に係《かかわ》る。

伏して観る、朝廷陵替《りょうたい》、綱紀《こうき》崩摧《ほうさい》、群雄国に乱るの時、悪党君をあざむくの日にあたりて、備、心肺ともに酸《す》く、肝胆《かんたん》ほとんど裂く。

玄徳はここで筆を按じ、瞳を、外の霏々《ひひ》たる雪に向けていた。

張飛は、聞えよがしに、

「ううっ、たまらぬ。家兄《このかみ》は詩でも作っているのか。さりとは、風流な」

それを耳にもかけない玄徳であった。さらに、筆を呵《か》して――

匡済《きょうさい》の忠はありといえども、経綸の妙策なきを如何にせん。仰いで啓《けい》す。

先生の仁慈惻隠《じんじそくいん》、忠義慨然、呂望《りょぼう》の才を展《の》べ子房の大器を施《ほどこ》すを。備、これを敬う
こと神明の如く、これを望むや山斗《さんと》の如し。一見を求めんとして得べからず、再び
十日斎戒薫沐《じゅうじつさいかいくんもく》して、特に尊顔を拝すべし。乞う、寛覧《かんらん》を垂れよ。鑒察《かんさつ》あらば幸甚。

建安十二年十二月吉日再拝
「舐筆《しひつ》をお下げあれ」

「おすみになりましたか」

「先生がお帰りになられたらはばかりながらこの書簡を座下に呈して下さい」

云いのこして、玄徳は堂をおり、関羽、張飛をつれて、黙々、帰って行った。

門外に出て、馬を寄せ、すでにここを去ろうとした時である、送ってきた童子は客も
捨てて彼方へ高く呼びかけていた。

「老先生だ。――老先生！　老先生！」

五

童子は待ちきれず、彼方へ駈けだして行った。

玄徳の一行もやや進んでいた。

孔明の家の長い籬《まがき》のきれたところに、狭い渓へかかっている小橋がある。

見ると今、そこを渡ってくる驢馬《ろば》の上に、暖かそうな頭巾をかぶった老翁のすがたがある。身には狐の皮衣《かわごろも》をまとい、酒をいれた葫蘆《ふくべ》を、お供の童子に持たせてくる。

籬の角から渓《たに》へのぞんで、寒梅の一枝が開きかけていた。

老翁はそれを仰ぐと、興《きょう》をもよおしたらしく、声を発して、梁父《りょうほ》の詩を吟じた。

一夜北風寒し
万里彤雲《とううん》厚く
長空雪は乱れ飄《ひるがえ》る
改め尽す山川の旧《ふる》きを
白髪の老衰翁《ろうすいおう》
盛んに皇天の祐《たすけ》を感ず
驢《ろ》に乗って小橋を過ぎ
独り梅花の痩せを嘆ず

うと、橋畔に馬を捨てて、

玄徳は、詩声を聞いて、その高雅その志操を察し、かならずこの人こそ、孔明であろうと、橋畔に馬を捨てて、

「待つこと久し。先生、ただ今、お帰りでしたか」と、呼びかけた。

老翁は、びっくりした容子で、すぐさま馬をおり、礼をかえして、

「てまえは、臥龍の岳父《しゅうと》の黄承彦《こうしょうげん》というものじゃが……して、あなた様は？」と、怪訝《いぶか》った。

またしても、人違いだったのである。孔明の妻、黄氏の父だった。玄徳は、卒爾《そつじ》を謝して、

「そうでしたか。私は新野の玄徳ですが、臥龍の廬《いおり》を訪うこと二回、今日もむなしく会えずに帰るところです。いったい、あなたの賢婿《むこ》さんは何処へ行ったのでしょう？」

「さあ。てまえもこれからその婿をたずねに行く途中ですが、……それでは今日も留守ですかい」

やれやれといわぬばかりに、老翁は眉を降りしきる雪に上げて考えていたが、

「ここまで来たこと、てまえは娘にでも会いましょう。ひどい雪じゃ、途中の坂道をお気をつけなされ」と、ふたたび驢馬に乗って立ち別れた。

意地悪く、雪も風もやまない。道の難渋《なんじゅう》はいうまでもなかった。来がけに立ち寄った例の居酒店《いざかや》のある村まで来たときは、すでに日も暮れかけていた。

いくら長尻《ながじり》でも大酒でも、昼の石広元《せきこうげん》や孟公威《もうこうい》はもうそこにはいないだろう。その代

りに、ほかのお客がこみあっているらしい。飲んだり騒いだり盛んにがやがややっている。そして鉢を叩きながら、その客達がうたうのを聞けば――

　莫レ学孔明択レ婦《まなぶなかれこうめいのふをえらぶを》
　止レ得阿承醜女ニ《あしようのしゆうじよをうるにとどまる》

これをもっと俗歌的にくだいて、おまけにこの辺の田舎訛《なま》りを加え、

　嫁えらみも、たいがいに
　孔明さんがよい手本
　択《え》りに択ったその末が
　醜女《しゆうじよ》のあしょうを引きあてた。

と、笑い囃《はや》しているのであった。

孔明の新妻が、不縹緻《ぶきりよう》なことは、この俚謡《りよう》もいっているとおり、村では噂のたねらしい。

さっき小橋で出会ったのが嫁さんの父親である。その黄承彦《こうしようげん》さえ、娘をやる時、

（われに一女あり、色は黒く、髪は赭《あか》く、容色はなけれど、才は君に配するに堪《た》えたり）

と、断って嫁がせたというほどであるから、親でも自慢できなかった不美人だったにちがいない。

居酒店の前を通りながら、その俚謡を耳にした張飛は、玄徳へいった。

「どうです、あの謡《うた》は。およそ彼の家庭も、あれで分るじゃありませんか。新妻にあきたらないので、孔明先生、時々よそへ、美しいのを見に行くのじゃありませんかな？」

と、戯れた。

玄徳は返辞もしなかった。満天の雪雲のように、彼の面は怏々と閉じていた。

立春大吉《りっしゅんだいきち》

一

年はついに暮れてしまった。

あくれば建安十三年。

新野《しんや》の居城に、歳暮や歳旦《さいたん》を迎えているまも、一日とて孔明を思わぬ日のない玄徳は、立春の祭事がすむと、卜者《ぼくしゃ》に命じて吉日をえらばせ、三日の潔斎《ものいみ》をして身をきよめた。

そして、関羽、張飛をよび、

「三度、孔明を訪れん」と、触れだした。

ふたりとも歓ばない顔をした。口を揃えて諫めるのである。

「すでに両度まで、駕《が》を枉《ま》げたまい、このうえまた、君よりお訪ねあるなどは、あまりに礼の過ぎたるもの。それがしどもの思うには、孔明はいたずらに虚名を売り、実は内容のない似非《えせ》学徒に相違なく、それ故、わが君に会うのをおそれ、とやかく、逃げのがれているものかと存じられます。――そんな人物に惑《まど》わされて、無用なお心をつかうなど、巷《ちまた》の嘲笑も思いやらるるではございませぬか」

「否！」

玄徳の信はかたかった。

「関羽は春秋も読んでいよう。斉《せい》の景公は、諸侯の身で、東郭《とうかく》の野人に会うため、五度も尋ねているではないか」

関羽は、長嘆して、

「あなたが賢人を慕うことは、ちょうど太公望《たいこうぼう》のところへ通った文王のようです。ご熱意にはほとほと感じいるほかありません」

すると張飛は、横口をさし入れて、こう大言した。

「いやいや、文王が何だ。太公望が何者だ。われら三人が、武を論ぜんに、誰か天下に肩をならべる者やある。それを、たった一人の農夫に対して、＊三顧《さんこ》の礼《れい》を尽すなど、実に、愚の至りというべきだ。孔明を招くには、一条の麻縄があれば足りる。それがしにお命じあれば、立ちどころに縛《ばく》しあげてきて、家兄のご覧に入れるものを！」

「張飛は、近頃また、持ち前の狂躁病《きょうそうびょう》が起っておるらしいな」と、玄徳は、叱って、
「むかし、周の文王が、渭水《いすい》に行って、太公望をたずねたとき、太公望は釣糸を垂れていて、かえりみもしなかった。文王はそのうしろにたったまま、釣を邪《さまた》げず、日の暮れるまで待っていたという。——太公望もその志に感じ、ついに文王を佐《たす》ける気になって、その功はやがて、周代八百年の基を開いたのである。——古人の賢人を敬うことは、みなこのようであった。思い見よ、汝自身の天性と学問を。——もし先方へ参って、今のような無礼を放言したら、玄徳の礼も、空しきものとなる。関羽一名を供にして行くから、汝は留守をしておるがいい」

云い捨てて、玄徳は早、城中から馬をすすめていた。

ひどく叱られて、張飛は、一時ふくれていたが、関羽も供についてゆくのを見ると、
「一日たりとも、家兄《このかみ》のそばを離れているのは、一日の不幸だ。おれも行く」
と、後から追いかけて、供のうちに加わった。

春は浅く、残んの雪に、まだ風は冷たかったが、清朗の空の下、道は快《こころよ》くはかどった。

やがて、臥龍の岡につく。

駒をおりて、玄徳は、歩行してすすむこと百歩、
「臥龍先生はご在宅か」と、慇懃《いんぎん》、叩門《こうもん》して、内へ云った。

飄《ひょう》として、ひとりの書生が、奥から馳けてきて、門をひらいた。

相見れば、それはいつぞやの若者――諸葛均《しょかつきん》であった。

「おお……」

「ようこそ、お越しなされました」

「きょうは、お兄上には？」

「はい。昨日の暮れ方、家に帰って参りました」

「おお。おいでですか！」

「どうか、お通りあって、ご随意にお会いくださいまし」

均は、そういうと、ただ長揖《ちょうゆう》して、立ち去ってしまった。

張飛は見送って、

「案内にも立たず、勝手に会えとは、何たる非礼。小面《こつら》の憎い青二才め」

と、何かにつけて、腹ばかり立てていた。

二

柴門《さいもん》を入って、園を少しすすむと、また、かたわらに風雅な内門が見える。

いつもは開いているそこの木戸が、今日のみは閉まっていた。ほとほと訪れて叩くと、墻《かき》の梅が繽紛《ひんぷん》とこぼれ落ちてくる。

「どなたですか」

内から開けて、顔をだしたのは、いつも取次に出る童子だった。

玄徳は、笑顔をたたえ、

「おお仙童。たびたび労をわずらわして、大儀ながら、先生に報じくれぬか。新野の玄徳が参ったと」

すると童子も、きょうは日頃とちがって、ことばつきまで丁寧に、

「はい。先生は家においでなさいますが、いま草堂で午睡《ひるね》していらっしゃいます。まだお眼ざめになりませんが」

「お午睡中か。……では、そのままにしておいて下さい」

そして関羽と張飛に、

「そち達は、内門の外に控えておれ。――お眼ざめになるまでしばしお待ちしよう」

と、独り静かに入って行った。

草堂の周りは早春の光なごやかに幽雅な風色につつまれている。ふと、堂上を見れば、几席《きせき》のうえにのびのびと安臥《あんが》している一箇の人がある。

これなん、孔明その人ならんと、玄徳は階下に立ち、叉手《さしゅ》して、彼が午睡のさめるのを待っていた。

白い、小蝶が、牀《しょう》のあたりにとまっていたが、やがて書斎の窓の下へ舞ってゆく。

中天にあった陽は、書堂の壁を、一寸二寸とかげってきた。――玄徳は倦《う》まず動かず、なお凝然と、さめる人を待っていた。

「あーっ。眠くなった。家兄《このかみ》はいったいどうしたんだい」

こう大あくびを放って、無作法にいう声が、墻《かき》の外で聞えた。あまり長いので退屈してきた張飛らしい。

「……おや。家兄は、階下にたったままじゃないか」

張飛は、墻の破れ目から、中をのぞきこんでいたが、たちまち、面に朱をそそいで、関羽へ喰ってかかるように云った。

「ふざけた真似をしていやがる。まあ、中をうかがってみろ。われわれの主君を、一刻余りも階下に立たせておいたまま、孔明は牀の上で、ゆうゆうと午睡していやがる。……なんたる無礼、傲慢《ごうまん》、もう勘弁相ならぬ」

「しっ。しっ……」

関羽は、また彼の虎髯《とらひげ》が、逆立ちかけてきたのを見て、眼で抑えた。

「墻《かき》の内へ聞えるではないか。静かに、もうしばらく、容子を見ていろ」

「いや、聞えたってかまわん。あの似非《えせ》君子が、起きるか起きないか、試しに、この家へ火をつけてみるんだ」

「ばかな真似をするな」

「いいよ。離せ」

「また悪い癖を出すか。さような無茶をすると、貴様の髯に火をつけるぞ」

ようやくなだめているうちにも、書窓の廂《ひさし》に、陽は遅々《ちち》と傾きかけながら、堂上の人の眠りは、いつさめるとも見えなかった。

「…………」

ふと、孔明は寝がえりをうった。

起きるかと見ていると、また、そのまま、壁のほうへ向って、昏々と眠ってしまう。

童子がそばへ寄って、呼び起そうとするのを、玄徳は階下から、黙って、首を振ってみせた。

そしてまた、半刻ほど経った。

すると、寝ていた人は、ようやく眼をさまし、身を起しながら、低声微吟して曰《い》うらく、

大夢誰かまず覚《さ》む
平生我れ自ら知る
草堂に春睡《しゅんすい》足《た》って
窓外に日は遅々《ちち》たり

吟じおわると、孔明は、身をひるがえして、几席《きせき》を離れた。

「童子、童子」

「はい」

「たれか、客が見えたのではないか。そこらに人の気はいがするが」

「お見えです、劉皇叔《りゅうこうしゅく》——新野の将軍が、もう久しいこと、階下にたって、お待ちになっておられます」

「……劉皇叔が」

孔明は切れの長い眼を、しずかに玄徳のほうへ向けた。

三

「なんで早く告げなかったか」

孔明は、童子にいうと、つと、後堂へ入って行った。口をそそぎ、髪をなで、なお、衣服や冠もあらためて、ふたたび出てくると、

「失礼しました」と、謹んで、客を迎え、なおこういって詫びた。

「一睡のうちに、かかる神雲が、茅屋《ぼうおく》の廂下《しょうか》に降りていようなどとは、夢にもおぼえず、まことに、無礼な態をお目にかけました。どうか、悪しからず」

玄徳は、たえず微笑をもって、悠揚《ゆうよう》と、座につきながら、

「なんの、神雲は、この家に常にただようもの。わたくしは、漢室の鄙徒《ひと》、涿郡《たくぐん》の愚夫。まあ、そんな者でしかありません。先生の大名は、耳に久しく、先生の神韻縹渺《しんいんひょうびょう》たるおすがたには、今日、初めて接する者です。どうかこの後は、よろしくご示教を」

「ご謙遜でいたみ入る。自分こそ、南陽の一田夫。わけて、かくの如く、至って懶惰《らんだ》な人間です。あとで、あいそをお尽かしにならないように」

賓主《ひんしゅ》は、座をわかって、至極、打ちとけた容子である。そこへ、童子が、茶を献じる。

孔明は、茶をすすりながら、

「旧冬、雪の日に、お遺《のこ》しあったご書簡を見て、恐縮しました。──そして将軍が民を憂い国を思う情の切なるものは、充分に拝察できましたが、如何せん、私はまだ若年、しかも菲才《ひさい》、ご期待にこたえる力がないことを、ただただ遺憾に思うばかりです」

「…………」

玄徳はまず彼の語韻《ごいん》の清々《すがすが》しさに気づいた。低からず、高からず、強からず、弱からず、一語一語に、何か香気のあるような響きがある。余韻がある。

すがたは、坐していても、身長《みのたけ》ことにすぐれて見え、身には水色の鶴氅《かくしょう》を着、頭には綸巾《りんきん》をいただき、その面は玉瑛《ぎょくえい》のようだった。

たとえていえば眉に江山の秀をあつめ、胸に天地の機を蔵し、ものいえば、風ゆらぎ、袖を払えば、薫々《くんくん》、花のうごくか、嫋々《じょうじょう》竹そよぐか、と疑われるばかりだった。

「いやいや。あなたをよく知る司馬《しば》徽《き》や徐庶《じょしょ》のことばに、豈《あに》、過《あやま》りがありましょうか。先生、愚夫玄徳のため、まげてお教えを示して下さい」

「司馬徽や徐庶は、世の高士ですが、自分はまったく、ありのままな、一農夫でしかありません。何で、天下の政事《まつりごと》など、談じられましょう。──将軍はおそらく玉を捨てて石を採るようなお間違いをなされている」

「石を玉と見せようとしてもだめなように、玉《い》を石と仰せられても、信じる者はありません。いま、先生は経世の奇才、救民の天質を備えながら、深く身をかくし、若年におわしながら、早くも山林に隠操《いんそう》をお求めになるなどとは――失礼ながら、忠孝の道に背《そむ》きましょう。玄徳は惜しまずにいられません」

「それは、どういうわけですか」

「国みだれ、民安からぬ日は、孔子でさえも民衆の中に立ちまじり、諸国を教化して歩いたではありませんか。今日は、孔子の時代よりも、もっと痛切な国患の秋《とき》です。ひとり廬にこもって、一身の安きを計っていていいでしょうか。――なるほど、こんな時代に、世の中へ出てゆけば、たちまち、俗衆と同視せられ、毀誉褒貶《きよほうへん》の口の端にかかって、身も名も汚《けが》されることは知れきっていますが――それをしも、忍んでするのが、真に国事に尽すということではありませんか。忠義も孝道も、山林幽谷のものではありますまい。――先生、どうか胸をひらいて、ご本心を語ってください」

再拝、慇懃《いんぎん》、態度は礼をきわめているが、玄徳の眼《まなこ》には、相手へつめ寄るような情熱と、吐いて怯《ひる》まない信念の語気とをもっていた。

「…………」

孔明は、細くふさいでいた睫毛を、こころもち開いて、静かな眸で、その人の容子を、ながめていた。

赤壁の巻

出《しゅっ》廬《ろ》

一

十年語り合っても理解し得ない人と人もあるし、一夕《せき》の間に百年の知己《ちき》となる人と人もある。

玄徳と孔明とは、お互いに、一見旧知のごとき情を抱いた。いわゆる意気相許したというものであろう。

孔明は、やがて云った。

「もし将軍が、おことばの如く、真に私のような者の愚論でもおとがめなく、聴いて下さると仰っしゃるなら、いささか小子《しょうし》にも所見がないわけでもありませんが……」

「おお。ねがわくは、忌憚《きたん》なく、この際の方策を披瀝《ひれき》したまえ」

と、玄徳は、襟《えり》をただす。

「漢室の衰兆《すいちょう》、蔽《おお》いがたしと見るや、姦臣輩出《かんしんはいしゅつ》、内外をみだし、主上はついに、洛陽を捨て、長安をのがれ給い、玉車に塵《ちり》をこうむること二度、しかもわれら、草莽《そうもう》の微臣どもは、憂えども力及ばず、逆徒の猖獗《しょうけつ》にまかせて現状に至る——という状態です。ただ、ただ今も失わないのは、皎々《こうこう》一片《ぺん》の赤心のみ。先生、この時代に処する計策は何としますか」

孔明は、いう。

「されば。——董卓《とうたく》の変このかた、大小の豪傑は、実に数えきれぬほど、輩出しております。わけても河北の袁紹《えんしょう》などは、そのうちでも強大な最有力であったでしょう。——ところが、彼よりもはるかに実力もなければ年歯も若い曹操《そうそう》に倒されました」

「弱者がかえって強者を仆す。これは、天の時でしょうか。地の利にありましょうか」

「人の力——思想、経営《ちゅうけい》、作戦、人望、あらゆる人の力によるところも多大です。その曹操は、いまや中原に臨んで、天子をさしはさみ、諸侯に令して、軍、政二つながら完《まった》きを得、勢い旭日のごときものがあり、これと鉾《ほこ》を争うことは、けだし容易ではありません。——いや。もう今日となっては、彼と争うことはできないといっても過言ではありますまい」

「……ああ。時はすでに、去ったでしょうか」

「いや。なおここで、江南から江東地方をみる要があります。ここは孫権《そんけん》の地で、呉主すでに三世を歴《けみ》しており、国は嶮岨《けんそ》で、海山の産に富み、人民は悦服《えっぷく》して、賢能の臣下多く、地盤まったく定まっております。――故に、呉の力は、それを外交的に自己の力とすることは不可能ではないにしても、これを敗って奪《と》ることはできません」

「むむ。いかにも」

「――こうみてまいると、いまや天下は、曹操と孫権とに二分されて、南北いずれへも驥足《きそく》を伸ばすことができないように考えられますが……しかしです……唯ここにまだ両者の勢力のいずれにも属していない所があります。それがこの荊州《けいしゅう》です。また、益州《えきしゅう》です」

「おお」

「荊州の地たるや、まことに、武を養い、文を興すに足ります。四道、交通の要衝にあたり、南方とは、貿易を営むの利もあり、北方からも、よく資源を求め得るし、いわゆる天府の地ともいいましょうか。――加うるに、今、あなたにとって、またとなき僥倖《ぎょうこう》を天が授けているといえる理由は――この荊州の国主劉表《りゅうひょう》が優柔不断《ゆうじゅうふだん》で、すでに老病の人たる上に、その子劉琦《りゅうき》、劉琮《りゅうそう》も、凡庸《ぼんよう》頼むに足りないものばかりです。――益州(四川省)はどうかといえば、要害堅固で、長江の深流、万山のふところには、沃野《よくや》広く、ここも将来を約されている地方ですが、国主劉璋《りゅうしょう》は、至って時代にくらく、性質もよくありません。妖教跋扈《ようきょうばっこ》し、人民は悪政にうめき、みな明君の出現を渇望しております。――さあ、ここです。この荊州に起り、益州を討ち、両州を跨有《こゆう》して、天下に臨まんか、初めて、曹操とも対立することができましょう。呉とも和戦両様の構えで外交することが可能です。——さらに、竿頭《かんとう》一歩、漢室の復興という希望も、はや、痴人《ちじん》の夢ではありません。その実現を期することができる……と、私は信じまする」

孔明は、細論して余すところなかった。かくその抱負を人に語ったのは、おそらく今日が初めてであろう。

二

孔明の力説するところは、平常の彼の持論たる
=支那三分の計=*であった。

一体、わが大陸は広すぎる。故に、常にどこかで騒乱があり、一波万波をよび、全土の禍いとなる。

これを統一するは容易でない。いわんや、今日においてはである。

いま、北に曹操があり、南に孫権ありとするも、荊州、益州の西蜀《せいしょく》五十四州は、まだ定まっていない。

ちと、遅まきながら、起つならば、この地方しかない。

北に拠った曹操は、すなわち天の時を得たものであり、南の孫権は、地の利を占めているといえよう。将軍はよろしく人の和をもって、それに鼎足《ていそく》の象《かたち》をとり、もって、天下三分の大気運を興すべきである——と、孔明は説くのであった。

玄徳は、思わず膝を打って、

「先生の所説を伺い、何かにわかに、雲霧をひらいて、この大陸の隈《くま》なき果てまで、一望に大観されてきたような心地がします。益州の精兵を養って、秦川《しんせん》に出る。ああ、今までは、夢想もしていなかった……」と、その眸は、将来の希望と理想に、はや燃えるようだった。

この時、孔明は、童子を呼んで、

「書庫にあるあの大きな軸を持ってきて、ご覧に入れよ」と、命じた。

やがて童子は、自分の背丈《せい》よりも長い一軸を抱えてきて、壁へかけた。

西蜀五十四州の地図である。

それを指して、

「どうです、天地の大は」

と、孔明は世上に血まなことなっている人々の、瞳孔の小ささをわらった。

——が、玄徳は、ここに唯ひとつのためらいを抱いた。それは、

「荊州の劉表《りゅうひょう》といい、益州の劉璋《りゅうしょう》といい、いずれも、自分と同じ漢室の宗親ですから、その国を奪うにしのびません。いわゆる同族相せめぐの誹《そし》りも、まぬがれますまい」という点であった。

孔明の答は、それに対して、すこぶる明確なものだった。

「ご心配には及びません」と、彼は断じるのである。

「劉表の寿命は、早晩、おのずからつきるでしょう。かれの病はかなり篤いと、襄陽《じょうよう》の

さる医家から、耳にしています。痼疾《こしつ》がなくても、すでに年齢《とし》が年齢ではありませんか。その子たちは、これまた、いうに足りません。一方、益州の劉璋は、なお健在なりとはいえ、その国政のみだれ、人民の苦しみ、誰か、それを正すを、仁義なしといいましょう。むしろ、そういう塗炭《とたん》の苦しみを除いて、民士に福利と希望を与えてやるこそ、将軍のご使命ではありませんか。――然らずして、あなたが、天下に呼号し、魏《ぎ》・呉を向うにまわして、鼎立《ていりつ》を計る意義がどこにありまするか」

一言のもとに、玄徳は心服して、その蒙《もう》を謝し、

「いや、よく分りました。思うに、愚夫玄徳の考えは、事ごとに、大義と小義とを、混同しているところから起るものらしい。豁然《かつぜん》と、いま悟られるものがあります」

「総じて、みな人のもっている弱点です。将軍のみではありません」

「ねがわくは、どうか、朝夕帷幕《ちょうせきいばく》にあって、遠慮なく、この愚夫をお教え下さい」

「いや」と、孔明は、急にことばをかえて云った。

「今日、いささか所信を述べたのは、先頃からの失礼を詫びる寸志のみです。――朝夕お側にいるわけにはゆきません。自分はやはり分を守って、ここに晴耕雨読《せいこううどく》していたい」

「先生が起たれなければ、ついに漢の天下は絶え果てましょう。ぜひなきこと哉《かな》」

と、玄徳は落涙した。

至誠は人をうごかさずにおかない。玄徳は天下の為に泣くのであった。その涙は一箇のためや、小さい私情に流したものではない。

「…………」

孔明は、沈思しているふうだったが、やがて唇を開くと、静かに、しかし力づよい語韻でいった。

「いや、お心のほどよく分りました。もし長くお見捨てなくば、不肖ながら、犬馬の労をとって、共に微力を国事に尽しましょう」

聞くと、玄徳は、

「えっ。では、それがしの聘《へい》に応じて、ご出廬《しゅつろ》くださいますか」

三

「何かのご縁でしょう。将軍は私にめぐり会うべく諸州をさまよい、私は将軍のお招きを辱《かたじけ》のうすべく今日まで田野の廬《ろ》にかくれて陽の目を待っていたのかも知れません」

「余りにうれしくて、何やら夢のような心地がする」

玄徳は、関羽と張飛を呼んで仔細を語り、また供に持たせてきた金帛《きんぱく》の礼物を、

「主従かための印《しるし》ばかりに」と、孔明へ贈った。

孔明は辞して受けなかったが、大賢《たいけん》を聘《へい》すには礼儀もある。自分の志ばかりの物だからといわれて、

「では、有難く頂きましょう」

と、家弟の諸葛均《しょかつきん》にそれをおさめさせた。

孔明は、それと共に、弟の均《きん》へ、こう云いふくめた。

「たいして才能もないこの身に対して、劉皇叔《りゅうこうしゅく》には、三顧《こ》の礼をつくし、かつ、過分な至嘱《ししょく》をもって、自分を聘せられた。性来の懦夫《だふ》も起たざるを得ぬではないか。――兄はただ今より即ち皇叔に附随して新野《しんや》の城へゆくであろう。汝は、嫂《あによめ》をいつくしみ、草廬《そうろ》をまもって、天の時をたのしむがよい。――もし幸いに、功成り名をとげる日もあれば、兄もまたここへ帰ってくるであろう」

「はい。……その日の来るのを楽しみに、留守をしております」

均は、つつしんで、兄の旨を領諾《りょうだく》した。

その夜、玄徳は、ここに一泊し、翌る日、駒を並べて、草庵を立った。

かくて岡を降ってくると――前の夜にこの趣を供の者が新野に告げに行ったとみえて、――迎えの車が村まできていた。

玄徳は孔明とひとつ車に乗り、新野の城内へ帰る途中も、親しげに語り合っていた。

このとき孔明は二十七歳、劉備玄徳は四十七であった。

新野に帰ってからも、ふたりは寝るにも、室を共にし、食事をするにも、卓をべつにしたことがない。

昼夜、天下を論じ、人物を評し、史を按《あん》じ、令を工夫していた。

孔明が、新野の兵力をみると、わずか数千の兵しかない。財力もきわめて乏しい。そこで劉備にすすめた。

「荊州は、人口が少ないのでなく、実は戸籍にのっている人間が少ないのです。ですから、劉表にすすめて、戸簿を整理し、遊民を簿冊《ぼさつ》に入れて、非常の際は、すぐ兵籍に加え得るようにしなければいけません」といった。

また自分が、保券《ほけん》の証人となって、南陽の富豪大姓《たいせい》龎氏《ぼうし》から、銭《ぜに》千万貫を借りうけ、これをひそかに劉備の軍資金にまわして、その内容を強化した。

とまれ、孔明の家がらというものは、その叔父だった人といい、また現在呉に仕えている長兄の諸葛瑾《しょかつきん》といい、彼の妻黄氏《こうし》の実家といい、当時の名門にちがいなかった。しかも、孔明の誠実と真摯《しんし》な人格だけは、誰にも認められていたので——彼を帷幕《いばく》に加えた玄徳は——同時に彼のこの大きな背景と、他方重い信用をも、あわせて味方にしたわけである。

遠大なる「天下三分の計」なるものは、もちろん玄徳と孔明のふたりだけが胸に秘している大策で、当初はおもむろに、こうしてその内容の充実をはかりながら、北支・中支のうごき、また、江西・江南の時の流れを、きわめて慎重にながめていたのであった。

呉《ご》の情熱

一

眼を転じて、南方を見よう。

呉は、その後、どういう推移と発展をとげていたろうか。

ここ数年を見較べるに——

曹操は、北方攻略という大事業をなしとげている。

玄徳のほうは、それに反して、逆境また逆境だったが、隠忍よく生きる道を見つけては、ついに孔明の出廬をうながし、孔明という人材を得た。

広大な北支の地を占めた曹操の業と、一箇の人物を野から見出した玄徳の収穫と、いずれが大きく、いずれが小さいか、この比較は、その結果を見るまでは、軽々しく即断はできない。

この間にあって、呉の発展は、あくまで文化的であり、内容の充実にあった。

何しろ、先主孫策のあとを継いで立った孫権は、まだ若かった。曹操より二十八も年下だし、玄徳とくらべても、二十二も若い当主である。

それと、南方は、天産物や交通にめぐまれているので期せずして、人と知識はここに集まった。文化、産業、ひいては軍需、政治などの機能が活潑な所以である。

時。――建安の七年頃だった。――すなわち孔明出廬のときよりさかのぼること六年前である。

美しい一艘の官船が檣頭《しょうとう》に許都《きょと》政府の旗をかかげて、揚子江《ようすこう》を下ってきた。

中央からの使者であった。

使者の一行は、呉会の賓館《ひんかん》にはいって、のち城中に登り、曹操の旨をつたえて、

「まだご幼少にいらせられる由ですが、孫閣下のご長男を、このたび都へ召されることになりました。朝廷においてご教育申しあげ、成人の後は、官人となされたいお心からです。――もちろん帝の有難い思し召も多分にあることで」と、申し入れた。

ことばの上から見ると非常な光栄のようであるが、いうまでもなく、これは人質を求めているのである。

呉のほうでも、そこは知れきっていることだが、うやうやしく恩命を謝して、

「いずれ、一門評議のうえ、あらためて」

と、答えて、問題の延引策を取っていた。

その後も、度々、長子を上洛《のぼら》せよと、曹操のほうから催促がくる。朝廷を擁しているだけに、彼の命は、すでに彼の命にとどまらない絶対権をおびていた。

「母君。いかがしたものでしょう」

孫権はついに、老母の呉夫人の耳へも入れた。

呉夫人は、

「あなたにはもう良い臣下がたくさんあるはずです。なぜこんな時こそ、諸方の臣を招いて衆智に訊いてみないのか」と云った。

考えてみると、問題は、子ども一人のことではない。質子《ちし》を拒めば、当然、曹操とは敵国になる。

そこで、呉会の賓館《ひんかん》に、大会議をひらいた。

当時、呉下の智能はほとんど一堂に集まったといっていい。

張昭、張紘《ちょうこう》、周瑜《しゅうゆ》、魯粛《ろしゅく》などの宿将をはじめとして、彭城《ほうじょう》の曼才《まんさい》、会稽《かいけい》の徳潤《とくじゅん》、沛県《はいけん》の敬文、汝南《じょなん》の徳枢《とくすう》、呉郡の休穆《きゅうぼく》、また公紀、烏亭《うてい》の孔休《こうきゅう》など。

かの水鏡先生が、孔明と並び称して――伏龍《ふくりゅう》、鳳雛《ほうすう》といった――その鳳雛とは、襄陽《じょうよう》の龐統《ほうとう》のことだが、その龐統も見えている。

そのほか、汝陽《じょよう》の呂蒙《りょもう》とか、呉郡の陸遜《りくそん》とか、瑯琊《ろうや》の徐盛《じょせい》とか――実に人材雲のごとしで、呉の旺《さかん》なことも、故なきではないと思わせられた。

「いま曹操が、呉に人質を求めてきたのは、諸侯の例によるものである。質子を出すは、曹操に服従を誓うものであり、それを拒むことは、即敵対の表示になる。いまや呉は重大な岐路に立ち至った。いかにせばよいか、どうか、各位、忌憚《きたん》なくご意見を吐露していただきたい」

張昭が議長格として、まず席を起ち、全員へこう発言を求めた。

二

こもごもに起って、各自が、説くところ論じるところ、種々《いろいろ》である。

質子《ちし》、送るべし。

となす者。

質子、送るべからず。

と、主張する者。

ようやく、会議は、二派にわかれ、討論果てしなく見えたが、

「周瑜《しゅうゆ》に一言させて下さい」と、初めて彼が発言を求めた。

呉夫人の妹の子である周瑜は、先主孫策《そんさく》と同い年であったから、孫権よりは年上だが、諸大将のうちでは、最年少者であった。

「そうだ、周瑜のことばを聞いてみよう。説きたまえ」

人々は、しばらく彼に耳をかした。

周瑜は、起立していう。

「僭越ですが、私は、楚国《そこく》の始めを憶いおこします。楚ははじめ、荆山《けいざん》のほとり、百里

に足らない土地を領し、実に微々《びび》たるものでしたが、賢能の士が集まって、ついに九百余年の基《もと》をひらきました。——いまわが呉は、孫将軍が、父兄の業をうけて、ここに三代、地は六郡の衆を兼ね、兵は精にし、粮《ろう》は豊山《ほうざん》を鋳《い》て銅《あかがね》となし、海を煮て塩となす。民乱《たみらん》を思わず、武士は勁勇《けいゆう》、むかうところ敵なしです」

「…………」

彼の演舌を聞くのは初めての人々もあったらしく、多くは、その爽やかな弁と明白な理論に、意外な面持を見せていた。

「……しかるに、何を恐れて、いま曹操の下風《かふう》に媚びる必要がありましょう。質子を送るは、属領を承認するも同じです。招かれれば、呉将軍たりと、いつでも都へ上らねばならぬ、然るときは、相府に身をかがめ、位階は一侯を出《いで》ず、車数乗、馬幾匹定《さだ》め以上の儀装もできません。いわんや、南面して、天下の覇業《はぎょう》を行わんなど、思いもよらぬ夢でしょう。——まずここは、あくまで、無言をまもり質子も送らず、曹操のうごきを見ている秋《とき》ではないでしょうか。曹操が真に漢朝の忠臣たる正義を示して天下に臨むなら、その時初めて、国交を開いても遅くはありません。またもし、曹操が暴逆をあらわし、朝廷に忠なる宰相でないようなら、その時こそ、呉は天の時を計って、大いに為《な》すある大理想をもたねばなりますまい」

「……然り矣《い》」

「そうだ。その時だ」

述べおわって、周瑜が、席へついても、しばらくは皆、感じ合ったまま、粛《しゅく》としていた。

意見は、完全に、一致を見た。無言のうちに、ひとつになっていた。

この日、簾中《れんちゅう》に、会議のもようを聴いていた呉夫人も、甥の周瑜の器量をたのもしく思って、後に、近く彼を招き、

「おまえは、孫策と同年で、一月おそく生れたばかりだから、わが子のように思われる。これからも、よく孫権を扶けて賜《た》も」と、ねんごろなことばであった。

かくて、この問題は、呉の黙殺により、そのままになってしまった。が中央の威権は、いたく傷つけられたわけである。

曹操も、以来、使いを下してこなかった。――或る重大決意を、呉に対して抱いたであろうことは想像に難くない。

宣戦せざる宣戦――無言の国交断絶状態にはいった。

が、長江の水だけは、千里を通じている。

そのうちに。

建安八年の十一月ごろ。

孫権は、出征の要に迫られた。荊州の配下、江夏《こうか》（湖北省・武昌）の城にある黄祖《こうそ》を攻めるためだった。

兵船をそろえ、兵を満載して、呉軍は長江をさかのぼってゆく。

その軍容はまさに、呉にのみ見られる壮観であった。

三

この戦では、初め江上の船合戦で、呉軍のほうが、絶対的な優勢を示していたが、将士共に、

「黄祖の首は、もう掌《て》のうちのもの」

と、あまりに敵を見くびりすぎた結果、陸戦に移ってから、大敗を招いてしまった。

もっとも大きな傷手《いたで》は、孫権の大将凌操《りようそう》という剛勇な将軍が、深入りして、敵の包囲に遭い、黄祖の麾下《きか》甘寧《かんねい》の矢にあたって戦死したことだった。

ために、士気は沮喪《そそう》し、呉軍は潰走を余儀なくされたが、この時、ひとり呉国の武士のために、万丈の気を吐いた若者があった。

それは将軍凌操の子凌統《りようとう》で、まだ十五歳の年少だったが、父が、乱軍の中に射たおされたと聞くや、ただ一名、敵中へ取って返し、父の屍《かばね》をたずねて馳せ返ってきた。

孫権は、いち早く、

「この軍《いくさ》は不利」と、見たので、思いきりよく本国へ引揚げてしまったが、弱冠凌統の名は、一躍味方のうちに知れ渡ったので、

「まるで、凌統を有名にするために、戦いに行ったようなものだ」と、時の人々はいった。

翌九年の冬。

孫権の弟、孫翊《そんよく》は、丹陽《たんよう》の太守となって、任地へ赴いた。

なにしろ、まだ若い上に、孫翊の性格は、短気で激越だった。おまけに非常な大酒家で、平常、何か気に入らないことがあると、部下の役人であろうと士卒であろうと、すぐ面罵《めんば》して鞭打つ癖があった。

「殺《や》ってしまおう」

「貴様がその決意ならば、俺も腕をかす」

丹陽の都督《ととく》に、嬀覧《ぎらん》という者がある。同じ怨みを抱く郡丞《ぐんじょう》の戴員《たいいん》と、ついにこういう肚を合わせ、ひそかに対手《あいて》の出入りをうかがっていた。

しかし、孫翊《そんよく》は、若年ながら大剛の傑物である。つねに剣を佩いて、眼気《がんき》に隙《すき》も見えないため、むなしく機を過していた。

そこで二人は、一策を構え、呉主孫権に上申して、附近の山賊を討伐したい由を願った。

すぐ、許しが出たので、嬀覧はひそかに、孫翊の大将辺洪《へんこう》という者を同志に抱きこんで、県令や諸将に、評議の招きを発した。評議のあとは、酒宴ということになっている。

孫翊も、もちろん欠かせない会合であるから、時刻がくると、身仕度して、

「じゃあ、行ってくるぞ」と、妻の室へ声をかけた。

彼の妻は、徐氏《じょし》という。

呉には美人が多いが、その中でも、容顔世に超えて、麗名の高かった女性である。そして、幼少から易学を好み、卜《うらない》をよくした。

この日も、良人の出るまえに、ひとり易を立てていたが、

「どうしたのでしょう。今日に限って、不吉な卦《け》が出ました。なんとか口実をもうけて、ご出席は、お見合わせ遊ばして下さいませ」

しきりと、ひきとめた。

けれど孫翊は、

「ばかをいえ、男同士の会合に、そうは行かないよ。ははは」

気にもかけず出かけてしまった。

評議から酒宴となって、帰館は夜に入った。大酒家の孫翊は、踉跟《そうろう》と、門外へ出てきた。かねてしめし合わせていた辺洪《へんこう》は、ふいに躍りかかって、孫翊を一太刀に斬り殺してしまった。

すると、その辺洪をそそのかした嬀覧、戴員《たいいん》のふたりが、急に驚いた態をして、

「主を害した逆賊め」と、辺洪を捕え、市《まち》へ引きだして、首を斬ろうとした。

辺洪は、仰天して、

「約束がちがう。この悪党め。張本人は、貴様たちでないか」

と、喚《わめ》いたが、首は喚いている間に、地へ落ちていた。

四

嫣覧の悪は、それだけに止まらない。なお、べつな野望を抱いていたのである。

一方、孫翊の妻の徐氏《じょし》は、良人の帰りがおそいので、

「もしや、易に現れたように、何か凶事があったのではないか」

と、自分の卜《うらない》が的中しないことを今はしきりに禱《いの》っていた。気のせいか、こよいに限って、燈火《ともしび》の色も凶《わる》い。

「どうして、こんなに胸騒ぎが……？」

ふと、帳《とばり》を出て、夜の空を仰いでいると、中門のほうから歩廊へかけて、どやどやと一隊の兵が踏みこんできた。

「徐氏《じょし》か」

先頭のひとりがいう。

見ると、刀を横たえた都督《ととく》嫣覧《ぎらん》だった。

兵をうしろに残して、ずかずかと十歩ばかり進んでくると、

「夫人。あなたの良人孫翊《そんよく》は、こよい部下の辺洪《へんこう》のため、会館の門外で斬り殺された。——が下手人辺洪は、即座にひッ捕えて、市へひきだし首を打ち落して、讐《かたき》を取った。——この嫣覧があなたに代って仇を打ってあげたのだ」

恩きせがましく、こういって、

「もう悲しまぬがよい。何事もこれからは、嫣覧がお力になってあげる。この嫣覧にご相談あるがよい」と、腕をとらえて、彼女の室へはいろうとした。

「…………」

徐氏は一時茫然としていたが、軽く、腕を払って、

「いまは、何も、ご相談を願うこともありません」

「では、また参ろう」

「人の眼もあります。月の末の――晦日《つごもり》にでも」

徐氏が涙を含まないのみか、むしろ媚《こび》すら見える眸に、嫣覧は独りうなずいて、

「よろしい、では、その時に」と、有頂天になって帰った。

底知れぬ悪党とは、嫣覧のごときをいうのだろう、彼は疾《と》くから徐氏の美貌をうかがって毒牙を磨いていたのである。

徐氏は、悲嘆のうちに、良人《おっと》の葬儀を終って、後、ひそかに亡夫の郎党で、孫高《そんこう》、傅《ふ》嬰《えい》という二人の武士を呼んだ。

そして、哭《な》いていうには、

「わが夫《つま》を殺した者は、辺洪ということになっているが、妾《わらわ》は信じません。真の下手人は、都督《ととく》嫣覧です。卜《うらない》のうえでいうのではない、証拠のあることです、そなた達へ向って、口にするも恥かしいが、嫣覧は妾に道ならぬ不義をいどみかけている。妻になれと迫るのです。……で、虫をころして、晦日の夜に来るように約束したから、そのとき

は、妾の声を合図に、躍りかかって、良人の仇を刺して賜《た》も。どうかこの身に力をかして賜もれ」

忠義な郎党と、彼女が見抜いて打明けた者だけに、二人は悲涙をたたえて、亡君の恨み、誓って晴らさんものと、その夜を待っていた。

嫣覧は、やって来た。——徐氏は化粧して酒盞《しゅさん》を清めていた。

すこし酔うと、

「妻になれ、否か応か」

嫣覧は、本性をあらわして、徐氏の胸へ、剣を擬して強迫した。

徐氏は、ほほ笑んで、

「あなたのでしょう」と、いった。

「もちろん、俺の妻になれというのにきまっている」

「いいえ、良人《おっと》の孫翊を殺させた張本人は」

「げっ？　な、なんだ」

徐氏は、ふいに、彼の剣の手元をつかんで、死物狂いに絶叫した。

「良人の仇っ。——傅嬰《ふえい》よ！　孫高《そんこう》よ！　この賊を、斬り伏せておくれっ」

「——応っ」

と、躍りでた二人の忠僕は、嫣覧のうしろから一太刀ずつあびせかけた。徐氏も奪い取った剣で敵の脾腹を突きとおした。そして初めて、朱《あけ》の中にうっ伏しながら哭《な》けるだけ哭いていた。

鈴《れい》　音《おん》

一

孫高《そんこう》、傅嬰《ふえい》の二人は、その夜すぐ兵五十人をつれて、戴員《たいいん》の邸を襲い、「仇の片割れ」と、その首を取って主君の夫人徐氏へ献じた。

徐氏はすぐ喪服《もふく》をかぶって、亡夫の霊を祭り、嬀覧、戴員二つの首を供えて、

「お怨みをはらしました。わたくしは生涯他家へは嫁ぎません」と、誓った。

この騒動はすぐ呉主孫権の耳へ聞えた。孫権は驚いて、すぐ兵を率いて、丹陽に馳せつけ、

「わが弟を討った者は、われに弓を引いたも同然である」

と、一類の者、ことごとく誅罰《ちゅうばつ》した後、あらためて、孫高、傅嬰のふたりを登用し、牙門督兵《がもんとくへい》に任じた。

また、弟の妻たる徐氏には、

「あなたの好きなように、生涯を楽しんでください」と、禄地を添えて、郷里の家へ帰した。

江東の人々は、徐氏の貞烈《ていれつ》をたたえて、

「呉の名花だ」と、語りつたえ、史冊《しさつ》にまで名を書きとどめた。

それから三、四年間の呉は、至極平和だったが建安十二年の冬十月、孫権の母たる呉夫人が大病にかかって、

「こんどは、どうも？」と、憂えられた。

呉夫人自身も、それを自覚したものとみえる。危篤の室へ、張昭《ちょうしょう》や周瑜《しゅうゆ》などの重臣を招いて遺言した。

「わが子の孫権は、呉の基業をうけてからまだ歳月も浅く年齢も若い。張昭と周瑜のふたりは、どうか師傅《しふ》の心をもって、孫権を教えてください。そのほかの諸臣も、心をあわせて、呉主を扶け、かならず国を失わぬように励まして賜《た》もれ。江夏の黄祖は、むかしわが夫《つま》の孫堅を滅ぼした家の敵ですから、きっと冤《あだ》を報じなければなりませぬ……」

また、孫権にむかっては、

「そなたには、そなただけの長所もあるが、短所もある。お父上の孫堅《そんけん》、兄君の孫策《そんさく》、いずれも寡兵《かへい》をひっさげて、戦乱の中に起ち、千辛万苦の浮沈をつぶさにおなめ遊ばして、はじめて、呉の基業をおひらきなされたものじゃが、そなたのみは、まったく呉城の楽園に生れて楽園に育ち、今、三代の世を受けついで君臨しておられる。……ゆめ、

驕慢《きょうまん》に走り、父兄のご苦労をわすれてはなりませんぞ」

「ご安心ください」

孫権は、老母の手を、かろく握って、その細さにおどろいた。

「――それから張昭や、周瑜などは、良い臣ですから、呉の宝ぞと思い、平常、教えを聞くがよい。……また、わたくしの妹も、後堂にいる。いまから後は、そなたの母として、仕えなければいけません」

「……はい」

「わたくしは、幼少のとき、父母に早くわかれ、弟の呉景《ごけい》と、銭塘《せんとう》へ移って暮しているうち、亡き夫《つま》の孫堅に嫁したのでした。そして四人の子を生んだ。……けれど、長男の孫策も若死してしまい、三男の孫翊《そんよく》も先頃横死してしもうた。……残っているのは、そなたと、末の妹のふたりだけじゃ、……権よ。あのひとりの妹も、よく可愛がってやっておくれ。……よい婿《むこ》をえらんで嫁がせてくださいよ。……もし、母のことばを違《たが》えたら、九泉《きゅうせん》の下で、親子の対面はかないませんぞ」

云い終ると、忽然《こつぜん》、息をひきとった。

枕頭をめぐる人々の嗚咽《おえつ》の声が外まで流れた。

高陵の地、父の墓のかたわらに、棺槨衣衾《かんかくいきん》の美を供えて、孫権はあつく葬った。歌舞音曲の停《と》まること月余、ただ祭祠《まつり》の鈴音と鳥の啼く音ばかりであった。

二

喪《も》の冬はすぎて、歳は建安十三年に入った。

江南の春は芽ぐみ、朗天は日々つづく。

若い呉主孫権は、早くも衆臣をあつめて、

「黄祖を伐《う》とうではないか」と評議にかけた。

張昭はいう。

「まだ母公の忌年《きねん》もめぐってこないうちに、兵を動かすのは如何なものでしょう」

周瑜《しゅうゆ》はそれに対して、

「黄祖を伐てとは、母君のご遺言の一つであった。何で喪にかかわることがあろう」と酬いた。

いずれを採るか、孫権はまだ決しかねていた。

ところへ、都尉《とい》呂蒙《りよもう》がきて、一事件を披露した。

「それがし龍湫《りゅうしゅう》の渡口《わたし》を警備しておりますと、上流江夏《こうか》のほうから、一艘の舟がただよい来って、二十名ほどの江賊が、岸へ上がって参りました」

呂蒙はまず、こう順を追って、次のように話したのである。

「――すぐ取囲んで、何者ぞと、取糺《とりただ》しましたところ、頭目らしき真っ先の男がいうには――自分ことは、黄祖の手下で、甘寧字《かんねいあざな》を興覇《こうは》とよぶ者であるが、もと巴郡《はぐん》の臨江に育ち、若年から腕だてを好み、世間のあぶれ者を集めては、その餓鬼大将となって、喧嘩を誇り、伊達《だて》を競い、常に強弓、鉞《まさかり》を抱え、鎧を重ね、腰には大剣と鈴をつけて、江湖を横行すること多年、人々、鈴の音を聞けば……錦帆《きんぱん》の賊が来たぞ！　錦帆来《きんぱんらい》！　と逃げ走るのを面白がって、ついには同類八百余人をかぞうるに至り、いよいよ悪行を働いていたなれど、時勢の赴くを見、前非を悔いあらため一時、荊州に行って劉表《りゅうひょう》に仕えていたけれど、劉表の人となりも頼もしからず、同じ仕えるなら、呉へ参って、粉骨砕身、志を立てんものと、同類を語らい、荊州を脱して、江夏まで来たところが、江夏の黄祖が、どうしても通しません。やむなく、しばらく止まって、黄祖に従っておりましたが、もとより重く用いられるわけもない。……のみならずです、或る年の戦いに、黄祖敵中にかこまれて、すんでに一命も危ういところを、自分がただ一人で、救い出してきたことなどもあったが、かつて、その恩賞すらなく、あくまで、下役の端に飼われているに過ぎないという有様でした。――しかるにまた、ここに黄祖の臣で蘇飛《そひ》という人がある。この人、それがしの心事にふかく同情して、或る時、黄祖に向い、それとなく、甘寧《かんねい》をもっと登用されては如何にと――推挙してくれたことがあったのです。すると黄祖のいうには、――甘寧はもと江上の水賊である。なんで強盗を帷幕《いばく》に用うべき。飼いおいて猛獣の代りに使っておけば一番よろしい。――そう申したので、蘇飛《そひ》はいよいよそれがしを憐れみ、一夜酒宴の折、右の事情を打明けて――人生いくばくぞや、早く他国へ去って、如《し》かじ、良主をほかに求め給え。ここにいては、足下はいかに忠勤をぬきん出ても、前科の咎《とが》を生涯負い、人の上に立つなどは思いよらぬことと教えてくれました。……ではどうしたらいいかを、さらに蘇飛に訊くと、近いうちに、鄂県《がくけん》の吏《り》に移すから、その時に、逃げ去れよとのことに、三拝して、その日を待ち、任地へいく舟といつわって、幾夜となく江を下り、ようやく、呉の領土まで参った者でござる。なにとぞ、呉将軍の閣下に、よろしく披露したまえと――以上、甘寧つぶさに身の上を物語って、それがしに取次ぎを乞うのでございました」

「むむ。……なるほど」

孫権を始め、諸将みな、重々しくうなずいた。

呂蒙《りよもう》は、なおこう云い足して、報告を結んだ。

「甘寧といえば、黄祖の藩にその人ありと、隣国まで聞えている勇士、さるにても、憐れなることよと、それがしも仔細を聞いて、その心事を思いやり……わが君がお用いあるや否やは保証の限りではないが、有能の士とあれば、篤く養い、賢人とあれば礼を重うしてお迎えある明君なれば、ともあれ御前にお取次ぎ申すであろうと、矢を折って、誓いを示したところ、甘寧はさらに江上の船から数百人の手下を陸へ呼びあげて――否やお沙汰の下るまで慎んでお待ちおりますと――ただ今、龍湫《りゆうしゆう》の岸辺に屯《たむろ》して、さし控えております る」

三

「時なるかな！」と、孫権は手を打ってよろこんだ。

「いま、黄祖を討つ計を議するところへ、甘寧が数百人を率いて、わが領土へ亡命してきたのは、これ潮満ちて江岸の草のそよぐにも似たり――というべきか、天の時がきたのだ。黄祖を亡ぼす前兆だ。すぐ、甘寧を呼び寄せい」

こう孫権の命をうけ、呂蒙《りよもう》も大いに面目をほどこして、直ちに、龍湫へ早馬を引っ返して行った。

日ならずして、甘寧は、呉会の城に伴われてきた。

孫権は、群臣をしたがえて彼を見た。

「かねて、其方の名は承知しておる。また、出国の事情も呂蒙から聞いた。この上は、ただわが呉のために、黄祖を破るの計は如何に、それを訊きたい。忌憚《きたん》なく申してみよ」

孫権はまずいった。

拝礼して甘寧は答える。

「漢室の社稷《しやしよく》は今いよいよ危うく、曹操の驕暴《きようぼう》は、日とともにつのりゆきます。おそらく、簒奪《さんだつ》の逆意をあらわに示す日も遠くありますまい」

「荊州は呉と隣接しておる。荊州の内情をふかく語ってみよ」

「江川《こうせん》の流れは山陵を縫い、攻守の備えに欠くるなく、地味はひらけて、民は豊かです。――しかしこの絶好な国がらにも、ただ一つ、脆弱《ぜいじやく》な短所があります。国主劉表の閨門《けいもん》の不和と、宿老の不一致です」

「劉表は、温良博学な風をそなえ、よく人材を養い、文化を愛育し、ために天下の賢才はみな彼の地に集まると、世上では申しているが——」

「まさにその通りです。けれどそれはもっぱら劉表の壮年時代の定評で、晩年、気は老い、身に病の多くなるにつれ、彼の長所は、彼の短所となり、優柔不断、外に大志なく、内に衰え、虚に乗じて、閨門のあらそいをめぐり、嫡子庶子《ちゃくししょし》のあいだに暗闘があるなど、——ようやく亡兆のおおい得ないものが見えだしました。討つなら今です」

「その荆州に入るには」

「もちろん江夏の黄祖を破るのを前提とします。黄祖は怖るるに足りません。彼もはや老齢で、時務には昏昧《こんまい》し、貨利をむさぼることのみ知って、上下、心から服しておりませぬ」

「兵糧武具の備えはどうか」

「軍備は充実していますが、活用を知らず、法伍《ほうご》の整えなく、これを攻めれば、立ちどころに崩壊するだろうと思います。——君いま、勢いに乗って、江夏、襄陽を衝き、楚《そ》関《かん》にまで兵をおすすめあれば、やがて、巴蜀《はしょく》を図《はか》ることも難しくはございますまい」

「よく申した。まことに金玉の論である。この機を逸してはなるまい」

孫権はすぐ周瑜《しゅうゆ》に向って、兵船の準備をいいつけた。

張昭は、憂えて、

「いま、兵を起し給わば、おそらく国中の虚にのって、乱が生じるでしょう。せめて母公の喪《も》のおすみになるまで、国内の充実にお心を傾けられてはどうですか」と、敢て苦言した。

甘寧は、さえぎって、

「それ故に、国家は今、蕭何《しょうか》の任を、ご辺に附与するのである。乱を憂えられるなら、よく国を守って、後事におつくしあるようねがいたい」

「すでにわが心は決まった。張昭も他事をいうな。一同して、盃を挙げよう」

孫権は、一言をもって、衆議を抑えた。

そして、また甘寧にむかい、

「其方をさし向けて、黄祖を討つことは、例えばこの酒の如しじゃ。一気に呑みほしてしまうがよい。もし黄祖を破ったら、その功は、汝のものであるぞ」

と、盃になみなみと酒をたたえて与えた。

かくて、周瑜を大都督に任じ、呂蒙《りょもう》を先手の大将となし、董襲《とうしゅう》、甘寧を両翼の副将として、呉軍十万は、長江をさかのぼって江夏《こうか》へおしよせた。

四

鴻《こう》はみだれて雲にかくれ、柳桃《りゅうとう》は風に騒いで江岸の春を晦《くろ》うした。

舳艫《じくろ》をそろえて、溯江《そこう》する兵帆何百艘、飛報は早くも、

「たいへん！」

と、江夏に急を告げ、また急を告げてゆく。

黄祖の驚きはひと通りではない。

が、——先に勝った覚えがある。

「呉人の青二才ども、何するものぞ」

蘇飛《そひ》を大将として、陳就《ちんじゅ》、鄧龍《とうりゅう》を先鋒として、江上に迎撃すべく、兵船をおし出し、準備おさおさ怠りない。

大江の波は立ち騒いだ。

呉軍は、沔口《べんこう》の水面をおもむろに制圧し、市街の濟口へとつめてきた。

守備軍は、小舟をあつめて、江岸一帯に、舟の砦《とりで》を作り、大小の弩弓《どきゅう》をかけつらね、一せいに射かけてきた。

呉の船は、さんざん射立てられ、各船、進路を乱して逃げまどうと、水底には縦横に大索《おおなわ》を張りめぐらしてあることとて、櫓を奪われ、舵《かじ》を折り、

「大勢、ふたたび不利か」と、一時は、周瑜《しゅうゆ》をして、眉をくもらせたほどだった。

時に、甘寧は、

「いで。これからだ」と、董襲《とうしゅう》にもうながし、かねてしめし合わせておいたとおり、決死、敵前に駆け上がるべく、合図の旗を檣頭《しょうとう》にかかげた。

百余艘の早舟は、たちまち、江上に下ろされて、それに二十人、三十人と、死をものともせぬ兵が飛びのった。

波間にとどろく金鼓《きんこ》、喊声《かんせい》につれて、決死の早舟隊は、無二無三、陸へ迫ってゆく。

或る者は、水中の張り綱を切りながし、或る者は、氷雨《ひさめ》と飛んでくる矢を払い、また、舳《みよし》に突っ立った弓手は、眼をふさいで、陸上の敵へ、射返して進んで行った。

「防げ」

「陸へ上げるな」

敵の小舟も、揉みに揉む。

そして、火を投げ、油をふりかけてくる。

白波は、天に吼《ほ》え、血は大江を夕空の如く染めた。

黄祖の先鋒の大将、陳就《ちんじゆ》は岸へとび上がって、

「残念、舟手の先陣は、破られたか。二陣、陸《くが》の柵《さく》をかためろ」

声をからして、左右の郎党に下知しているのを、呂蒙《りよもう》が見つけて、

「うごくなっ」と、近づいた。

岸へとび上がるやいな、槍をふるって突きかけた。——陳就は、あわてて、

「やっ、呉の呂蒙《りよもう》か」と、剣をふるって、防ぎながら、

「気をつけろ。もう敵は上陸《あが》っているぞ」

と、部下へ注意しながら逃げ惑った。

こうまで早く、敵が陸地に迫っていようとは思っていなかったらしい。呂蒙は、

「おのれ、名を惜しまぬか」と、陳就を追って、うしろから一槍を見舞い、その仆れた

のを見ると、大剣を抜いて、首をあげた。

舟手の崩滅《ほうめつ》を救わんものと、大将の蘇飛《そひ》は、江岸まで馬をすすめてきた。——それと見た呉軍の将士は、

「われこそ」と、功にはやって、蘇飛《そひ》のまわりへむらがり寄ったが、燈《ひ》にとびつく夏の虫のように、彼のまわりに、死屍を積みかさねるばかりだった。

すると、呉の一将に、潘璋《はんしょう》という剛の者があった。立ち騒ぐ敵味方のあいだを駆けぬけ、真っ直ぐに、蘇飛のそばへ近づいて行ったかと思うと、馬上のまま引っ組んで、さすがの蘇飛をも自由に働かせず、鞍脇《くらわき》にかかえて、たちまち、味方の船まで帰ってきた。

そして、孫権に献じると、孫権は眼をいからして、蘇飛を睨みつけ、

「以前、わが父孫堅を殺した敵将はこいつだ。すぐ斬るのは惜しい。黄祖の首と二つ並べて、凱旋ののち父の墓を祭ろう。檻車《かんしゃ》へほうりこんで本国へさし立てろ」

と、いって、部下に預けた。

蜂《はち》と世子《せいし》

一

呉はここに、陸海軍とも大勝を博したので、勢いに乗って、水陸から敵の本城へ攻めよせた。

さしも長い年月、ここに、

（江夏《こうか》の黄祖《こうそ》あり）

と誇っていた地盤も、いまは痕《あと》かたもなく呉軍の蹂躙《じゅうりん》するところとなった。

城下に迫ると、この土地の案内に誰よりもくわしい甘寧《かんねい》は、まッ先に駆け入って、

「黄祖の首を、余人の手に渡しては恥辱だ」と、血まなこになっていた。

西門、南門には、味方が押しよせているが、誰もまだ東門には迫っていない。黄祖はおそらくこの道から逃げだして来るだろうと、門外数里の外に待ち伏せていた。

やがて、江夏城の上に、黒煙があがり、望閣楼殿《ぼうかくろうでん》すべて焔と化した頃、大将黄祖は、さんざん討ちくずされて、部下わずか二十騎ばかりに守られながら東門から駆けだして来た。

すると、道の傍らから、鉄甲五、六騎ばかり、不意に黄祖の横へ喚きかかった。甘寧は先手を取られて、

「誰か？」と見ると、それは呉の宿将程普《ていふ》とその家臣たちであった。

程普が、きょうの戦いに、深く期して、黄祖の首を狙っていたのは当然である。

黄祖のために、むなしく遠征の途において敗死した孫堅以来、二代孫策、そしていま三代の孫権に仕えて、歴代、武勇に負《ひ》けをとらない呉の宿将として——「きょうこそは」と、晴れがましく、故主の復讐を祈念していたことであろう。

けれど、甘寧としても、指をくわえて見てはいられない。

出遅れたので、彼はあわてて、腰なる鉄弓をつかみとり、一矢をつがえて、ちょうッと放った。

矢は、見事に、黄祖の背を射た。——どうと黄祖が馬から落ちたのを見ると、

「射止めた！　敵将黄祖を討った！」

と、どなりながら駆け寄って、程普《ていふ》とともに、その首を挙げた。

江夏占領の後、二人は揃って黄祖の首を孫権の前に献じた。

孫権は、首を地になげうって、

「わが父、孫堅を殺した仇《かたき》。匣《はこ》にいれて、本国へ送れ。蘇飛《そひ》の首と二つそろえて、父の墳墓を祭るであろう」と、罵った。

諸軍には、恩賞をわかち、彼も本国へひき揚げることになったが、その際、孫権は、

「甘寧の功は大きい。都尉《とい》に封《ほう》じてやろう」といい、また江夏の城へ兵若干をのこして、守備にあてようとはかった。

すると、張昭が、「それは、策を得たものではありません」と、再考をうながして、

「この小城一つ保守するため、兵をのこしておくと、後々まで、固執せねばならなくな

ります。しかも長くは維持できません。――むしろ思い切りよく捨てて帰れば劉表《りゅうひょう》がかならず、兵を入れて、黄祖の仕返しを計ってきましょう。それをまた討って、敵の雪崩《なだ》れに乗じて、荊州まで攻め入れば、荊州に入るにも入りやすく、この辺の地勢や要害は味方の経験ずみですから二度でも三度でも、破るに難いことはありますまい」

と、江夏を囮《おとり》として劉表を誘うという一計を案出して語った。

「至極、妙だ」

孫権も、賛成して、占領地はすべて放棄するに決し、総軍、凱歌を兵船に盛って、きれいに呉の本国へ還ってしまった。

さてまた。

檻車《かんしゃ》にほうり込まれて、さきに呉へ護送されていた黄祖の臣――大将蘇飛《そひ》は、呉の総軍が、凱旋してきたと人づてに聞いて、「そうだ、以前、自分が甘寧を助けてやったこともあるから……甘寧に頼んでみたら、或いは助命の策を講じてくれるかもしれない」

と、ふと旧誼《きゅうぎ》を思い出し、書面を書いて、ひそかにその手渡しを人に頼んだ。

二

凱旋の直後、孫権は父兄の墳墓へ詣って、こんどの勝軍《かちいくさ》を報告した。

そして功臣と共に、その後で宴を張っていると、

「折入って、お願いがあります」と、甘寧が、彼の足もとに、ひざまずいた。

「改まって、何だ？」と、孫権が訊くと、

「てまえの寸功に恩賞を賜わるかわりとして、蘇飛の一命をお助けください。もし以前に、蘇飛《そひ》がてまえを助けてくれなかったら、今日、てまえの功はおろか一命もなかったところです」

と、頓首して、訴えた。

孫権も考えた。――もし蘇飛がその仁《じん》をしていなかったら、今日の呉の大勝もなかったわけだと。

しかし、彼は首を振った。

「蘇飛を助けたら、蘇飛はまた逃げて、呉へ仇をするだろう」

「いえ、決して、そんなことはさせません。この甘寧の首に誓って」

「きっとか」

「どんな誓言《せいげん》でも立てさせます」

「では……汝に免じて」と、ついに蘇飛の一命はゆるすといった。

それに従って、甘寧の手引きした呂蒙《りよもう》にも、この廉《かど》で恩賞があった。以後――横野中郎将《おうやちゆうろうしよう》となうべしという沙汰である。

するとたちまち、こういう歓宴の和気を破って、

「おのれッ、動くな」

と怒号しながら、剣を払って、席の一方から甘寧へ跳びかかってきた者がある。

「あっ、何をするかっ」

叱咤しつつ、甘寧も仰天して、前なる卓を取るやいな、さっそく相手の剣を受けて、立ち向った。

「ひかえろっ！　凌統《りようとう》っ」

急場なので、左右に命じているいとまもない。孫権自身、狼藉者《ろうぜきもの》をうしろから抱きとめて叱りつけた。

この乱暴者は、呉郡余杭《ごぐんよこう》の人で、凌統《りようとう》字《あざな》を公績《こうせき》という青年だった。去《さん》ぬる建安八年の戦いに、父の凌操《りようそう》は、黄祖を攻めに行って、大功をたてたが、その頃まだ黄祖の手についていたこの甘寧のために、口惜しくも、彼の父は射殺されていた。

そのとき凌統は、まだ十五歳の初陣《ういじん》だったが、いつかはその怨みをすすごうものと、以来悲胆をなだめ、血涙をのみ、日ごろ胸に誓っていたものである。

彼の心事を聞いて、

「そちの狼藉を咎《とが》めまい。孝子の情に免じて、ここの無礼はゆるしおく。――しかし家中一藩、ひとつ主《あるじ》をいただく者は、すべて兄弟も同様ではないか。甘寧がむかしそちの父を討ったのは、当時仕えていた主君に対して忠勤を尽したことにほかならない。今、黄祖は亡び、甘寧は、呉に服して、家中の端に加わる以上――なんで旧怨をさしはさむ理由があろう。そちの孝心は感じ入るが、私怨に執着《しゆうじやく》するは、孝のみ知って、忠の大道を知らぬものだ。……この孫権に免じて、一切のうらみは忘れてくれい」

主君からさとされると、凌統は剣をおいて、床にうっ伏し、

「わかりました。……けれど、お察し下さい。幼少から君のご恩を受けたことも忘れはしませんが……父を奪われた悲嘆の子の胸を。またその殺した人間を、眼の前に見ている胸中を」

頭を叩き、額《ひたい》から血をながして、凌統は慟哭《どうこく》してやまなかった。

「予にまかせろ」

孫権は、諸将と共に、彼をなぐさめるに骨を折った。――凌統はことしまだ二十一の若年ながら、父に従って江夏へおもむいた初陣以来、その勇名は赫々《かっかく》たるものがある。その為人《ひととなり》を、孫権も愛《め》で惜しむのであった。

後。

凌統には、承烈都尉《じょうれつとい》の封を与え、甘寧には兵船百隻に、江兵五千人をあずけ、夏口《かこう》の守りに赴かせた。

凌統の宿怨を、自然に忘れさせるためである。

三

呉の国家は、日ましに勢いを加えてゆく。

南方の天、隆昌の気がみなぎっていた。

いま、呉の国力が、もっとも力を入れているのは、水軍の編制であった。

造船術も、ここ急激に、進歩を示した。

大船の建造は旺《さかん》だった。それをどんどん鄱陽湖《はようこ》にあつめ、周瑜が水軍大都督となって、猛演習をつづけている。

孫権自身もまた、それに晏如《あんじょ》としてはいなかった。叔父の孫静《そんせい》に呉会を守らせて、鄱陽湖に近い柴桑郡《さいそうぐん》（江西省《こうせいしょう》・九江西南《きゅうこうせいなん》）にまで営をすすめていた。

その頃。

玄徳は新野《しんや》にあって、すでに孔明《こうめい》を迎え、彼も将来の計にたいして、準備おさおさ怠りない時であった。

「――はてな。一大事があるといって、荊州《けいしゅう》から、迎えの急使がみえた。行くがよいか。行かぬがよいか？」

その日、玄徳は、劉表《りゅうひょう》の書面を手にすると、しきりに考えこんでいた。

孔明が、すぐ明らかな判断を彼に与えた。

「お出向きなさい。――おそらく、呉に敗れた黄祖の寇《あだ》を討つためのご評議でしょう」

「劉表に対面した節は、どういう態度をとっていたがよいだろうか」

「それとなく、襄陽《じょうよう》の会や、檀渓《だんけい》の難のことをお話しあって、もし劉表が、呉の討手を君へお頼みあっても、かならずお引受けにならないことです」

張飛、孔明などを具して、玄徳はやがて、荊州《けいしゅう》の城へおもむいた。

供の兵五百と張飛を、城外に待たせておき、玄徳は孔明とふたりきりで城へ登った。

そして、劉表の階下に、拝をすると、劉表は堂に迎えて、すぐ自分のほうから、

「先ごろは襄陽の会で、貴公に不慮の難儀をかけて申しわけない。蔡瑁《さいぼう》を斬罪に処して、お詫びを示そうとぞんじたが、当人も諸人も慚愧《ざんき》して嘆くので心ならずもゆるしておいた。どうかあのことは水にながして忘れてもらいたい」と、いった。

玄徳は、微笑して、

「なんの、あのことは、蔡将軍《さいしょうぐん》の仕業ではありません。おそらく末輩《まつぱい》の小人輩《ばら》がなした企みでしょう。私はもう忘れております」

「ときに、江夏の敗れ、黄祖の戦死を、お聞き及びか」

「黄祖は、自ら滅びたのでしょう。平常心のさわがしい大将でしたから、いつかこの事あるべきです」

「呉を討たねばならんと思うが……？」

「お国が南下の姿勢をとると、北方の曹操が、すぐ虚にのって、攻め入りましょう」

「さ。……そこが難しい。……自分も近ごろは、老齢に入って、しかも多病。いかんせん、この難局に当って、あれこれ苦慮すると、昏迷してしまう。……ご辺は、漢の宗族、劉家《りゅうけ》の同族。ひとつわしに代って、国事を治め、わしの亡いあとは、この荊州を継いでくれまいか」

「おひきうけできません。この大国、またこの難局、どうして菲才《ひさい》玄徳ごときに、任を

負うて立てましょう」

孔明はかたわらにあって、しきりと玄徳に眼くばせしたが、玄徳には、通じないものか、

「そんな気の弱いことを仰せられず、肉体のご健康につとめ、心をふるい起して、国治のため、さらに、良策をお立て遊ばすように」

とのみ云って、やがて、城下の旅館に退ってしまった。あとで、孔明が云った。

「なぜお引受けにならなかったのですか」

「恩をうけた人の危ういのを見て、それを自分の歓びにはできない」

「——でも、国を奪うわけではありますまいに」

「譲られるにしても、恩人の不幸は不幸。自分にはあきらかな幸い。……玄徳には忍びきれぬ」

孔明は、そっと嘆じて、

「なるほど、あなたは仁君でいらっしゃる」と、是非なげに呟いた。

四

そこへ、取次があった。

「荊州のご嫡子、劉琦《りゅうき》さまが、お越し遊ばしました」

玄徳は驚いて出迎えた。

劉表の世子劉琦が、何事があって、訪ねてきたのやら？　と。

堂に迎えて、来意を訊くと、劉琦は涙をうかべて告げた。

「御身もよく知っておられるとおり、自分は荊州の世継ぎと生れてはいるが、継母《はは》の蔡《さい》氏《し》には、劉琮《りゅうそう》があるので、つねにわしをころして琮を跡目《あとめ》に立てようとしている。……もう城にいては、わしはいつ害されるかわからない。玄徳、どうか助けてください」

「お察し申しあげます。――けれど、ご世子、お内輪のことは、他人が容喙《ようかい》して、どうなるものでもありません。苦楽種々、人の家には誰にもあるもの。それを克服するのは、家の人たるものの務めではありませんか」

「……でも。ほかのことなら、なんでも忍びもしようが、生命《いのち》が危ないのです。わしは、殺されたくはない」

「孔明。なにかよい思案はないだろうか。ご世子のために」

孔明は、冷然と、顔を横に振って答えた。

「一家の内事、われわれの知ることではありません」

「…………」

劉琦は、悄然と、帰るしかなかった。玄徳は気の毒そうに送って出て、

「明日、ご世子のお館《やかた》まで、そっと孔明を使いにやりますから、その時、こういうようにして、彼に妙計をおたずねなさい」と、なにか耳へささやいた。

翌日、玄徳は、

「きのう世子のご訪問をうけたから、回礼《かいれい》に行かねばならぬが、どうしたのか、今朝から腹痛がしてならぬ。わしに代って、ご挨拶に行ってくれぬか」と、孔明にいった。

で——孔明は、劉琦の館へ出向いた。すぐ帰ろうとしたが、劉琦が礼を篤くして、酒をすすめるので、帰ろうにも帰れなかった。

酒、半酣《はんかん》の頃、

「先生にお越しを賜わったついでに、ぜひご一覧に供えて、教えを仰ぎたい古書があります。重代の稀書《きしょ》だそうです。ひとつご覧くださいませぬか」

彼の好学をそそって、ついに閣の上に誘った。孔明は、室を見廻して、

「書物はどこですか」と、不審顔をした。

劉琦は、孔明の足もとに、ひざまずいて、涙をたれながら百拝していた。

「先生、おゆるし下さい。あなたをここへ上げたのは、きのうおたずね致した自分の危難を救っていただきたいからです。どうか、死をまぬがれる良計をお聞かせ下さい」

「知らん」

「そんなことを仰っしゃらずに」

「なんで、他家の家庭の内事に立ち入ろう。そんな策は持ち合わせません」

袂《たもと》を払って、閣を下りようとすると、いつのまにか、そこの梯《かけはし》を下からはずしてあった。

「あ？……ご世子には、孔明をたばかられたな」

「先生をおいては、この世に、訊く人がありません。琦《き》にとっては、生死のさかいですから……」

「いくらお訊ねあろうと、ない策は教えられません。難をのがれ、身の生命を完《まっと》うなされたいと思し召すなら、ご自身、智をふるい、勇をおこして、危害と闘うしかないでしょう」

「では、どうしても、先生のお教えは乞えませんか」

「疎《うと》きは親しきを隔《へだ》つべからず。新しきは旧《ふる》きを離間すべからず。このことばの通りです」

「ぜひもございません」

琦は、ふいに剣を抜いて、自分の手で自分の頸《くび》を刎ねようとした。

孔明は、急に、押しとどめて、

「お待ちなさい」

「離してください」

「いや、良計を教えましょう。それほどまでのご心底なら」

「えっ、ほんとですか」

琦は、剣をおいて、孔明の前にひれ伏し、急に眼をかがやかした。

五

孔明は、ねんごろに話した。

「むかし、春秋の時代に晋《しん》の献公《けんこう》の夫人には、二人の子があった。兄を申生《しんせい》といい、弟を重耳《ちょうじ》という」

例話をひいて、劉琦《りゅうき》に教えるのである。劉琦《りき》は、全身を耳にして熱心に聞いていた。

「――ところが、やがて献公の第二夫人の驪姫《りき》にもひとりの子が生れた。驪姫はその子に国を継がせたく思い、つねに正室の子の申生や重耳を悪くいっていた。けれど献公が見るに、正室の子はいずれも秀才なので、驪姫《りき》が讒言《ざんげん》しても、それを廃嫡《はいちゃく》する気にはなれずにいた……」

「その申生は、さながら、私のいまの境遇とよく似ております」

「――で、驪姫は、春あたたかな一日、献公を楼上に迎えて、簾のうちから春園の景をうかがわせ、自分はひそかに、襟《えり》に蜜《みつ》を塗って申生を園に誘いだしたものです。――すると、多くの蜂が当然、甘い蜜の香をかいで、驪姫の髪や襟元へむらがってきました。……あなやと、なにも知らない申生は驪姫の身をかばいながらその襟を打ったり背を払ったりしました。楼上から見ていた献公はそれを眺めて、怖しく憤《いきどお》りました。驪姫にたわむれたものと疑ったのです。――以来申生を憎むことふかく、年々に子を邪推するようになりました」

「ああ。……蔡夫人《さいふじん》もそんな風です。いつかしら、理由なく、私も父の劉表《りゅうひょう》にはうとんじられておりまする」

「一策が成功すると、驪姫の悪は勇気づいて、また一つの悪策をたくらみました。先后《せんこう》の祭のときです。驪姫はそっと供え物に、毒を秘めておいて、後、申生にいうには母上のお供え物を、そのまま厨房《ちゅうぼう》にさげてはもったいない。父君におすすめなさいと。申生は驪姫にいわるるまま父の献公へそれをすすめた。ところへ驪姫が入ってきて、外からきた食物を試みず召上がってはいけません——そういって一箇を犬へ投げ与えた。犬は立ちどころに血を吐いて死んだ。献公はうまうま驪姫の手にのって申生を殺してしまわれた」

「ああ、そして弟の重耳《ちょうじ》のほうは、どうしましたか」

「次には、わが身へくる禍いと重耳は未然に知りましたから、他国へ走って、身をかくしました。そして十九年後、初めて世に出た晋《しん》の文公は——すなわちそのむかしの重耳であったのです。……今、荊州の東南、江夏の地は、呉のために黄祖が討たれてから後守る人もなく打捨ててあります。ご世子、あなたが、継母の禍いをのがれたいと思し召すなら、父君に乞うて、そこの守りへ望んで行くべきです。重耳が国を出て身の難をのがれたのと同じ結果を得られましょう」

「先生。ありがとう存じます。琦は、にわかになお、生きてゆかれる気がしてきました」

彼は、幾度も拝謝して、手を鳴らして家臣を呼び、降り口に梯子をかけさせて、孔明を送り出した。

孔明は立ち帰って、このことを、ありのままに、玄徳に告げると、玄徳も、

「それは良計であった」と、共に歓んでいた。

間もなくまた、荊州から迎えの使いが来た。玄徳が登城してみると、劉表はこう相談を向けた。

「嫡男の琦が、なにを思い出したか、急に、江夏の守りにやってくれと申すのじゃ、どういうものであろうか」

「至極、結構ではありませんか、お膝もとを離れて、遠くへ行くことは、よいご修行にもなりましょうし、また、江夏は呉との境でもあり、重要な地ですから、どなたかご近親をひとり置かれることは、荊州全体の士気にもよいことと思われます」

「そうかなあ」

「総じて、東南の防ぎは、公《きみ》と御嫡子とで、お計りください。不肖劉備は、西北の防ぎに当りますから」

「……むむ。聞けば近ごろ、曹操も玄武池《げんぶち》に兵船を造って、舟手の教練に怠りないという噂じゃ。いずれ南征の野心であろう。切にご辺の精励をたのむぞ」

「どうか、ご安心下さい」

玄徳は新野へ帰った。

臨戦《りんせん》第一課

一

この当時である。曹操《そうそう》は大いに職制改革をやっていた。つねに内政の清新をはかり、有能な人物はどしどし登用して、閣僚の強化につとめ、

（事あれば、いつでも）という、いわゆる臨戦態勢をととのえていた。

毛玠《もうかい》が東曹掾《とうそうのえん》に任じられ、崔琰《さいえん》が西曹掾《せいそうのえん》に挙げられたのもこの頃である。わけて出色な人事と評されたのは、主簿《しゅぼ》司馬《しば》朗《ろう》の弟で、河内《か》温《だいうん》の人、司馬《しば》懿《い》、字を仲達《ちゅうたつ》というものが、文学掾《ぶんがくのえん》として、登用されたことだった。

その司馬《し》仲達《ばちゅうたつ》は、もっぱら文教方面や選挙の吏務にあったので文官の中には、異色を認められていたが、軍政方面には、まだ才略の聞えもなかった。

やはり軍部に重きをなしているのは依然、夏侯惇《かこうじゅん》、曹仁《そうじん》、曹洪《そうこう》などであった。

一日、南方の形勢について、軍議のあった時、その夏侯惇は、進んでこう献議した。

「いま劉玄徳は、新野にあって、孔明を師となし、しきりに兵馬を調練しておるとか、

捨てておいては後日の大患。まず、この邪魔石を取りのぞいて、しかる後、次の大計にのぞむのが順序でしょう」

諸大将のうちには、異論を抱くらしい顔色も見えたが、曹操がすぐ、

「その儀、よろしかろう」といったので、即座に、玄徳討伐のことは、決定を見てしまった。

すなわち、夏侯惇を総軍の都督とし、于禁《うきん》、李典《りてん》を副将とした十万の軍団は編制され、吉日をえらんで発向することとなった。

その間に、荀彧《じゅんいく》は、二度ばかり曹操の前で、異論を立てた。

「――聞説《きくならく》、孔明というものは、尋常一様な軍師ではないようです。かたがた、いま軽々しく、玄徳に当ることは、勝っても、利は少なく、敗れれば、中央の威厳を陥し、失うところが大きいでしょう。よくよくここはお考えあっては如何ですか」

夏侯惇は、そばで笑った。

「玄徳、孔明など、いずれも定まった領地もない野鼠《やそ》の輩《ともがら》でしかない。そのお説はあまりに取越し苦労すぎる」

「いやいや、将軍、決して玄徳は侮《あなど》れませんぞ」

ふいに、横あいから、荀彧に加勢していった者がある。見ると、先頃まで新野にいて親しく玄徳の近況を知っている徐庶《じょしょ》であった。

「おお、徐庶か――」と、曹操は彼の存在を見出して急にたずねた。

「新たに、玄徳の軍師となった孔明とは、そも、どんな人物か」

「諸葛亮《しょかつりょう》、字《あざな》は孔明《こうめい》、また道号を臥龍先生と称して、上《かみ》は天文に通じ、下《しも》は地理民情をよくさとり、六韜《りくとう》をそらんじ、三略《さんりゃく》を胸にたたみ、神算鬼謀《しんさんきぼう》、実に、世のつねの学徒や兵家ではありません」

「其方と較べれば……？」

「それがしなどは、較べものになりません。それがしを蛍とすれば孔明は月のようなものでしょう」

「それほどか」

「いかで彼に及びましょう」

すると、夏侯惇は、徐庶のことばを叱って、さらに、大言した。

「孔明も人間は人間であろう。そう大きな違いがあってたまるものではない。総じて、凡人と非凡人との差も、紙一重というくらいなものだ。この夏侯惇の眼から見れば若輩孔明のごときは、芥《あくた》にひとしい。第一、あの黄口児《こうこうじ》はまだ実戦の体験すら持たないではないか。もしこの一陣で、彼を生捕ってこなかったら、夏侯惇はこの首を自ら丞相の台下に献じる」

曹操は、彼のことばを壮なりとして、欣然、出陣の日は、自身、府門に馬を立てて、十万の将士を見送った。

二

一方。新野《しんや》の内部には、孔明がそこに迎えられてきてから、ちょっと、おもしろくない空気が醸《かも》されていた。

「若輩の孔明を、譜代の臣の上席にすえ、それに師礼をとらるるのみか、主君には、彼と起居を共にし、寝ては牀《しょう》を同じゅうして睦み、起きては卓を一つにして箸を取っておるなど、ご寵用《ちょうよう》も度が過ぎる」という一般の嫉視《しっし》であった。

関羽《かんう》、張飛《ちょうひ》の二人も、心のうちで喜ばないふうが、顔にも見えていたし、或る時は、玄徳へ向って、無遠慮にその不平を鳴らしたこともある。

「いったいあの孔明に、どれほどな才があるのですか。家兄《このかみ》には少し人に惚れこみ過ぎる癖がありはしませんか」

「否、否」

玄徳は、ふっくらと笑いをふくんで、

「わしが、孔明を得たことは、魚が水を得たようなものだ」と、いった。

張飛は、不快きわまる如き顔をして、その後は、孔明のすがたを見かけると、

「水が来た。水が流れてゆく」

などと嘲《あざけ》った。

まことに、孔明は水の如くであった。城中にいても、いるのかいないのか分らない、

常に物静かである。

或る時、彼はふと、玄徳の結髪を見て、その静かな眉をひそめ、

「何ですか、それは」と、訊《つ》ねた。

玄徳には一種の容態を飾る好みがあるらしい。よく珍しい物で帽《ぼう》を結い、珠をかざる癖があるので、それをとがめたらしいのである。

「これか。……これは犁牛《りぎゅう》の尾だよ。たいへん珍しい物だそうだ。襄陽《じょうよう》のさる富豪から贈ってよこしたので、帽にして結わせてみた。おかしいかな」

「よくお似合いになります。――が、悲しいではありませんか」

「なぜ」

「婦女子の如く、容姿の好みを遊ばして、それがなんとなりますか。君には大志がないしるしです」

孔明がやや色をなしてそう詰問《なじ》ると、玄徳はいきなり犁牛《りぎゅう》の帽をなげうって、

「なんで、本心でこんな真似をしよう。一時の憂《う》さを忘れるために過ぎぬ」と、彼も顔容を正した。

孔明は、なおいった。

「君と劉表とを比べてみたらどうでしょう？」

「自分は劉表に及ばない」

「曹操と比べては」

「及ばぬことさらに遠い」

「すでに、わが君には、この二人にも及ばないのに、ここに抱えている兵力はわずか数千に過ぎますまい。もし曹操が、明日にでも攻めてきたら、何をもって防ぎますか」

「……それ故に、わしは常に憂いておる」

「憂いは単なる憂いにとどめていてはなにもなりません。実策を講じなければ」

「乞う、善策を示したまえ」

「明日から、かかりましょう」

孔明はかねてから新野《しんや》の戸籍簿を作って、百姓の壮丁《そうてい》を徴募《ちょうぼ》しておいた。城兵数千のほかに、農兵隊の組織を計画していたのである。

次の日から、彼はみずから教官となって、三千余人の農民兵を調練しはじめた。歩《ほ》走《そう》、飛伏《ひふく》、一進一退、陣法の節を教え、克己《こっき》の精神をたたき込み、刺撃《しげき》、用剣の術まで、習わせた。

ふた月も経つと、三千の農兵は、よく節を守り、孔明の手足のごとく動くようになった。

かかる折に、果たして、夏侯惇を大将とする十万の兵が、新野討滅を名として、南下してくるとの沙汰が聞えてきたのである。

「十万の大兵とある。如何にして防ぐがよいか」

玄徳は恐怖して、関羽、張飛のふたりへもらした。すると張飛は、

「たいへんな野火ですな。水を向けて消したらいいでしょう」

と、こんな時とばかり、苦々しげに面当《つらあ》てをいった。

三

些末《さまつ》な感情などにとらわれている場合ではない。玄徳は二人へいった。

「智は孔明をたのみ、勇は二人の力にたのむぞ。よいか。くれぐれも」

張飛と関羽が退がって行くと、玄徳はまた孔明を呼んで、同じように、この急場に処する対策を依嘱した。

「ご心配は無用です」

孔明はまずそういってから、

「――ただ、この際の憂いは、外よりも内にあります。おそらくは関羽、張飛のふたりが私の命に伏しますまい。軍令が行われなければ、敗れることは必然でしょう」

「実に困ったものだ。それにはどうしたらいいだろう」

「おそれながら、わが君の剣と印とを孔明にお貸しください」

「易《やす》いこと、それでよいか」

「諸将をお召しください」

孔明の手に、剣と印を授けて、玄徳は諸将を呼んだ。

孔明は、軍師座に腰をすえ、玄徳は中央の床几《しょうぎ》に倚《よ》っていた。孔明は、厳然立ちあがって、味方の配陣を命じた。

「ここ新野を去る九十里外に、博望坡《はくぼうは》の嶮がある。左に山あり、予山《よざん》という。右に林あり、安林《あんりん》という。——各〻ここを戦場と心得られよ」と、まず地の理を指摘して、

「——関羽は千五百をひきいて予山にひそみ、敵軍の通過、半ばなるとき、後陣を討って、敵の輜重《しちょう》を襲い、火をかけて焚殺《ふんさつ》せられよ。張飛は、同じく千五百の兵を、安林に入れて、後ろの谷間へかくれ、南にあたって、火のあがるを見るや、無二、無三、敵の中軍先鋒へ当ってそれを粉砕し給え。——また、関平《かんぺい》と劉封《りゅうほう》とは各五百人を率して、硫黄焔硝《いおうえんしょう》をたずさえ、博望坡の両面より、火を放って敵を火中につつめ」

次に、趙雲を指命して、

「ご辺には先手を命じる」と、いった。

趙雲が、よろこび勇むと、孔明はたしなめて、

「ただし、一箇の功名は、きっと慎み、ただ詐《いつわ》り負けて逃げてこられよ。勝つことをもって能とせず、敵を深く誘いこむのが貴公の任である。ゆめ、全軍の戦機をあやまり給うな」と、さとした。

そのほか、すべての手分けを彼が命じ終ると、張飛は待っていたように、いきなり孔明へ向って大声でいった。

「いや、軍師のおさしず、いちいちよく相分った。ところで一応伺っておきたいが、軍師自身は、いずれの方面に向い給うか」

「わが君には、一軍をひきい、先手の趙雲と、首尾のかたちをとって、すなわち敵の進路に立ちふさがる——」

「だまれ、わが君のことではない。ご辺みずからは、どこで合戦をする覚悟かと訊いておるのだ」

「かく申す孔明は、ここにあって新野を守る」

張飛は、大口あいて、不遠慮に笑いながら、

「わははは、あははは。さてこそさてこそ、この者の智慧のほどこそ知られけり——だ、聞いたか、方々」と、手をうって、

「主君をはじめ、われわれにも、遠く本城を出て戦えと命じながら自分は新野を守るといっておる、——安坐して、おのれの無事だけを守ろうとは……うわ、は、は、は。笑えや、各〻」

孔明は、その爆笑を一喝《かつ》に打ち消して、涼然《りようぜん》、こう叱りつけた。

「剣印ここにあるを、見ぬか。命にそむく者は、斬るぞっ。軍紀をみだす者も同じである！」

眸は、張飛を射すくめた。奮然張飛は反抗しかけたが、玄徳になだめられて、不承不《ふしよう》承《ぶ》、出ていった。嘲笑いながら、出陣した。

四

表面、命令に従って、それぞれ前線へ向っては行ったが、内心、孔明の指揮をあやぶんでいたのは関羽、張飛だけではなかった。

関羽なども、張飛をなだめていたが、

「とにかく、孔明の計《はかりごと》があたるか否か、試みに、こんどだけは、下知に従っていようではないか」

と、いった程度であった。

時、建安十三年の秋七月という。夏侯惇《かこうじゅん》は十万の大軍を率いて、博望坡《はくぼうは》（河南省《かなんしょう》・新《しん》野《や》の北方）まで迫ってきた。

土地の案内者をよんで、所の名をたずねると、

「うしろは羅口川《らこうせん》、左右は予山、安林。前はすなわち博望坡です」と、答えた。

兵糧輜重《しちょう》などを主とした後陣の守りには、于禁《うきん》、李典の二将をおき、自身は副将の夏侯蘭、護軍《ごぐん》の韓浩《かんこう》の二人を具して、さらにすすんだ。

そしてまず、軽騎の将数十をつれて、敵の陣容を一眄《べん》すべく、高地へ馳けのぼって行ったが、

「ははあ。あれか。わははは」と、夏侯惇は、馬上で大いに笑った。

「何がそんなにおかしいので」と、諸将がたずねると、

「さきに徐庶《じょしょ》が、丞相のご前で、孔明の才をたたえ、まるで神通力でもあるようなことをいったが、今、彼の布陣を、この眼に見て、その愚劣を知ったからだ。――こんな貧

弱な兵力と愚陣を配して、われに向わんとは、犬羊をケシかけて虎豹《こひょう》と闘わせようとするようなもの——」

と、なお笑いやまず、自分が曹操の前で、玄徳と孔明を生捕って見せると大言したことも、これを見れば、もう掌《たなごころ》にあるも同様だと云い足した。

すでに敵を呑んだ夏侯惇は、先手の兵にむかって、一気に衝き崩せと号令をかけ、自身も一陣に馳けだした。

時に、趙雲もまた彼方から馬を飛ばして、夏侯惇のほうへ向ってきた。夏侯惇は、大音をあげていう。

「鼠将《そしょう》玄徳の粟《あわ》を喰って、共に国をぬすむ醜類《しゅうるい》、いずこへ行くか。夏侯惇これにあり、首をおいてゆけ」

「何をっ」

趙雲は、まっしぐらに、鎗を舞わしてかかってくる。丁々十数戟《すうげき》、いつわって、たちまち逃げ出すと、

「待てっ、怯夫《きょうふ》っ」と、夏侯惇は、勝ち誇って、あくまで追いかけて行った。

護軍韓浩《かんこう》は、それを見て、夏侯惇に追いつき、諫《いさ》めていった。

「深入りは危険です。趙雲の逃げぶりを見ると、取って返して誘い、誘ってはまた逃げだす様子、伏兵があるにちがいありません」

「何を、ばかな」

夏侯惇は一笑に付して、

「伏勢があれば伏勢を蹴ちらすまでだ、これしきの敵、たとえ十面埋伏《まいふく》の中を行くとも、なんの恐るるに足るものか。――ただ追い詰め追い詰め討ちくずせ」

かくて、いつか彼は博望の坡《つつみ》を踏んでいた。

すると果たして、鉄砲のとどろきと共に、金鼓の声、矢風の音が鳴りはためいた。旗を見れば玄徳の一陣である。夏侯惇は大いに笑って、

「これがすなわち、敵の伏勢というものだろう。小ざかしき虫けらども、いでひと破りに」

と、云い放って、その奮迅に拍車をかけた。

気負いぬいた彼の麾下《きか》は、その夜のうちにも新野へ迫って、一挙に敵の本拠を抜いてしまうばかりな勢いだった。

玄徳は一軍を率いて、力闘につとめたが、もとより孔明から授けられた計のあることと、防ぎかねた態をして、たちまち趙雲とひとつになって潰走《かいそう》しだした。

五

いつか陽は没して、霧のような蒸雲《じょううん》のうえに、月の光がかすかだった。

「おうーいっ、于禁《うきん》。おういっ――しばらく待て」

うしろで呼ばわる声に、馬に鞭打って先へ急いでいた于禁は、

「李典か。何事だ」と、大汗を拭いながら振向いた。

李典も、あえぎあえぎ、追いついてきて、

「夏侯都督には、如何なされたか」

「気早の御大将、何かは猶予《ゆうよ》のあるべき。悍馬《かんば》にまかせて真っ先に進まれ、もうわれらは二里の余もうしろに捨てられている」

「危ういぞ。図に乗っては」

「どうして」

「あまりに盲進しすぎる」

「蹴ちらすに足らぬ敵勢、こう進路のはかどるのは、味方の強いばかりでなく、敵が微弱すぎるのだ。それを、何とて、びくびくするのか」

「いや、びくびくはせぬが、兵法の初学にも――難道行くに従って狭く、山川相せまって草木の茂れるは、敵に火計ありとして備うべし――。ふと、それを今、ここで思い出したのだ」

「むむ。そういわれてみると、この辺の地勢は……それに当っている」

と、于禁も急に足をすくめた。

彼は、多くの兵を、押しとどめて、李典にいった。

「ご辺はここに、後陣を固め、しばらく四方に備えてい給え。……どうも少し地勢が怪しい。拙者は大将に追いついて、自重するよう報じてくる」

于禁は、ひとり馬を飛ばし、ようやく夏侯惇に追いついた。そして李典のことばをそのまま伝えると、彼もにわかにさとったものか、

「しまったっ。少し深入りしたかたちがある。なぜもっと早くいわなかったのだ」

そのとき――一陣の殺気というか、兵気というものか、多年、戦場を往来していた夏侯惇なので、なにか、ぞくと総身の毛あなのよだつようなものに襲われた。

「――それっ、引っ返せ」

馬を立て直しているまもない。四山の沢べりや峰の樹かげ樹かげに、チラチラと火の粉が光った。

すると、たちまち真っ黒な狂風を誘って、火は万山の梢《こずえ》に這い、渓《たに》の水は銅《あかがね》のように沸き立った。

「伏兵だっ」

「火攻め！」

と、道にうろたえだした人馬が、互いに踏み合い転げあって、阿《あ》鼻叫喚《びきょうかん》をあげていたときは、すでに天地は喊《とき》の声にふさがり、四面金鼓のひびきに満ちていた。

「夏侯惇は、いずれにあるか。昼の大言は、置き忘れてきたか」

趙雲子龍《ちょううんしりゅう》の声がする。

さしもの夏侯惇も、渓川《たにがわ》におちて死ぬものやら、馬に踏まれて落命するなど、おびただしい味方の死傷を見ては、ひっ返して、趙雲に出会う勇気もなかったらしい。

た。

「馬に頼るな。馬を捨てて、水に従って逃げ落ちよ」

と、味方に教えながら、自身も徒歩となって、身一つを遁れだすのがようやくであった。

後陣にいた李典は、

「さてこそ」

と前方の火光を見て、急に救いに出ようとしたが、突如、前に関羽の一軍があって道をふさぎ、退いて、博望坡の兵糧隊を守ろうとすれば、そこにはすでに、玄徳の麾下《きか》張飛が迫って、輜重《しちょう》をことごとく焼き払ったあげく、

「火の網の中にある敵、一匹ものがすな」と、後方から挟撃してきた。

討たるる者、焼け死ぬ者、数知れなかった。夏侯惇、于禁、李典などの諸将は輜重の車まで焼かれたのをながめて、

「もう、いかん」と、峰越しに逃げのびたが、夏侯蘭は張飛に出会って、その首を掻かれ、護軍韓浩《かんこう》は、炎の林に追いこまれて、全身、大火傷《おおやけど》を負ってしまった。

六

戦は暁になってやんだ。

山は焼け、渓水《たにみず》は死屍《しし》で埋もれ、悽愴な余燼《よじん》のなかに、関羽、張飛は軍をおさめて、意気揚々、ゆうべの戦果を見まわっていた。

「敵の死骸は、三万をこえている。この分では無事に逃げた兵は、半分もないだろう」

「まず、全滅に近い」

「幸先《さいさき》よしだ。兵糧その他、戦利品も莫大な数にのぼろう。かかる大捷《たいしょう》を博したのも、日頃の鍛錬があればこそ——やはり平常が大事だな」

「それもあるが……」と、関羽は口をにごらしながら、駒を並べている張飛の顔を見て云った。

「この作戦は、一に孔明の指揮に出たものであるから、彼の功は否みがたい」

「むむ。……計《はかりごと》は、図にあたった。彼奴《きゃっ》も、ちょっぴり、味をやりおる」

張飛はなお幾らかの負け惜しみを残していたが、内心では、孔明の智謀を認めないわけにはゆかなかった。

やがて、戦場をうしろに、新野のほうへ引きあげて行くと、彼方から一輛の車をおし、簇擁《ぞくよう》として、騎馬軍旗など、五百余の兵が近づいてくる。

「誰か？」

と見れば、車のうえには悠然として軍師孔明。——前駆の二大将は糜竺《びじく》、糜芳《びほう》のふたりだった。

「オオ、これは」

「軍師か」

威光というものは争えない。関羽と張飛はそれを見ると、理屈なしに馬をおりてしまった。そして車の前に拝伏し、夜来の大捷《たいしょう》を孔明に報告した。

「わが君の御徳と、各〻の忠誠なる武勇によるところ。同慶の至りである。」

孔明は車上から鷹揚にそういって、大将たちをねぎらった。自分よりはるかに年上な猛将たちを眼の下に見て、そういえるだけでも、年まだ二十八歳の弱冠とは見えなかった。

やがて、またここへ、趙雲《ちょううん》、関平《かんぺい》、劉封《りゅうほう》などの諸将も各〻の兵をまとめて集まった。

関羽の養子関平は、敵の兵糧車七十余輛を分捕って、初陣の意気軒昂たるものがあった。

さらに、白馬にまたがった玄徳のすがたが、これへ見えると、諸軍声をあわせて、勝《かち》鬨《どき》をあげながら迎えた。

「ご無事で」

「めでたく」

「しかも、大捷を占めてのご帰城――」と、人々はよろこび勇んで、新野へ凱旋した。

旗幡翩々《へんぺん》と道を埋《う》め、士民はそれを迎えて拝舞雀躍《はいぶじゃくやく》した。

孫乾《そんけん》は、留守していたので、城下の父老をひきいて、郭門《かくもん》に出迎えていた。その老人たちは、口をそろえて、

「この土地が、敵の蹂躙《じゅうりん》から免れたのは、ひとえにわがご領主が、賢人を厚くお用いなされたからじゃ」と、玄徳の英明をたたえ、また孔明を徳として仰いだ。

しかし孔明は誇らなかった。

城中に入って、数日の後、玄徳が彼に向って、あらゆる歓びと称讃を呈しても、

「いやいや、まだ決して、安心はなりません」と、眉をひらく風もなかった。

「いま、夏侯惇の十万騎は、残り少なに討ちなされて、ここしばらくは急もありますまいが、必定、この次には、曹操自身が攻め下って来るでしょう。味方の安危如何はその時かと思われます」

「曹操がみずから攻めてくるようだったら、それは容易ならぬことになる。北方の袁紹《えんしよう》ですら一敗地に滅び、冀北《きほく》、遼東《りようとう》、遼西《りようせい》まで席巻《せつけん》したあの勢いで南へきたら？」

「かならず参ります。故に、備えておかなければなりますまい。それにはこの新野は領堺も狭く、しかも城の要害は薄弱で、たのむには足りません」

「でも、新野を退いては」

「新野を退いて拠るべき堅固は……」

と、孔明は云いかけて、そっとあたりを見まわした。

許都《きょと》と荊州《けいしゅう》

一

「ここに一計がないでもありません」

と、孔明は声をはばかって、ささやいた。

「国主の劉表《りゅうひょう》は病重く、近頃の容態はどうやら危篤のようです。これは天が君に幸いするものでなくてなんでしょう。よろしく荊州《けいしゅう》を借りて、万策をお計りあれ。それに拠《よ》れば、地は広く、嶮《けん》は狭く、軍需財源、すべて充分でしょう」

玄徳は顔を横に振った。

「それは良計には違いなかろうが、わしの今日あるは、劉表の恩である。恩人の危うきにつけこんで、その国を奪うようなことは忍び得ない」

「このさい小乗的なお考えは捨て、大義に生きねばなりますまい。いま荊州を取っておかなければ、後日になって悔ゆるとも及びませぬ」

「でも、情にもとり、義に欠けるようなことは」

「かくいううちにも、曹操の大軍が襲来いたしたなら、何となさいますか」

「いかなる禍いにあおうと、忘恩の徒と誹《そし》られるよりはましである」

「ああ。まことに君は仁者でいらせられる！」

それ以上、強いることばも、諫《いさ》める辞《じ》もなく、孔明は口をつぐんだ。

さてまた夏侯惇は、口ほどもない大敗を喫して、命からがら都へ逃げ上り、みずから面縛して――死を待つ意味で罪人のように眼隠しをほどこし――畏《おそ》る畏る相府の階下にひざまずいた。

（面目なくて会わせる顔もありません）といわぬばかりな姿である。

曹操は出座して、それを見ると苦笑した。

「あれを解いてやれ」と、左右の者へ顎でいいつけ、階《かい》を上がることをゆるした。

夏侯惇は、庁上に慴伏《しようふく》して、問わるるまま軍《いくさ》の次第を報告した。

「何よりの失策は、敵に火計のあることをさとらず、博望坡《はくぼうは》をこえて、渓林《けいりん》のあいだへ深入りしすぎた一事でございました。ために丞相の将士を数多《あまた》うしない、罪万死に値します」

「幼少より兵学を習い、今日まで幾多の戦場を往来しながら、狭道には必ず火攻めのあることぐらい気づかないで軍の指揮ができるか」

「今さら、何の言い訳もございません。于禁《うきん》はそれをさとって、それがしにも注意しましたが、後悔すでに及ばなかったのであります」

「于禁には大将軍たる才識がある。汝も元来の凡将ではない筈。この後の機会に、今日の恥をそそぐがよい」と叱ったのみで、深くも咎めなかった。

その年の七月下旬。

曹操は八十余万の大軍を催し、先鋒を四軍団にわかち、中軍に五部門を備え、後続、遊軍、輜重《しちょう》など、物々しい大編制で、明日は許都を発せんと号令した。中太夫孔融《こうゆう》は、前の日、彼に諫めた。

「北国征略のときすら、こんな大軍ではありませんでした。かかる大動員をもって大戦にのぞまれなば、おそらく洛陽《らくよう》、長安《ちょうあん》以来の惨禍を世に捲き起しましょう。さる時には、多くの兵を損い、民を苦しめ、天下の怨嗟《えんさ》は挙げて丞相にかかるやも知れません。なぜならば、玄徳は漢の宗親、なんら朝廷に反《そむ》いたこともなく、また呉の孫権たりといえど、さして不義なく、その勢力は江東江南六郡にまたがり、長江の要害を擁しているにおいては、いかにお力をもってしても……」

「だまれ。晴れの門出に」

曹操は叱って、「なお申さば、斬るぞ」と、一喝《かっ》に退けてしまった。

孔融《こうゆう》は、慨然《がいぜん》として、府門を出ながら、

「不仁を以て仁を伐《う》つ。敗れざらんや。ああ！」

と、嘆いて帰った。

附近にたたずんでいた厩《うまや》の小者が、ふと耳にして、主人に告げ口した。その主人なる男は、日頃、孔融と仲のわるい郄慮《げきりよ》だったから、早速、曹操にまみえて、輪に輪をかけて讒言《ざんげん》した。

二

些細《ささい》なことをとらえて、棒ほどに訴える。

そして、主《しゆ》たる位置にある人の誇りと弱点につけこむ。

讒者《ざんしや》の通有手段である。

そんな小人の舌に乗せられるほど曹操は甘い主君では決してない。けれど、どんな人物でも、大きな組織のうえに君臨していわゆる王者の心理となると、立志時代の克己や反省も薄らいでくるものとみえる。人間通有の凡小な感情は、抑えてのないまま、かえって普通人以上、露骨に出てくる。

無能な小人輩は、甘言と佞智《ねいち》をろうすことを、職務のように努めはじめる。曹操のまわりには、つねに苦諫《くかん》を呈して、彼の弱点を輔佐する荀彧《じゆんいく》のような良臣もいたが、その反対も当然多い。

「どうも孔融《こうゆう》は、丞相《じようしよう》にたいして、お怨みを抱いているようです。……昨夕も退庁の際、ひとり言に、不仁を以て仁を伐つ、敗れざらんや——などと罵《ののし》って帰りましたし、日頃の言行に照らしても、不審のかどがいくらもありますし」

讒者《ざんしや》は、弁をふるって、日頃から胸にたたんでおいた材料を、舌にまかせて並べたてた。

「──いつでしたか、丞相が禁酒の法令を発しられましたときも、孔融は笑って、天に酒旗の星あり、地に酒郡あり、人に喜泉《きせん》なくして、世に何の歓声《かんせい》あらん。民に酒を禁じるほどなら、今に婚姻も禁じるであろう、などと途方もない暴説を吐いておりました」

「…………」

「また。あの孔融はですね。ずっと以前ですが、朝廷の御宴《ぎょえん》の折、赤裸になって丞相を辱めた禰衡《ねいこう》──あの奇舌学人とは──古くから親交がありまして、禰衡にあんな悪戯《わるさ》をさせたのも、後で聞けば、孔融の入れ智慧だったということです」

「…………」

「いえ、まだまだ、それのみではありません。彼は荊州の劉表とは、ずいぶん以前から音信を交わしております。また玄徳とは、わけても昵懇《じっこん》と聞いておりますゆえ、この辺の虚実は彼の邸を、突然襲って家探ししてごらんになれば、きっと意外な証拠が現れるのではないかと思われます。──明日、荊州へご発向の前に、ぜひその一事は、明らかに調べてご出陣ありますように」

「…………」

かなり長いあいだしゃべらせておいた。曹操は一語も発せずにいたが、非常にいやな顔つきをしていた。そして聞くだけ聞き終るといきなり、

「うるさい、あっちへ行け」

と、顎《あご》をあげて、蝿のように、その家臣を目さきから追い払った。

さすがに、讒者《ざんしゃ》の肚《はら》を、観破したのかと思うと、そうでもない。いや、その反対だったのである。

たちまち廷尉《ていい》を呼んで、

「すぐ行け」と、何かいいつけた。

廷尉は、一隊の武士と捕吏をひきつれ、不意に孔融《こうゆう》の邸を襲った。

孔融は、なんの抵抗をするまもなく、召捕られた。

召使いのひとりが奥へ走って、

「たッ、大変ですっ。ご父君にはいま、廷尉に捕縛されて、市へひかれて行きました！」

と、そこにいる孔融の息子たちへ、哭《な》き声で知らせた。

二人の息子は、碁を囲んで遊んでいたが、すこしも驚かず、

「――巣すでに破れて、卵の破れざるものあらんか」

と、なお二手《ふたて》三手《みて》さしていた。

もちろん、たちまち踏みこんできた捕吏や武士の手にかかって、兄弟とも斬られてしまった。

邸は炎とされ、父子一族の首は市に梟《か》けられた。

はしなかった。諫言も間に合わないし、また無言でいるのも、一つの諫言になるからであろう。

荀彧《じゅんいく》は、後で知って、

「どうも、困ったものです」と、苦々しげに云ったきりで、いつもの如く、曹操へ諫言

三

曹操みずから、許都の大軍をひきいて南下すると、頻々《ひんぴん》、急を伝えてくる中を、荊州の劉表は、枕も上がらぬ重態をつづけていた。

「御身と予とは、漢室の同宗、親身の弟とも思うているのに……」

病室に玄徳を招いて、彼は、きれぎれな呼吸《いき》の下から説いていた。

「予の亡い後、この国を、御身が譲りうけたとて、誰が怪しもう。奪ったなどといおう。……いや、いわせぬように、予が遺言状をしたためておく」

玄徳は、強《た》って辞した。

「せっかくの尊命ですが、あなたにはお子達がいらっしゃいます。なんで私がお国を継ぐ必要などありましょう」

「いや、その孤子《みなしご》の将来も、御身に託せば安心じゃ。どうかあの至らぬ子らを扶け、荊州の国は御身が受け継いでくれるように」

遺言にひとしい切実な頼みであったが、玄徳はどうしても受けなかった。

孔明は後にその由を聞いて、

「あなたの律義は、かえって、荊州の禍いを大にしましょう」と、痛嘆した。

その後、劉表の病は重《おも》るばかりな所へ、許都百万の軍勢はすでに都を発したと聞えてきたので、劉表は気魂もおののき飛ばして、遺言の書をしたためて後事を玄徳に頼んだ。——御身が承知してくれないならば、嫡子の劉琦《りゅうき》を取立てて荊州の主に立ててくれよというのであった。

蔡《さい》夫人は、穏やかならぬ胸を抱いた。彼女の兄蔡瑁《さいぼう》や腹心の張允《ちょういん》も、大不満を含んで、早くも、

「いかにして、琦《き》君《くん》を排し、劉琮《りゅうそう》の君を立てるか」を、日夜、ひそひそ凝議《ぎょうぎ》していた。

——とも知らず、劉表の長男劉琦は、父の危篤を聞いて、遠く江夏の任地から急いで荊州へ帰ってきた。

そして旅舎にも憩《いこ》わず、直ちに城へ入ってくると、内門の扉はかたく彼を拒んで入れなかった。

「父の看護《みとり》につこうものと、はるばる江夏から急いできた劉琦なるぞ。城門の者、番の者、ここを開けい。通してくれよ」

すると、門の内から蔡瑁は声高に答えた。

「父君のご命をうけて、国境の守りに赴かれながら、無断に江夏の要地をすてて、ご帰国とは心得ぬお振舞い。いったい誰のゆるしをうけてこれに来られたか。軍務の任の重

きことをお忘れあったか。たとえご嫡子たりともここをお通しするわけには参らん。——疾《と》く疾《と》くお帰りあれ、お帰りあれ」

「その声は、瑁伯父《ぼうおじ》ではないか。せっかく遠路を参ったのに、門を入れぬとは無情であろう。すぐ江夏へ帰るほどに、せめて父君にひと目会わせてくれい」

「ならぬ！」と、伯父の権《けん》を、声に加えて、蔡瑁はさらにこッぴどくいって、追い払った。

「病人にせよ、会えばお怒りときまっている。病を重らすだけのことだ。さすれば孝道にも背くことに相成ろう。不孝をするため、わざわざ来られたわけでもあるまい！」

劉琦はややしばらく門外にたたずんで哭《な》き声をしのばせていたが、やがてしおしおと馬をかえして立ち去った。

秋八月の戊申《つちのえさる》の日、劉表《りゅうひょう》は、ついに臨終した。

蔡夫人、蔡瑁《さいぼう》、張允《ちょういん》などは、偽の遺言書を作って、

＝荊州《けいしゅう》の統《とう》は、弟劉琮《りゅうそう》を以て継がすべし

と披瀝《ひれき》した。

蔡夫人の生んだ二男劉琮は、その時まだ十四歳であったが、非常に聡明な質だったので、宿将幕官のいるところで、或る折、

「亡父君《ちちぎみ》のご遺言とはあるが、江夏には兄上がいるし、新野には外戚《がいせき》の叔父劉玄徳《しゅくふりゅうげんとく》がいる。もし兄《このかみ》や叔父《しゅくふ》がお怒りの兵を挙げて、罪を問うてきたら何とするぞ」

と、質問しだしたので、蔡夫人も蔡瑁も、顔いろを変えてあわてた。

四

すると、末席にいた幕官《ばっかん》の李珪《りけい》という者が、劉琮《りゅうそう》の言へ即座にこたえて、

「おう若君、よくぞ仰せられました。実に天真爛漫《てんしんらんまん》、いまの君のおことばこそ、人間の善性というものです。君臣に道あり、兄弟に順あり、お兄君をしのいでお継ぎになるなど、もとより逆の甚だしいものです。いそぎ使いを馳せて江夏より兄君を迎えられ、琦《き》君《くん》を国主とお立て遊ばし、玄徳を輔佐としてまず内政を正し、しかる後、北は曹操を防ぎ、南は孫権にあたり、上下一体となるのでなければ、この荊州の滅乱《めつらん》はまぬかれませんぞ！」と、はばかる色もなく直言した。

蔡瑁は、赫怒《かくど》して、

「みだりに舌をうごかして、故君のご遺言を辱《はずかし》め、部内の人心を攪乱する賊臣め。黙れっ、黙りおろうっ」と、大喝しながら、武士と共に、李珪《りけい》のそばへ馳け寄って、「これへ出ろ」と、引きずりだした。

李珪は悪びれずになおも、

「国政にあずかる首脳部の方々からして、順をみだし、法をやぶり、何とて他国の侵攻を防ぎ得ましょうや。この国の亡ぶは眼に見えている」と、叫んでやまなかったが、とたんに蔡瑁が抜き払った剣の下に、あわれその首は斬り落されていた。

死屍は市《まち》の不浄墳《ふじょうづか》に取り捨てられたが、市人は伝え聞いて、涙を流さぬはなかったという。

襄陽《じょうよう》の東四十里、漢陽の荘麗なる墓所に、故劉表の柩《ひつぎ》は国葬された。蔡氏の閥族は、劉琮《りゅうそう》を国主として、これから思うままに政をうごかしたが、時まさに未曾有の国難の迫っている折から、果たしてそんな態勢で乗り切れるかどうか、心あるものは危ぶんでいた。

蔡夫人は、劉琮を守護して、軍政の大本営を襄陽城に移した。

時すでに、曹操の大軍は刻々南下して、

「はや宛城《えんじょう》に近し！」

とさえ聞えてきたのである。

幼主と蔡夫人を主座に仰ぎ、蔡瑁、蒯越《かいえつ》以下、宿将群臣たちは日々評議に余念なかった。

「一戦いなみ難し」とする軍の主戦論は、濃厚であったが、文官側になお異論が多い。

就中《なかんずく》、東曹《とうそう》の掾公悌《えんこうてい》は、

「三つの弱点がある」と、国内の不備をかぞえて、非戦論を主張した。

その一は、江夏の劉琦が、国主の兄でありながら、まったく排《の》け者にされている不満から、いつ荊州《けいしゅう》の背後を突くか知れないという不安。

二には、玄徳の存在である。しかも玄徳のいる新野は、この襄陽と江水《こうすい》ひとつをへだてた近距離にある。おそらく玄徳の向背はこの際、はかり知れないものがあろうという点。

三つには、故太守の歿後、まだ日も経っていないので、諸臣の不一致、内政の改革、あらゆる備えが、まだ完《まった》き臨戦態勢に至っていない――というのであった。

「その説に自分も同感である。自分をもっていわせれば、さらに三つの不利がある」

と、続いて山陽高平《さんようこうへい》の人、王粲《おうさん》字《あざな》は仲宣《ちゅうせん》が起って戦に入る三害を力説した。

一、中国百万の軍は、朝廷をひかえ、抗するものは、違勅《いちょく》の汚名をうける。

一、曹操は威雷電《いらいでん》のごとく、その強馬精兵は久しく名あるところ。荊州の兵は、久しく実戦の体験がない。

一、たとえ玄徳をたのみとするも、玄徳のふせぎ得る曹操ではない。もしまた、曹操に当り得るほどな実力を彼に附与すれば、なんで玄徳が、わが君の下風《かふう》に屈していよう。

公悌《こうてい》のいう三弱、王粲《おうさん》のあげた三害、こう数えたてれば、荊州は到底、中国百万の軍と雌雄を決して勝てる強味はどこにもない。

結局、降服の道しかなかった。即ち、和を乞うの書をたずさえて、襄陽の使いは南進中の曹操の軍へ、急遽派遣されたのであった。

新野《しんや》を捨《す》てて

一

百万の軍旅は、いま河南の宛城《えんじょう》（南陽）まで来て、近県の糧米や軍需品を徴発し、いよいよ進撃に移るべく、再整備をしていた。

そこへ、荊州から降参の使いとして、宋忠の一行が着いた。

宋忠は、宛城の中で、曹操に謁して、降参の書を奉呈した。

「劉琮《りゅうそう》の輔佐には、賢明な臣がたくさんいるとみえる」

曹操は大満足である。

こう使いを賞めて、「劉琮を忠烈侯《ちゅうれつこう》に封じて、長く荊州の太守たる保証を与えてやろう。やがてわが軍は、荊州に入るであろうから、その時には、城を出て、曹操の迎えに見えるがいい。――劉琮に会って、その折、なお親しく語ることもあろう」と、いった。

宋忠は、衣服鞍馬を拝領して、首尾よく荊州へ帰って行った。

その途中である。

江を渡って、渡船場から上がってくると、一隊の人馬が馳けてきた。

「何者だっ、止れっ」

と、誰何《すいか》されて、馬上の将を見ると、この辺の守りをしていた関羽である。

「しまった」

と思ったが、逃げるにも逃げきれない。宋忠は彼の訊問にありのままを答えるしかなかった。

「何。降参の書をたずさえて、曹操の陣へ使いした帰りだと申すか？」

関羽は、初耳なので、驚きに打たれた。

「これは、自分だけが、聞き流しにしているわけには参らぬ」

有無をいわせず、後は、宋忠を引ッさげて、新野へ馳けた。

新野の内部でも、この政治的な事実は、いま初めて知ったことなので、驚愕はいうまでもない。

わけて、玄徳は、

「何たることか！」

と、悲涙にむせんで、昏絶《こんぜつ》せんばかりだった。

激しやすい張飛のごときは、

「宋忠の首を刎ねて血祭りとなし、ただちに兵をもって荆州を攻め取ってしまえ。さすれば無言のうちに、曹操へやった降参の書は抹殺され、無効になってしまう」

と、わめきちらして、いやが上にも、諸人を動揺させた。

宋忠は生きた心地もなく、おどおどして、城中にみなぎる悲憤の光景をながめていたが、

「今となって、汝の首を刎《は》ねたところで、何の役に立つわけもない。そちは逃げろ」

と、玄徳は彼をゆるして、城外へ放ってやった。

ところへ、荊州の幕賓《ばくひん》、伊籍《いせき》がたずねてきた。宋忠を放った後で、玄徳は、孔明そのほかを集めて評議中であったが、ほかならぬ人なのでその席へ招じ、日頃の疎遠《そえん》を謝した。

伊籍は、蔡《さい》夫人や蔡瑁が、劉琦をさしおいて、弟の劉琮を国主に立てたことを痛憤して、その鬱懐《うっかい》を、玄徳へ訴えに来たのであった。

「その憂いを抱くものは、あなたばかりでありません」と、玄徳はなだめて後、

「――しかも、まだまだあなたの憂いはかろい。あなたのご存じなのは、それだけであろうが、もっと痛心に耐えないことが起っている」

「何です？　これ以上、痛心にたえないこととは」

「故太守が亡くなられて、まだ墳墓の土も乾かないうち、この荊州九郡をそっくり挙げて、曹操へ降参の書を呈したという一事です」

「えっ、ほんとですか」

「偽りはありません」

「それが事実なら、なぜ貴君には、直ちに、喪《も》を弔《とむら》うと号して、襄陽に行き、あざむいて幼主劉琮をこちらへ、奪い取り、蔡瑁、蔡夫人などの奸党閥族《かんとうばつぞく》を一掃してしまわれないのですか」

日頃、温厚な伊籍すら、色をなして、玄徳をそう詰問《なじ》るのであった。

二

孔明も共にすすめた。

「伊籍のことばに、私も同意します。今こそご決断の時でしょう」

しかし玄徳は、ただ涙を垂るるのみで、やがてそれにこう答えた。

「いやいや臨終の折に、あのように孤子《みなしご》の将来を案じて、自分に後を託した劉表のことばを思えば、その信頼に背《そむ》くようなことはできない」

孔明は、舌打ちして、

「いまにして、荊州も取り給わず遅疑逡巡《ちぎしゅんじゅん》、曹操の来攻を、拱手《きょうしゅ》してここに見ているおつもりですか」と、ほとんど、玄徳の戦意を疑うばかりな語気で詰問《なじ》った。

「ぜひもない……」と、玄徳は独りでそこに考えをきめてしまっているもののように

「この上は新野を捨てて、樊城《はんじょう》へ避けるしかあるまい」と、いった。

ところへ、早馬が来て、城内へ告げた。曹操の大軍百万の先鋒はすでに博望坡《はくぼうは》まで迫

ってきたというのである。

伊籍は倉皇と帰ってゆく。城中はすでにただならぬ非常時色に塗りつぶされた。

「とまれ、孔明あるからには、御心《みこころ》をやすんじ給え」

玄徳をなぐさめて、孔明はただちに、諸将へ指令した。

「まず、防戦の第一着手に、城下の四門に高札《こうさつ》をかかげ——百姓商人老幼男女、領下のものことごとく避難にかかれ、領主に従って難を避けよ、遅るる者は曹操のためかならずみなごろしにならん——としるして布令なす事」と、手配の順に従って、なお、次のように云いわたした。

「孫乾《そんけん》は西河《さいか》の岸に舟をそろえて避難民を渡してやるがよい。糜竺はその百姓たちを導いて、樊城へ入れしめよ。また関羽は千余騎をひきいて、白河《はくが》上流に埋伏《まいふく》して、土嚢《どのう》を築いて、流れをせき止めにかかれ」

孔明は、諸将の顔を見わたしながら、ここでちょっと、ことばを休め、関羽の面《おもて》にその眸をとどめて云い足した。

「——明日の夜三更の頃、白河の下流《しも》にあたって、馬のいななきや兵のさけびの、もの騒がしゅう聞えたときは、すなわち曹軍の潰乱なりと思うがよい。上流にある関羽の手勢は、ただちに土嚢の堰《せき》を切って落し、一斉に、激水とともに攻めかかれ。——さらに、張飛は千余騎をひっさげて、白河の渡口《わたし》に兵を伏せ、関羽と一手になって曹操の中軍を完膚《かんぷ》なきまで討ちのめすこと」

孔明のひとみは、関羽から張飛の面へ移って云いつける。張飛はらんとした眼をかがやかして、大きくそれへうなずく。

「趙雲《ちょううん》やある！」

孔明が、名を呼んだ。

諸将のあいだから、趙雲は、おうっと答えながら、一歩前へ出た。

「ご辺には、兵三千を授ける」

孔明はおごそかにいって、

「――乾燥した、柴、蘆《よし》、茅《かや》など充分に用意されよ。硫黄焔硝《いおうえんしよう》をつつみ、新野城の楼上へ積みおくがよい。明日の気象を考えるに、おそらく暮れ方から大風が吹くであろう。勝ちおごった曹操の軍は、風とともに、易々《やすやす》と、陣を城中にうつすは必然である。――時にご辺は、兵を三方にわけて、西門北門南門の三手から、火矢、鉄砲、油礫《あぶらつぶて》などを投げかけ、城頭一面火焔と化すとき、一斉に、兵なき東の門へ馳け迫れ。――城内の兵は周章狼狽《しゆうしようろうばい》、ことごとくこの門から逃げあふれて来るであろう。その混乱を存分に討って、よしと見たらすぐ兵を引っ返せ。白河の渡口《わたし》へきて関羽、張飛の手勢と合すればよい。――そして樊城《はんじよう》をさして急ぎに急げ」

あらましの指令は終った。命をうけた諸将は勇躍して立ち去ったが、なお糜芳《びほう》、劉封《りゆうほう》などが残っていた。

「二人には、これを」と孔明は、特に近く呼んで、糜芳《びほう》へは紅《くれない》の旗を与え、劉封には青い旗を渡した。いかなる計を授けられたか、その二将もやがておのおの千余騎をしたがえて、――新野をさること約三十里、鵲尾坡《じゃくびは》の方面へ急いで行った。

三

曹操はなおその総軍司令部を宛城《えんじょう》において、情勢を大観していたが、曹仁、曹洪を大将とする先鋒の第一軍十万の兵は、許褚《きょちょ》の精兵三千を加えて、その日すでに、新野の郊外まで殺到していた。

一応、そこで兵馬を休ませたのが、午《ひる》の頃であった。

案内者を呼びつけて、

「これから新野まで何里か」と、訊くと、

「三十余里です」と、いう。

「土地の名は」と、いえば、

「鵲尾坡《じゃくびは》――」と、答えた。

そのうちに、偵察に行った数十騎が、引返してきていうには、

「これからやや少し先へ行くと、山に拠り、峰に沿って陣を取っている敵があります。われわれの影を見るや、一方の山では、青い旗を打ち振り、一方の峰では、紅の旗をもってそれに答え、呼応の形を示す有様、何やら充分、備えている態がうかがわれます。どうもその兵力のほどは察しきれませんが……」

許褚《きょちょ》は、その報を、受けるやいな、自身、当って見ると称して、手勢三千を率いて、深々と前進してみた。

鬱蒼《うっそう》とした峰々、岩々《がんがん》たる山やその尾根、地形は複雑で、容易に敵の態を見とどけることができない。しかし、たちまち一つの峰で、颯々《さっさつ》と、紅の旗がうごいた。

「あ。あれだな」

凝視していると、また、後ろの山の肩で、しきりに青い旗を打ち振っているのが見える。何さま信号でも交わしている様子である。許褚は迷った。

山気は森《しん》として、鳴りをしずめている敵の陣容の深さを想わせる。——これはうかつにかかるべきでないと考えたので、許褚は、味方の者に、

「決して手出しするな」と、かたく戒め、ひとり駒を引返して、曹仁に告げ、指令を仰いだ。

曹仁は一笑に付して、

「きょうの進撃は、このたびの序戦ゆえ、誰も大事を取るであろうが、それにしても、常の貴公らしくもない二の足ではないか。兵に虚実あり、実と見せて虚、虚と見せて実。いま聞く紅旗青旗のことなども、見よがしに、敵の打ち振るのは、すなわち、我をして疑わしめんがためにちがいない。何のためらうことがあろう」と、いった。

許褚は、ふたたび鵲尾坡《じゃくびは》から取って返し、兵に下知して、進軍をつづけたが、一人の敵も出てこない。

「今に。……やがて？」と、一歩一歩、敵の伏兵を警戒しながら、緊張をつづけて進んだが、防ぎに出る敵も支えに立つ敵も現れなかった。

こうなると、張合いのないよりは一層、無気味な気抜けに襲われた。陽はいつか西山に沈み、山ふところは暗く、東の峰の一方が夕月にほの明るかった。

「やっ？……あの音は」

三千余騎の跫音《あしおと》がはたと止まったのである。耳を澄まして人々はその明るい天の一方を仰いだ。

月は見えないが水のように空は澄みきっていた。突兀《とっこつ》と聳《そび》えている山の絶頂に、ひとりの敵が立って大擂《だいらい》を吹いている。……ぼ――うっ……ぼううう……と何を呼ぶのか、大擂の音は長い尾をひいて、陰々と四山にこだましてゆく。

「はてな？」

怪しんでなおよく見ると、峰の頂上に、やや平らな所があり、そこに一群の旌旗《せいき》を立て、傘蓋《さんがい》を開いて対座している人影がある。ようやく月ののぼるに従って、その姿はいよいよ明らかに見ることができた。一方は大将玄徳、一方は軍師孔明、相対して、月を賞し、酒を酌んでいるのであった。

「やあ、憎ッくき敵の応対かな。おのれひと揉みに」

許褚《きよちよ》は愚弄されたと感じてひどく怒った。彼の激しい下知に励まされて、兵は狼群の吠えかかるが如く、山の絶壁へ取りすがったが、たちまちその上へ、巨岩大木の雨が幕を切って落すようになだれてきた。

一塊《かい》の大石や、一箇の木材で、幾十か知れない人馬が傷つけられた。

許褚も、これはたまらないと、あわてて兵を退いた。そして、ほかの攻め口を尋ねた。

四

彼方の峰、こなたの山、大擂《だいらい》の音や金鼓のひびきが答え合って聞えるのである。

「背後《うしろ》を断たれては」と、許褚はいたずらに、敵の所在を考え迷った。

そのうちに曹仁、曹洪などの本軍もこれへ来た。曹仁は叱咤して、

「児戯に類する敵の作戦だ。麻酔《ますい》にかけられてはならん。前進ただ前進あるのみ」

と、遮《しゃ》二無《む》二、猛進をつづけ、ついに新野の街まで押し入ってしまった。

「どうだ、この街の態《てい》は。これで敵の手のうちは見えたろう」

曹仁は、自分の達見を誇った。城下にも街にも敵影は見あたらない。のみならず百姓も商家もすべての家はガラ空きである。老幼男女はもとより嬰児《あかご》の声一つしない死の街だった。

「いかさま、百計尽きて、玄徳と孔明は将士や領民を引きつれて、いち早く逃げのびてしまったものと思われる。——さてさて逃げ足のきれいさよ」と曹洪や許褚も笑った。

「追いかけて、殲滅戦《せんめつせん》にかかろう」という者もあったが、人馬もつかれているし、宵の

兵糧もまだつかっていない。こよいは一宿して、早暁、追撃にかかっても遅くはあるまいと、

「やすめ」の令を、全軍につたえた。

その頃から風がつのりだして、暗黒の街中は沙塵《さじん》がひどく舞った。曹仁、曹洪らの首脳は城に入って、帷幕《いばく》のうちで酒など酌んでいた。

すると、番の軍卒が、

「火事、火事」

と、外で騒ぎ立ててきた。部将たちが、杯をおいて、あわてかけるのを、曹仁は押し止めて、

「兵卒どもが、飯を炊《かし》ぐ間に、あやまって火を出したのだろう。帷幕《いばく》であわてなどすると、すぐ全軍に影響する。さわぐに及ばん」と、余裕を示していた。

ところが、外の騒ぎは、いつまでもやまない。西、北、南の三門はすでにことごとく火の海だという。追々、炎の音、人馬の跫音など、ただならぬものが身近に迫ってきた。

「あっ、敵だっ」

「敵の火攻めだっ」

部将のさけびに曹洪、曹仁も胆《きも》を冷やして、すわとばかり出て見たときは、もう遅かった。

城中はもうもうと黒煙につつまれている。馬よ、甲《よろい》よ、矛《ほこ》よ、とうろたえ廻る間に

も、煙は眼をふさぎ鼻をつく。

さらに、火は風をよび、風は火をよび、四方八面、炎と化したかと思うと、城頭にそびえている三層の殿楼やそれにつらなる高閣など、一度に轟然《ごうぜん》と自爆して、宙天には火の柱を噴き、大地へは火の簾《すだれ》を降らした。

わあっと、声をあげて、西門へ逃げれば西門も火。南門へ走れば南門も火。こはたまらじと、北門へなだれを打ってゆけば、そこも大地まで燃えさかっている。

「東の門には、火がないぞ」

誰いうとなく喚《わめ》きあって、幾万という人馬がわれ勝ちに一方へ押し流れてきた。互いに手脚を踏み折られ、頭上からは火の雨を浴び、焼け死ぬ者、幾千人か知れなかった。

曹仁、曹洪らは、辛くも火中を脱したが、道に待っていた趙雲にはばまれて、さんざんに打ちのめされ、あわてて後へ戻ると、劉封《りゅうほう》、糜芳《びほう》が一軍をひきいて、前を立ちふさいだ。

「これは？」と仰天して、白河のあたりまで逃げ去り、ほっと一息つきながら、馬にも水を飼い、将士も争って、河の水を口へすくいかけていたが、――かねて上流に埋伏していた関羽の一隊は、その時、遠く兵馬のいななきを耳にして、

「今だ！」

と、孔明の計を奉じて、土嚢《どのう》の堰《せき》を一斉にきった。さながら洪水のような濁浪は、闇夜《あんや》の底を吠えて、曹軍数万の兵を雑魚《ざこ》のように呑み消した。

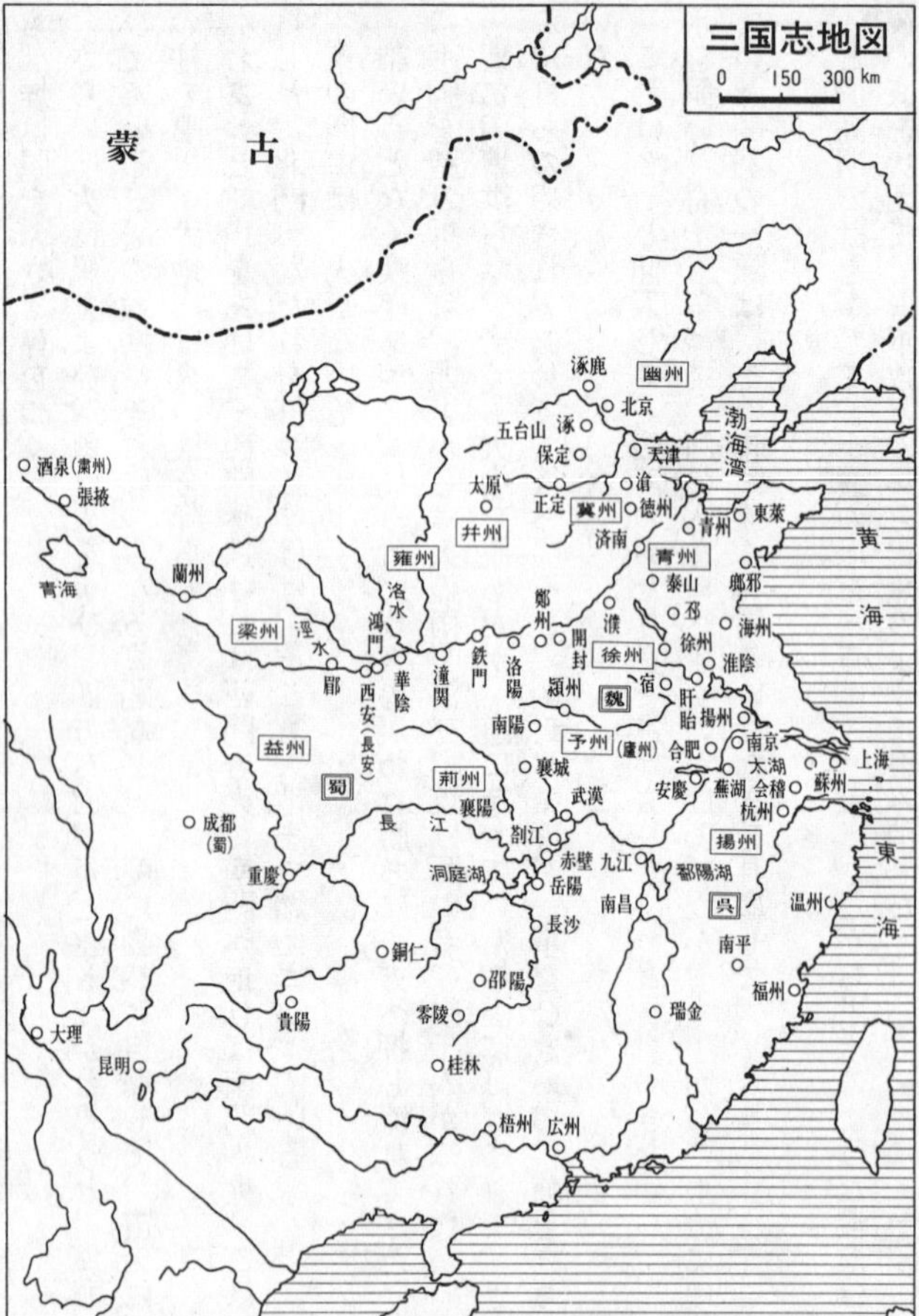
三国志地図
0 150 300 km
蒙古
涿鹿
幽州
北京
五台山
涿
保定
天津
渤海湾
酒泉(肅州)
張掖
太原
正定
滄
冀州
徳州
青州
東莱
黄海
并州
済南
青州
雍州
蘭州
青海
泰山
瑯邪
洛水
鄭州
沂
涇水
梁州
鴻門
開封
濮
海州
徐州
淮陰
鄠
西安(長安)
華陰
潼関
鉄門
洛陽
潁州
魏
宿
盱眙
揚州
南陽
予州
(廬州)
合肥
南京
上海
太湖
蘇州
益州
蜀
荊州
襄城
武漢
安慶
蕪湖
会稽
杭州
成都(蜀)
長江
襄陽
赤壁
九江
揚州
東海
重慶
洞庭湖
岳陽
鄱陽湖
南昌
呉
温州
長沙
南平
銅仁
邵陽
福州
貴陽
零陵
瑞金
大理
昆明
桂林
梧州
広州
南海

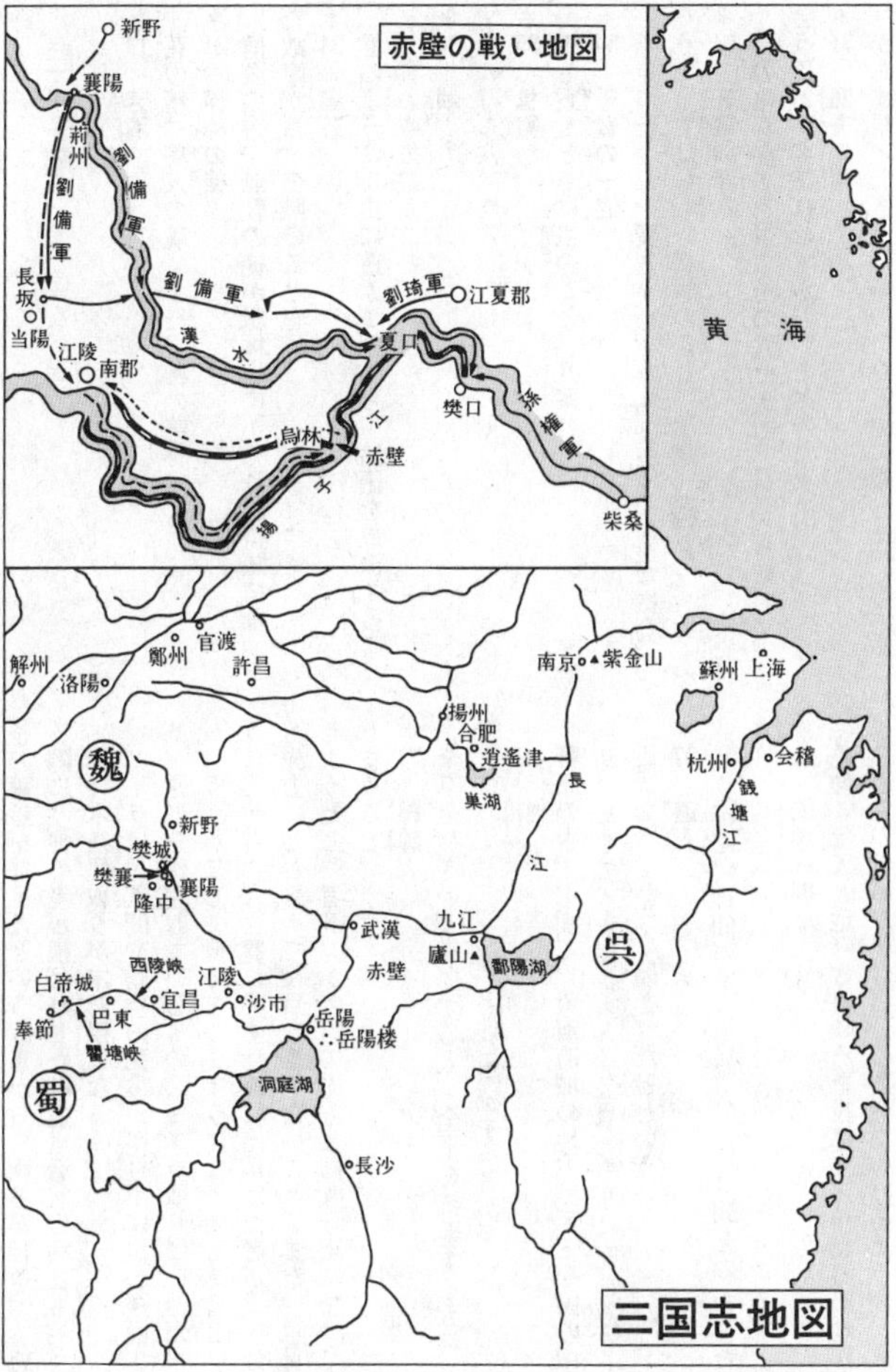
赤壁の戦い地図
新野
襄陽
荊州
劉備軍
劉備軍
長坂
当陽
劉備軍
漢水
劉琦軍
江夏郡
夏口
江陵
南郡
樊口
孫権軍
烏林
赤壁
揚子江
柴桑
黄海
解州
洛陽
鄭州
官渡
許昌
南京
紫金山
蘇州
上海
揚州
合肥
逍遙津
巣湖
杭州
会稽
銭塘江
長江
魏
新野
樊城
樊襄
襄陽
隆中
武漢
九江
廬山
鄱陽湖
赤壁
呉
白帝城
西陵峡
江陵
宜昌
沙市
巴東
奉節
瞿塘峡
岳陽
岳陽楼
洞庭湖
蜀
長沙
三国志地図

註解

＊17 **芳魂**《ほうこん》
花の精。美人の魂。また、魂の美称。

＊21 **緑林**《りょくりん》**の徒**《と》
前漢の末、無頼の徒《ならずもの》が緑林山にかくれて盗賊になった故事から、盗賊のことをいう。

＊34 **雲遊**《うんゆう》
雲のように自由に遊ぶことから、諸国を放浪すること。雲の中で遊ぶこと。

＊34 **岫**《しゅう》
山のほら穴。岩穴。みね。山の頂。

＊35 **机案**《きあん》
机も案もともに机《つくえ》のこと。几案とも。

＊54 **千載**《せんざい》**の一遇**《いちぐう》
千年にたった一度しかめぐりあえないような機会、そういうすばらしい状態のこと。千歳一遇。

＊54 **盲亀**《もうき》**の浮木**《ふぼく》
盲の亀が浮木を得てその穴に入ることから転じて、会うことが非常にむずかしいことのたとえ。

＊71 **漁夫**《ぎょふ》**の利**《り》
からす貝としぎとが争っている隙に乗じて、漁夫がその両者を捕えたという故事から、両者が相争っている隙に、他の者が横どりした利益。漁父の利とも。

＊72 **木乃伊**《ミイラ》**取**《と》**りが木乃伊**《ミイラ》**になる**
ミイラは、人間や動物の死体が腐らずにかわき固まり、原形を保存しているもの。ミイラ取りにいった人が、うっかりして自分までミイラになってしまうということから、人を連れ戻すために出かけた者が、自分も先方にとどまって役目を果さないこと。また、意見しようとした者が、かえって先方と同じ考えになってしまうこと。

＊77 **総帥**《そうすい》
全軍をひきいて指揮する人。全軍を統率する大将。総大将のこと。「そうし」と誤読する者が多い。

＊86 **中原**《ちゅうげん》
野原の中。中国で、黄河流域の地方。天下や国の中央部。転じて、政権を争う舞台。「中原に鹿《しか》を逐《お》う」「中原の鹿（しか・ろく）」などという。

＊87 **道人**《どうじん》
どうにん。神仙の道を得た人。俗世間をのがれた人。

＊101 **乾坤一擲**《けんこんいってき》
「乾坤」は天と地。さいころを投げて天が出るか地が出るかをかけること。自分の運命をかけるような、大

仕事や大勝負をすること。

＊105 **野《や》に遺賢《いけん》なし**

「遺賢」は、世に認められないでいる立派な人のこと。官吏にならないで民間（野）にいる有能な人物というものはいない。すぐれた人物が認められて官吏に採用され、国家が安定しているさま。

＊107 **柴門《さいもん》**

柴で作った門。転じて、むさくるしい家、隠者のすまいなどをいう。

＊108 **我田引水《がでんいんすい》**

自分の田に水を引きこむという意味から、自分の都合のよいように言ったり、行ったりすること。

＊108 **良禽《りょうきん》は樹《き》をえらぶ**

賢い鳥は木をよくえらんで棲《す》み、巣をつくる。名臣、賢臣は、その主君をよく選んで仕えるというたとえ。

＊152 **簞食壺漿《たんしこしょう》**

飯を竹器に盛り、飲みものをつぼにいれること。転じて、飲食物を備えて、軍隊などを歓迎すること。

＊153 **捲土重来《けんどちょうらい》**

一度負けた者が、また勢力を盛《も》り返してくること。「けんどじゅうらい」ともいう。

＊155 **背水《はいすい》の陣《じん》**

河川、湖海などを背にした決死の陣立て。転じて、一歩も退《ひ》けない絶体絶命の立場で事にあたるたとえ。

＊169 **王佐《おうさ》の才《さい》**

帝王を補佐することのできる才能。また、その才のある人。「王佐の材」も同じ。

＊180 **金城湯池《きんじょうとうち》**

きわめて守りの固い城や堀。転じて、他から侵害されにくいところ。

＊202 **真人《しんじん》**

老荘学派で、道の奥義《おうぎ》を悟り得た人。至人。仙人。

＊202 **もと（本）木《き》に勝《まさ》るうら（末）木《き》なし**

何度取り替えてみても、やはり最初の相手がいちばんよいということで、多く男女関係についていう。

＊241 **権変《けんぺん》の才《さい》**

その場その時の変化に応じて適宜に物事を処置する能力。臨機応変の才能。

＊242 **孑遺《けつい》**

のこり。生き残りの者。「げつい」とも。

＊244 **臥龍《がりょう》・鳳雛《ほうすう》**

臥龍（「がりゅう」とも）は、寝ている龍、まだ雲雨を得ないため天にのぼれず、地にひそみ隠れている龍。転じて、まだ志をのばす機会を得ないで、民間にひそみ隠れている英雄。鳳雛は、鳳凰のひなで、将来、大人物になる素質を備えた少年のたとえ。諸葛孔明の故事に由来する。伏龍鳳雛とも。

＊265 **螟蛉《めいれい》**

青虫のこと。じがばちが、青虫の子を取って負い、自分の子とするところから、養子のことをいう。

＊273 **堯舜《ぎょうしゅん》**

中国古代伝説上の帝王の名で、五帝の第四の堯と、堯が位をゆずった舜のこと。儒家で、理想の聖天子とされたことから、転じて聖天子、明君のこと。

＊276 **士大夫《したいふ》**

中国で、士と大夫。科挙によって官の資格を得た人。官職にある人。また、軍人、特に将校をいう。

＊277 **縲紲《るいせつ》**

罪人をしばる黒い縄。また、牢獄につながれること。「縲紲の恥」などという。

＊278 **士《し》は己《おのれ》を知《し》る者《もの》の為《ため》に死《し》す**

男子は自分の真価を知って待遇してくれる人のためには、身命をなげうって尽くす、ということ。

＊287 **太公望《たいこうぼう》**

周の文王の師で、呂尚《りょしょう》のこと。文王が渭水《いすい》の北岸で釣りをしていた呂尚を見つけだし、わが太公（父）のときから待ち望んでいた方だといって、むかえて師とし、太公望と号した。転じて、釣りをする人。

＊299 **曲学阿世《きょくがくあせい》**

真理を曲《ま》げて、時世におもねる（世間に迎合する）こと。戦後、講和条約締結の際、時の首相・吉田茂が全面講和論の東大総長・南原繁を〈曲学阿世の徒〉ときめつけたことで有名。

＊302 **琴瑟相和《きんしつあいわ》して**

琴《こと》と瑟とを合奏して、その音がよく合うところから、夫婦の仲がむつまじいことのたとえ。

＊323 **惆悵《ちゅうちょう》**

悵も惆と同じ意味で、嘆き悲しむこと。がっかり気落ちした状態。うらみかなしむこと。

＊347 **三顧《さんこ》の礼《れい》**

三顧は、三度かえりみる、三度たずねること。蜀漢の劉備が、まだ即位しない前、諸葛孔明を三度その草庵にたずねてやっと面会し、天下を取る策を問うた故事（詳細は本巻参照）から、君主などから特別の信任優遇をうけること。

＊359 **三分《さんぶん》の計《けい》**

諸葛孔明が、当時天下が魏《ぎ》・呉・蜀に三分していたので、蜀はその一つを守って、他の二国に対抗すべきことを劉備に進言した。世にこれを、天下を分つ三分の計という。

ゆたかさ　あたたかさ

入《いり》江《え》相《すけ》政《まさ》

いつ、どのようにして相知ったか、よく覚えない。日記を克明《こくめい》にめくれば、かならず出てくるが、その暇もないし、どうでもいいことだろう。

私の書くつまらない随筆に、いつもあたたかい心を注《そそ》いでくださった。まだおつきあいのないころも、注意していただいていることが、間接に伝わってきたりした。どれだけはげみになったかわからない。

陛下（昭和天皇）のご前での、文人の座談会は二度。最初は、辰野隆、徳川夢声、サトウハチローの三氏。二度目は、夢声を座長に、吉川英治、獅子文六、火野葦平の四氏。

宮本武蔵が、開府《かいふ》早々の江戸に来てそばを食う場面。ハエがいっぱい。まだ整わない江戸が、まことによく描かれている。武蔵をねらう人。ハエがとまると、武蔵は、そばを食う箸で、すぐつまんで捕《と》る。二度三度つづけていると、ねらっていた人は、武蔵に底知れぬおそれを抱いて立ち去る。あれが話題になった。それは武蔵のことではないが、幕末の剣客、千葉周作かなにか、そういう人のことを、あの場面に借用したというお話だった。

奥多摩の吉野村のころ、同じく御岳《みたけ》に住む川合玉堂《かわいぎょくどう》との交遊。宮本武蔵に子供があったかどうかということ。武蔵の作者たる当の人に、玉堂はあつかましくも、子供は無《な》かったと言い切った。なぜ。武蔵小金井（子が無《ね》え）というじゃあないか。玉堂得意の洒落《しゃれ》である。吉川さんからは、その時のことを聞かずじまいになった。

川柳もたくみ、書も見事。しみじみ見入ってはいつも楽しむ。書家の書に無い、命を感じるからである。

幼少のころの労苦は、すべてこの人を築き上げるのに役立った。聡明《そうめい》で、そして心あたたかければ、いかなる逆境も、その人を引きおろすことなく、却《かえ》って盛り立てる。このすばらしさをいつも思う。

（元侍従長・故人）

●作品紀行

三国志の旅㈣

尾崎秀樹（文芸評論家）

パンダと竹林の四川省

四《し》川《せん》省は天府の国といわれる。自然の富に恵まれ、周囲を山にかこまれた四川盆地は、独立した風土をつくり出している。北の大《たい》巴《は》山脈が寒波の襲来を防ぐために、冬季は比較的暖かく、亜熱帯の植物が繁茂している。もっとも夏の暑さはきびしく、武漢や南京とともに重慶あたりの酷暑を溶鉱炉にたとえる人もあるくらいだ。

戦後の世代は、四川省といえばまずパンダ（熊猫）を思い浮かべるらしい。たしかに四川省はパンダのふるさとである。ただし成都から北へ四百キロも入った標高三千メートル前後の平武県の山中が棲息地だというから、野生のパンダにお目にかかることは難しい。

古い世代にとっては、四川省は蜀の国であり、「三国志」の舞台としてつよく印象づけられている。劉備が蜀へ入り、成都に即位したのは建安二十六年、つまり二二一年のことだ。劉備は後漢王朝の正統の後継者であることをしめす意味で、国号を漢、年号を章武とした。しかし劉備は二年後に永安城（白帝城）で歿し、後事を託された諸葛孔明は劉禅を補佐してけんめいにつとめるが、五丈原に陣歿《じんぼつ》し、国運は衰退に向い、二代にして滅びるのである。

孔明は琅邪《ろうや》（現在の山東省沂水県）の人で、叔父《おじ》の諸葛玄が殺された後、襄陽の北西にあたる隆中に移り、晴耕雨読《せいこううどく》の日々を送っていたが、三顧の礼をもって迎えられ、劉備、劉禅二代に仕えて漢室の復興につくした。その孔明ゆかりの地である隆中は、襄樊《シャンファン》（湖北省西北部）から西へ十五キロほど行ったところにある。そのあたりは長江支流の漢江の中流地帯に位置し、昔から兵馬抗争の地とされていた。現在では人口二十五万の新興工業都市に変貌しつつあるが、最近一般の観光にも開放され、隆中にも足をのばすことができるようになった。

成都に劉備、孔明をしのぶ

孔明の忠誠心は「三国志演義」の普及とともに人心にふかく印象づけられ、遺体が葬られた定軍山の祠堂のほかに、成都にも武侯祠《ぶこうし》が建てられた。

成都の武侯祠は南郊公園に接続している。大門を入ると、左右に唐碑と明碑が建ち、さらに二門をくぐると、突きあたりに劉備殿が位置し、その奥に諸葛亮殿がある。二門から劉備殿に到る左右の廊下には、二十八人の文官と武官の塑像《そぞう》が並んでいる。右に文官、左に武官が威儀《いぎ》をただして連なっているわけだが、それらの文武官にまもられた形で、劉備とその孫を中心に、左に関羽とその一党、右に張飛とその一党の塑像がひかえており、かつての勢威をしめしているようだ。

諸葛亮殿の像の前に、三つの諸葛鼓が置いてあった。大小不揃いの銅製のもので、大きいのは直径六十センチほどもあろうか。鋳造《ちゅうぞう》の年代は六世紀以前にさかのぼると解説してあった。この銅鼓を〝諸葛鼓〟というのは、孔明が軍旅に作らせたためだそうだが、伝承であろう。なぜなら中国の西南地方では、春秋戦国の時代にこの種の銅鼓が用いられているからだ。

諸葛亮殿の左右には蓮池がひろがっている。左の方が大きく、池に沿ってまわると、船舫《せんぼう》や琴亭《きんてい》などを眺められる。四川省は竹が多い。西安から秦嶺《しんれい》山脈や大巴山脈を越え、四川盆地へ入ってゆくと、華南を思わせるような風景が目につきはじめる。黒い屋根瓦、竹藪などだ。四川省のお土産《みやげ》に竹の細工ものをもとめる人が多いのも当然だろう。左右から竹がさしかわすような道を歩いていると、日本にいるような錯覚さえおぼえる。そんな小道を抜け、赤い塀に沿ってゆくと劉備の墓へ出る。

杜甫が詠んだ孔明像

孔明は厚葬を嫌ったという。定軍山の墓にも副葬品を入れないよう遺言したそうだが、劉備の墓もきわめて素朴な円墳だ。劉備は昭烈皇帝と称《よ》ばれたが、その墓の素朴さは人柄をあらわすようにも思われ、悪くなかった。墳丘《ふんきゅう》を登ると、その途中に芙蓉《ふよう》が植わっており、紅白の花が咲き残っていたのが印象的だった。

武侯祠がいつ頃建てられたものか、正確なことはわからない。ただ唐代の有名な詩人である杜甫が、七六〇年に成都へ来たとき、すでに孔明を祀《まつ》った祠堂があったことから推測すると、それ以前に建造されたと思われる。

「蜀相」と題したその詩は、つぎのようなものだ。

丞相祠堂何《イヅ》レノ処ニカ尋《タヅ》ネン
錦官城外柏森森《シンシン》
階ニ映ズル碧草《ヘキソウ》自ラ春色
葉ヲ隔ツル黄鸝《コウリ》空シク好音
三顧頻リニ煩ワス天下ノ計
両朝開済ス老臣ノ心
出師《スイシ》未ダ捷《カ》タズ身先ダッテ死ス
長ク英雄ヲシテ涙襟ニ満タセシム

この詩にうたわれたように、当時の祠堂周辺には柏が生い繁り、階段には青草が映じて春の景色をあらわし、葉がくれに黄うぐいすが聞く者もないのにいい音色で啼《な》いていたのであろう。私が武侯祠を訪れたのは秋の終りであり、杜甫がうたった春の景色からは遠かったが、しかしそこでの感慨はかえってふかいものがあった。

杜甫は七五九年から七六五年まで成都に住み、二百数十篇の詩をよんだ。その旧居のあたりには杜甫草堂が建てられている。これは北宋の時代に建造され、元、明、清と何度か修復が加えられたが、国民党が統治していた時期に兵営にあてられ、厩舎《きゅうしゃ》がおかれたりしたため、文物が破壊されたという。成都まで行けば、ぜひ武侯祠とともにこの杜甫草堂を見学することだ。

孔明は一種の重農政策を積極的に推進し、兵站《へいたん》の確保にあたった。都江堰《とこうえん》の修築にもあたっている。都江堰は古代からの水利施設で、成都から六十キロほど離れた灌県にある。紀元前三世紀の秦の時代に、岷江《みんこう》の流れを内江と外江にわけ、外江を岷江の排水路とし、内江を灌漑《かんがい》用にあてた一大治水施設だ。以来今日までこの灌漑用水はおおいに利用され、成都平原をうるおしてきた。解放後の修築でその灌漑面積はそれ以前の四倍、八百万ムーにおよび、さらに工事が継続中である。

この工事にあたった最初の功績者は、蜀の大守として赴任してきた李冰《りひょう》であり、父子二代にわたってその事業を推進した。内江沿いの岩山の上に伏龍観という廟が建っており、その前殿に李冰の大きな石像がそびえている。これは紀元一六八年の石像だが、ながく川の中洲に埋まっており、一九七四年春、都江堰の拡張工事中に発見された。とするとこの石像を孔明は目にする可能性はあったわけだ。

廟の後の建物は二階建になっており、その回廊に出ると内江の水が幹線水路に渦をまきながら流れこむさまが眺められる。内江や外江に吊橋がかかっているが、これは夫婦橋とよばれていた。何先徳が死を賭して架橋工事につとめ、無実の罪をこうむって処刑された後、その妻が遺志を継いで工事を完成させたことから、この名が生まれたということだった。

古戦場をしのぶ長江下り

成都から重慶までは汽車でも結構時間がかかる。夜行を利用しておよそ八時間ほどだ。重慶からは三峡下りの船が出ている。南宋時代の官吏だった范成大に「呉船録」という紀行文があり、一一七七年五月二十九日から十月三日までの四月余を費して、成都から重慶を経て三峡を下り、蘇州に到る旅を克明に記録している。この「呉船録」を読みながら、重慶から武漢まで千三百キロほどの行程を、二泊三日を費して下るのはたのしいものだ。

その間に瞿唐峡《くとうきょう》、巫峡《ふきょう》、西陵峡《せいりょうきょう》の絶景を賞味することができるし、歴史的には「三国志」にちなむ白帝城や赤壁の古戦場を居《い》ながらにして眺めることができる。

遡行《そこう》する場合は日程がさらにふえるが、二千五百トンから三千トンといった船の旅は、それなりに興味深い。重慶は嘉陵江が長江に合流する地点に開かれた都市だ。平地はなく、切りたった崖の上に街がひろがっている。船に乗るのにも波止場《はとば》までかなり下って行かなければならない。もともと四川省という言葉のおこりも、岷江、沱江、嘉陵江、烏江など四つの川が流れているところからおこったといわれ、その水をあつめた長江の流れは水量も多く、三峡の嶮をつくったのであった。

白帝城は瞿唐峡口の左岸に位置している。後漢の時代に公孫述がここに城を構え、白帝城と称したのがはじまりだが、劉備が孔明に後事を託して歿した所でもある。

「唐詩選」にも入っている李白の詩「朝に白帝を辞す彩雲の間　千里の江陵一日に還る」を思い出

す人もいるだろう。杜甫も成都を去った後、白帝城に近い夔州《きしゅう》にとどまり、白帝城へ登っていくつかの詩をつくっている。この白帝城にも昭烈皇帝廟や武侯祠があったという。

巫峡は三峡の中でも一番長く四十四キロにわたっており、一転して流れもゆるやかになる。両岸には巫山十二峰がそびえたち、それにまつわる故事などを聞きながら、下ってゆくのもおもしろい。

川幅は広がるかと思うとまた狭まり、そのたびに景観が大きく変るが、西陵峡を過ぎると湖北省である。三峡それぞれに変化に富み、瞿唐峡は壮大でもっとも険しく、巫峡は雄大にしてもっとも美しく、西陵峡は参差《しんし》としてもっとも奇だといわれてきた。

さらに下ると赤壁の古戦場を遠望することができる。高さ七十メートルほどの岩の上に亭が建っているが、そのあたりで展開された激戦の模様は、あらためていうまでもないほど有名だ。孫権と連合して曹操を迎え撃った劉備の軍は、孔明の策を用いて曹操の水軍を赤壁で殲滅《せんめつ》し、以後三国鼎立の形勢が確立される。その赤壁を過ぎると長江はひろがり、単調な船旅となるのだ。

吉川英治歴史時代文庫の表記について

吉川英治歴史・時代文庫の表記は著作権者との話合いで、児童作品を除き、次のような方針で行っております。

一、作品は新かなづかいを原則とする。ただし、引用文は原文のままとする。

二、送りがなは改定送りがなに準拠する。ただし、原文が許容されている送りがなを使用している場合は本則によらず、そのままとする。

（例）引揚げる。打明ける。

また、辺の場合など、ヘンかアタリか、親本のルビを基とし、ルビなく、どちらともとれるときは、辺のままとする。

三、原文の香気をそこなわないと思われる範囲で、漢字をかなにひらく。ただし、作品別、発表年代別に慎重を期する。

（例）然し→しかし　但し→ただし（接続詞）

噫→ああ　呀→あっ（感動詞）

迄→まで　位→くらい（助詞）

凝っと→じっと　猶→なお（副詞）

儘→まま（形式名詞）

例外の場合

御机→お机（御身→御身《おんみ》）（接頭語）

四、会話の『』は「」にする。

五、くりかえし記号　ヽ　ゝ　〱　々は原則として使用しない。

なお、作品中に、身体の障害や人権にかかわる差別的な表現がありますが、文学作品でもあり、かつ著者が故人でもありますので、一応そのままにしました。ご諒承ください。

吉川英治歴史時代文庫 36

三国志《さんごくし》（四）

一九八九年四月十一日第一刷発行
二〇〇四年九月二十一日第三十九刷発行

著者―吉川英治《よしかわえいじ》
発行者―野間佐和子
発行所―株式会社講談社
東京都文京区音羽二―一二―二一
郵便番号 一一二―八〇〇一
電話 編集部 〇三―五三九五―三五〇五
販売部 〇三―五三九五―五八一七
業務部 〇三―五三九五―三六一五
印刷―凸版印刷株式会社
製本―株式会社国宝社

Printed in Japan ISBN4-06-196536-0

吉川英治歴史時代文庫　全80巻　補巻5

43 上杉謙信
44 黒田如水
45 大岡越前
46 平の将門
47 新・平家物語(一)
48 新・平家物語(二)
49 新・平家物語(三)
50 新・平家物語(四)
51 新・平家物語(五)
52 新・平家物語(六)
53 新・平家物語(七)
54 新・平家物語(八)
55 新・平家物語(九)
56 新・平家物語(十)
57 新・平家物語(十一)
58 新・平家物語(十二)
59 新・平家物語(十三)
60 新・平家物語(十四)
61 新・平家物語(十五)
62 新・平家物語(十六)
63 私本太平記(一)
64 私本太平記(二)
65 私本太平記(三)
66 私本太平記(四)
67 私本太平記(五)
68 私本太平記(六)
69 私本太平記(七)
70 私本太平記(八)
71 新・水滸伝(一)
72 新・水滸伝(二)
73 新・水滸伝(三)
74 新・水滸伝(四)
75 治郎吉格子 他
76 柳生月影抄 他
77 忘れ残りの記
78 神州天馬侠(一)
79 神州天馬侠(二)
80 神州天馬侠(三)

補巻

1 新編忠臣蔵(一)
2 新編忠臣蔵(二)
3 梅里先生行状記
4 随筆新平家
5 随筆宮本武蔵
随筆私本太平記

＊平成二年十月　全巻完結